COLLECTION FOLIO

Molière

Amphitryon
George Dandin
L'Avare

Texte établi,
présenté et annoté
par Georges Couton

Gallimard

AMPHITRYON

COMÉDIE

Par J.-B. P. de Molière.

A PARIS
Chez Jean Ribou, au Palais,
vis-à-vis la Porte de l'Église de la Sainte-Chapelle
à l'Image Saint Louis.

M. DC. LXVIII
AVEC PRIVILÈGE DU ROI

AMPHITRYON

COMÉDIE

Par J.-B. P. de MOLIÈRE.

Représentée pour la première fois
à Paris, sur le Théâtre du Palais-Royal,
le 13 janvier 1668
par la Troupe du Roi.

NOTICE

*La première d'*Amphitryon *fut donnée le 13 janvier 1668 sur la scène du Palais-Royal. Le roi et la cour assistèrent à la troisième représentation le 16 janvier aux Tuileries. Le gazetier Robinet fit un compte rendu enthousiaste :*

> [...] depuis un fort beau Prologue,
> Qui s'y fait par un dialogue
> De Mercure avecque la Nuit,
> Jusqu'à la fin de ce déduit,
> L'aimable enjouement du comique
> Et les beautés de l'héroïque,
> Les intrigues, les passions,
> Et bref, les décorations,
> Avec des machines volantes
> Font un spectacle si charmant [...]

Il loue beaucoup les actrices :

> Vous y verrez certaine *Nuit*
> Fort propre à l'amoureux déduit,
> Et de même certaine Alcmène [...]

qui mériterait bien qu'un nouveau Jupiter lui donnât pour enfant un nouvel Hercule.

La pièce poursuit après cela sa carrière avec un succès honorable, sans beaucoup plus, à en juger par les re-

cettes ; à en juger aussi par le fait que dès le 17 février Le Médecin malgré lui, *ensuite* L'Amour médecin, *puis* Le Mariage forcé *viennent compléter la représentation. Dès mars,* Amphitryon *est imprimé. Robinet signale :*

> Le bel Amphitryon du ravissant Molière
> Qui dessus le théâtre a fait tant de fracas. [...]

Mais les recettes démentent cet enthousiasme.

Amphitryon *se maintiendra pourtant au répertoire.*

Pourquoi Molière avait-il choisi ce sujet ? S'est-il pris alors d'une admiration particulière pour Plaute : L'Avare *imité de l'*Aulularia *de Plaute suivra de près* Amphitryon? *L'édition des « Grands Écrivains » donne cette explication ; elle n'est pas impossible. Elle en ajoute une seconde :* Les Sosies *de Rotrou (1636) avait un succès durable ; en 1650, les comédiens du Marais en avaient tiré une pièce à machines sous le titre* La Naissance d'Hercule. *En 1653 encore, le* Ballet royal de la Nuit *comportait une entrée qui s'appelait la* Comédie muette d'Amphitryon. *Le sujet n'était donc pas oublié. Il se peut même que* La Naissance d'Hercule *fût encore reprise au Marais, mais cela n'est pas établi.*

Je voudrais faire observer que la première traduction en français de Plaute, celle de l'abbé de Marolles, qui n'est point méprisable, avait paru récemment avec le texte en regard. Molière était assez bon latiniste pour avoir entrepris et peut-être mené très loin une traduction de Lucrèce. Ce n'est pas lui faire injure pourtant de penser que, pressé surtout comme il l'était, il pouvait bien préférer à l'occasion, surtout pour une lecture d'ensemble, une traduction française. Ne devrait-il pas à Marolles le goût qu'il porte à Plaute à ce moment de sa carrière ?

On entrevoit une raison qui peut avoir amené Molière à choisir ce sujet. En mai 1667, commence la guerre de Dévolution. L'armée française occupe un certain nombre de villes des Flandres : Lille, Charleroi,

Tournai, Courtrai, Douai, alors espagnoles. Toute la jeune noblesse s'engage avec un zèle que constatent les Mémoires *de Louis XIV.*

Une guerre fait apparaître, outre des modes vestimentaires et des slogans politiques, une littérature appropriée : les politiques, les poètes, les chansonniers même, traitent les sujets d'actualité, littérature revigorante, exaltante ou exultante. A ce concert, Corneille participe avec sa pièce, Au roi sur son retour de Flandre *et avec son* Poème sur les victoires du roi, *traduction d'un poème latin du père de La Rue ; Molière avec un sonnet,* Au Roi sur la conquête de la Franche-Comté, *qui sera joint à la première édition d'*Amphitryon.

Mais à côté de cette littérature triomphante, qui comporte des chants du départ ou des panégyriques du vainqueur revenu chargé de lauriers, des œuvres moins sérieuses, ou en tout cas moins tendues, traitent d'autres thèmes. La littérature guerrière produit à côté des discours aux morts, des opérettes, des Veuves joyeuses *pour les vivants. « Pourvu qu'ils tiennent ! disait-on pendant la Première Guerre mondiale. — Qui ? — Les civils. » Pourvu que les amours légitimes, et les autres, résistent à l'absence ; que les dames soient fidèles aux amants partis pour les armées, que les amants ne cèdent pas aux amours faciles que l'occasion peut proposer ! Tout couvert de gloire qu'il revienne, le soldat libéré peut avoir les mêmes surprises qu'un Arnolphe qui s'est absenté pour passer quelques jours dans sa maison de campagne. Nous serions très porté à ranger* Amphitryon *dans cette branche mineure, et légère, de la littérature guerrière.*

*Il y a un autre aspect d'*Amphitryon *à quoi nous ne pouvons pas ne pas faire place.*

*Le premier texte qui établisse un rapport entre l'*Amphitryon *de Molière et les amours de Louis XIV et de M*[me] *de Montespan est à la vérité récent. C'est Roederer qui, dans ses* Mémoires pour servir à l'histoire de la société polie en France (1835), *fait observer que Molière ne peut guère avoir écrit sans intention les vers*

Un partage avec Jupiter
N'a rien du tout qui déshonore.
(v. 1898 - 1899)

Informé comme il l'était « de toutes les aventures galantes de la cour », il a bien dû soupçonner « que la situation du marquis de Montespan [avait] quelque rapport avec celle d'Amphitryon, celle de Louis XIV avec celle de Jupiter ».

Assurément un texte contemporain ferait mieux notre affaire. Mais il faut nous dire que, quoiqu'ils n'eussent pas en ce domaine les mêmes idées que nous, les contemporains étaient malgré tout obligés à quelque discrétion ; que les témoignages écrits étaient rares, que leur conservation a été partielle et fort capricieuse. D'autre part, à ces allusions, les générations postérieures n'attachaient qu'un très médiocre intérêt, jusqu'au moment où la curiosité des critiques et des historiens de la littérature s'y est portée. Le silence des textes ne doit donc pas nous empêcher de relever les coïncidences entre les œuvres et l'actualité contemporaine. Un réseau suffisamment serré de ressemblances peut alors prendre sa valeur démonstrative, malgré le silence des documents contemporains.

Le premier texte — à ma connaissance non signalé — qui laisse, peut-être, entendre que Mme de Montespan pourrait être l'objet d'attentions d'un autre que de son mari est de janvier 1665. Bensserade, qui avait l'esprit fort éveillé et excellait aux allusions malicieuses, avait écrit les vers du Ballet royal de la naissance de Vénus *dansé par Sa Majesté le 26 janvier 1665. Mme de Montespan représentait une Heure et les vers suivants commentaient son rôle :*

Ne croyez pas qu'il m'importe beaucoup
Que je la [l'heure] sois du Berger ou du Loup,
Les ordres du destin m'ont-ils pas appelée
A la condition d'une Heure bien réglée ?
Jusqu'à la fin pourquoi n'irais-je pas
Sans m'écarter de ma route d'un pas ?

On a bien dû entendre que déjà le loup rôdait, même si l'espoir était formulé que la bergère suivrait la route sans s'écarter.

On s'aperçut l'année suivante que le danger approchait. La Fare crut comprendre, dès 1666, que le « roi avait quelque dessein sur elle ». « L'hiver d'après [1667] tout le monde ne douta plus qu'elle ne parvînt enfin à ce qu'elle poursuivait depuis longtemps. Lauzun se mêla de ses affaires; la médisance même publia que Mme de Montausier y était entrée. Quoi qu'il en soit, la passion du roi éclata entièrement dans le voyage que la reine fit en Flandre pendant la campagne de 1667. »

L'envoyé du duc de Savoie, le marquis de Saint-Maurice, tient son maître au courant à partir de mai 1667 : « Chacun croit qu'il [le roi] n'a plus de pensée que pour la Montespan. » En juillet, l'ambassadeur d'Angleterre croit lui aussi la liaison certaine.

Mademoiselle, qui vit dans l'intimité de la famille royale, est mieux informée encore. La reine va en Flandre, avec les dames de sa suite, pour visiter les villes que son mari vient de lui conquérir pendant la guerre de Dévolution. Mademoiselle est du voyage; Mme de Montespan aussi. Mademoiselle reçoit les confidences. Mme de Montespan, qui trouve bien hardi le comportement de la maîtresse en titre, La Vallière, déclare : « Dieu me garde d'être maîtresse du roi; mais si je l'étais, je serais honteuse devant la reine. » Pendant le séjour de la cour à Avesnes (du 9 au 14 juin 1667), on observa un incident : « Mme de Montespan logeait chez Mme de Montausier dans une de ces chambres qui étaient proches de la chambre du roi et l'on remarqua qu'à un degré qui était entre deux, où l'on avait mis une sentinelle à la porte qui donnait à l'appartement du roi, on la vint ôter et elle fut toujours en bas. Le roi demeurait souvent seul à sa chambre et Mme de Montespan ne suivait point la reine. »

A la mi-août, la reine reçut une lettre : « On me donna avis que le roi est amoureux de Mme de Montespan et qu'il n'aimait plus La Vallière, et que c'est Mme de Montausier qui mène cette affaire. » Il s'ensuivit une scène d'explication : « La reine dit fort haut : Je ne suis pas si dupe que l'on s'imagine, mais j'ai de la prudence. » Au début de l'année suivante, l'affaire de la lettre avait son épilogue : Mme d'Armagnac, accusée de l'avoir écrite, était chassée de la cour.

A quel moment la belle céda-t-elle au loup ? Mademoiselle laisse entendre que ce fut en juin, lorsque la sentinelle fut déplacée et la communication établie entre les deux appartements. Saint-Maurice par contre croit encore en février 1668 que Mme de Montespan résiste. Peu importe ; encore que le témoignage de Mademoiselle mérite plus de crédit. Ce qui est certain, c'est qu'un événement majeur se passait ; l'intronisation d'une nouvelle maîtresse ressemblait fort à une affaire d'État : des intérêts, des ambitions étaient en jeu et pas seulement les curiosités. Qui de près ou de loin touchait à la cour devait suivre les péripéties connues, ou imaginées, avec une attention passionnée.

De M. de Montespan, on ne parlait pas ; ou du moins les mémorialistes ne font mention de lui que plus tard. L'opinion ne lui est en général pas favorable. « M. de Montespan ne songea qu'à profiter de l'occasion pour son intérêt et sa fortune, et ce qu'il fit ensuite ne fut que son dépit de ce qu'on ne lui accordait ce qu'il voulait », écrit, tardivement il est vrai, Mme de Caylus. La Palatine est tout aussi sévère : « Je crois que, si le roi avait voulu donner beaucoup, il se serait apaisé. » Témoignage tardif également. Mais le marquis de Saint-Maurice tient le même propos dès septembre 1668. En mars 1668, Montespan donnait encore procuration à sa femme, à une date où il lui était impossible d'ignorer.

La comédie de Molière a été jouée pour la première fois le 13 janvier 1668. Les nouvelles amours du roi étaient l'objet de tous les commentaires. M. de Montespan se comportait en homme qui avait du savoir-vivre et ne faisait pas d'esclandre. A cette situation que personne ne prenait au tragique, des allusions amusées pouvaient être faites sur le mode héroï-comique sans blesser ; elles étaient au reste faciles à démentir, en cas de besoin : il suffisait de s'abriter derrière Plaute.

Sans compter qu'Alcmène avait résisté et que Jupiter avait dû user d'un subterfuge pour tromper sa vertu. Résister si vaillamment à Jupiter ajoutait encore au mérite de la dame.

Pendant tout le printemps de 1668, Montespan ne fut pas encombrant : il était en Roussillon et commandait une compagnie qui combattait les « angelets », des croquants révoltés contre le roi, avec l'appui de l'Espagne. Il était bien en cour : Louvois intervint personnellement en sa faveur dans une affaire de police dans laquelle il était compromis. En juin une lettre royale de congé, signée de Louvois, l'autorisait à rejoindre la cour. Il ne fit pas parler de lui jusqu'à l'automne. En septembre il éclata. « M. de Montespan est au For-L'Évêque [c'est une prison]. Les parents de sa femme et les siens l'ont porté à ce qu'il a fait, quoique toute la cour et tout Paris blâment sa conduite et que personne ne le plaigne. Le marquis de Montespan croyait qu'on l'apaiserait par des bienfaits : mais il a éclaté de mauvaise grâce et très mal à propos », dit Saint-Maurice. L'histoire de cet éclat n'est pas de notre propos : il aurait accusé Mme de Montausier d'avoir servi d'entremetteuse, souffleté sa femme qui refusait ses devoirs ; s'était « déchaîné sur l'amitié que l'on disait que le roi avait pour elle » et « il allait par toutes les maisons faire des contes ridicules ».

Amphitryon faisait pis que se rendre odieux, il se rendait ridicule. En général on le désapprouva : Mademoiselle, dont il était parent, le « gronda fort ». Le père de M. de Montespan apprenant que sa belle-fille avait conquis le cœur du souverain se serait écrié : « Enfin la fortune entre dans notre maison. » Du père de Mme de Montespan, une chanson dit tout net :

Quand Mortemart eut aperçu
Que Montespan avait conçu,
Il prit son théorbe et chanta
Alleluia.

On le fit gouverneur militaire de Paris.

Le frère de Mme de Montespan eut, d'abord au moins, plus de scrupules. « Les frères les plus délicats sont ravis quand pareille fortune s'adresse à leur sœur et particulièrement quand ils n'y ont rien contribué. Vivonne, non seulement n'en fut point aise, mais même il en témoigna du chagrin, soit qu'il crût sans raison *que les passions des rois font honte aux familles, soit qu'il craignît que le monde ne crût que les dignités qu'il aurait ne lui vinssent que par faveur. » Ainsi dit Bussy-Rabutin, et on ne peut pas s'empêcher de faire le rapprochement avec ces vers :*

Un partage avec Jupiter
N'a rien du tout qui déshonore.

*Les dévots seuls, et par dévots on entend alors non tous les chrétiens, même pieux, mais les rigoristes, s'inquiétaient des amours du roi : Bossuet dans l'*Avent de Saint-Germain *fit entendre des paroles très fermes. Mais le Parlement, qui avait sans difficulté enregistré les lettres-patentes créant un duché-pairie en faveur de La Vallière et de sa fille, publiquement reconnue, devait plus tard trouver un biais pour reconnaître aussi comme fils du roi les enfants nés de lui et de Mme de Montespan, fruits d'un double adultère.*

Le lecteur moderne de Bensserade — qui n'en a guère, et c'est en la circonstance regrettable — peut s'étonner de la liberté amusée avec laquelle il fait allusion aux amours royales. Cela doit nous ouvrir les yeux sur la façon dont les mœurs changent. Les amours extra-conjugales d'un roi ne scandalisent pas. La famille de l'élue ne s'indigne généralement pas, mais suppute l'honneur et les profits du choix. Le public ne s'indigne pas non plus. Des poètes conciliants font au besoin savoir que les amours du roi ne l'empêchent pas de bien faire son métier ; ils disent qu'il est malaisé, voire malséant, qu'un roi jeune ne soit pas amoureux, que ses faiblesses sentimentales même sont une garantie de son humanité.

A propos de la duchesse de Sully qui aurait bien volontiers cédé au roi, pour peu qu'il l'ait voulu, Primi

Visconti observe : « Ce n'est pas une exception et je dirai une fois pour toutes qu'il n'est pas une dame de qualité dont l'ambition ne soit de devenir maîtresse du roi. Nombre de femmes, mariées ou non, m'ont déclaré que ce n'était offenser ni son mari, ni son père, ni Dieu même que d'arriver à être aimé du prince. Aussi faut-il avoir quelque indulgence pour le roi s'il tombe en faute avec tant de diables autour de lui occupés à le tenter. Mais le pis est que les familles, les pères et les mères et même certains maris en tireraient vanité. »

Il ne serait pas impossible, ni inutile, de faire, à l'aide des mémorialistes, des épistoliers une étude de psychologie collective quant aux rapports entre le public et le roi amoureux. Une manière de complicité paraît s'établir, comme si le peuple donnait en quelque sorte au souverain une procuration pour être un Don Juan. On soutiendrait sans trop de peine qu'Henri IV a plu à son peuple tout autant pour avoir été le Vert Galant que pour lui avoir promis une assez hypothétique poule-au-pot dominicale.

Nous inclinerions à penser que Roederer avait vu juste. Molière pouvait très bien faire allusion aux amours royales sans provoquer autre chose qu'un sourire amusé. Nous avons réuni un dossier aussi complet que possible sur Amphitryon. *Au lecteur de juger ; mais sans oublier que les mœurs changent. La difficulté la plus sérieuse de l'histoire pourrait bien être de prendre conscience de ce changement.*

Quoi qu'il en soit, même si le choix du sujet, et de bien des vers, n'avait pas été dicté à Molière par le désir de jouer à un jeu d'allusions malicieuses dans un domaine mitoyen entre l'actualité galante de la cour et l'imitation de Plaute, la réalité s'était chargée de rejoindre la fiction théâtrale.

La présente édition a été établie à partir de celle des *Œuvres complètes* de Molière parue en deux volumes dans la « Bibliothèque de la Pléiade » aux Éditions Gallimard en 1971.

A SON ALTESSE SÉRÉNISSIME MONSEIGNEUR LE PRINCE [1]

Monseigneur,

N'en déplaise à nos beaux esprits, je ne vois rien de plus ennuyeux que les épîtres dédicatoires ; et Votre Altesse Sérénissime trouvera bon, s'il lui plaît, que je ne suive point ici le style de ces messieurs-là, et refuse de me servir de deux ou trois misérables pensées qui ont été tournées et retournées tant de fois, qu'elles sont usées de tous les côtés. Le nom du GRAND CONDÉ est un nom trop glorieux pour le traiter comme on fait de tous les autres noms. Il ne faut l'appliquer, ce nom illustre, qu'à des emplois qui soient dignes de lui et, pour dire de belles choses, je voudrais parler de le mettre à la tête d'une armée [2] plutôt qu'à la tête d'un livre ; et je conçois bien mieux ce qu'il est capable de faire en l'opposant aux forces des ennemis de cet État qu'en l'opposant à la critique des ennemis d'une comédie.

Ce n'est pas, Monseigneur, que la glorieuse approbation de Votre Altesse Sérénissime ne fût une puissante protection pour toutes ces sortes d'ouvrages, et qu'on ne soit persuadé des lumières de votre esprit autant que de l'intrépidité de votre cœur et de la grandeur de votre âme. On sait, par toute la terre, que l'éclat de votre mérite n'est point renfermé dans les bornes de cette valeur indomptable qui se fait des adorateurs chez ceux même qu'elle surmonte ; qu'il s'étend, ce mérite, jusques aux connaissances les plus fines et les plus relevées, et que les décisions de votre jugement sur tous les ouvrages d'esprit ne manquent point d'être suivies par le sentiment des plus délicats. Mais on sait aussi, Monseigneur, que toutes ces glorieuses approbations dont nous nous vantons au public ne nous coûtent rien à faire imprimer; et que ce sont des choses dont nous disposons comme nous voulons. On sait, dis-je, qu'une épître dédicatoire dit tout ce qu'il lui plaît, et qu'un auteur est en pouvoir d'aller saisir les personnes les plus augustes, et de parer de leurs grands noms les premiers feuillets de son livre; qu'il a la liberté de s'y donner, autant qu'il veut, l'honneur de leur estime, et de se faire des protecteurs qui n'ont jamais songé à l'être.

Je n'abuserai, Monseigneur, ni de votre nom ni de vos bontés, pour combattre les censeurs de l'*Amphitryon* et m'attribuer une gloire que je n'ai peut-être pas méritée, et je ne prends la liberté de vous offrir ma comédie que pour avoir lieu de vous dire que je regarde incessamment, avec une profonde vénération, les grandes qualités que vous joignez au sang auguste dont vous tenez le jour, et que je suis, Monseigneur, avec tout le respect possible, et tout le zèle imaginable,

De Votre Altesse Sérénissime,

Le très humble, très obéissant,
et très obligé serviteur,

Molière.

AMPHITRYON

Comédie

ACTEURS[1]

MERCURE.
LA NUIT.
JUPITER, *sous la forme d'Amphitryon.*
AMPHITRYON, *général des Thébains.*
ALCMÈNE, *femme d'Amphitryon.*
CLÉANTHIS, *suivante d'Alcmène et femme de Sosie* [2].
SOSIE, *valet d'Amphitryon.*

ARGATIPHONTIDAS [3] NAUCRATÈS POLIDAS POSICLÈS	*capitaines thébains.*

La scène est à Thèbes, devant la maison d'Amphitryon [4].

PROLOGUE

MERCURE, *sur un nuage;* LA NUIT, *dans un char, traîné par deux chevaux.*

MERCURE

Tout beau! charmante Nuit ; daignez vous arrêter :
Il est certain secours que de vous on désire,
Et j'ai deux mots à vous dire
De la part de Jupiter.

LA NUIT

5 Ah! ah! c'est vous, seigneur Mercure!
Qui vous eût deviné là, dans cette posture?

MERCURE

Ma foi! me trouvant las, pour ne pouvoir fournir [1]
Aux différents emplois où Jupiter m'engage,
Je me suis doucement assis sur ce nuage,
10 Pour vous attendre venir.

LA NUIT

Vous vous moquez, Mercure, et vous n'y songez pas:
Sied-il bien à des Dieux de dire qu'ils sont las?

MERCURE

Les Dieux sont-ils de fer?

LA NUIT

Non ; mais il faut sans cesse
Garder le *decorum* [1] de la divinité.
15 Il est de certains mots dont l'usage rabaisse
Cette sublime qualité,
Et que, pour leur indignité,
Il est bon qu'aux hommes on laisse.

MERCURE

A votre aise vous en parlez,
20 Et vous avez, la belle, une chaise roulante [2],
Où par deux bons chevaux, en dame nonchalante,
Vous vous faites traîner partout où vous voulez.
Mais de moi ce n'est pas de même ;
Et je ne puis vouloir, dans mon destin fatal
25 Aux poètes assez de mal
De leur impertinence extrême,
D'avoir, par une injuste loi,
Dont on veut maintenir l'usage,
A chaque Dieu, dans son emploi,
30 Donné quelque allure en partage,
Et de me laisser à pied, moi,
Comme un messager de village [3],
Moi, qui suis, comme on sait, en terre et dans les cieux,
Le fameux messager du souverain des Dieux,
35 Et qui, sans rien exagérer,
Par tous les emplois qu'il me donne,
Aurais besoin, plus que personne,
D'avoir de quoi me voiturer.

LA NUIT

Que voulez-vous faire à cela?
40 Les poètes font à leur guise :
Ce n'est pas la seule sottise
Qu'on voit faire à ces messieurs-là.
Mais contre eux toutefois votre âme à tort s'irrite,
Et vos ailes aux pieds sont un don de leurs soins.

MERCURE

45 Oui ; mais, pour aller plus vite,
Est-ce qu'on s'en lasse moins ?

LA NUIT

Laissons cela, seigneur Mercure,
Et sachons ce dont il s'agit.

MERCURE

C'est Jupiter, comme je vous l'ai dit,
50 Qui de votre manteau veut la faveur obscure,
Pour certaine douce aventure
Qu'un nouvel amour lui fournit.
Ses pratiques, je crois, ne vous sont pas nouvelles :
Bien souvent pour la terre il néglige les cieux ;
55 Et vous n'ignorez pas que ce maître des Dieux
Aime à s'humaniser pour des beautés mortelles,
Et sait cent tours ingénieux [1],
Pour mettre à bout les plus cruelles.
Des yeux d'Alcmène il a senti les coups ;
60 Et tandis qu'au milieu des béotiques plaines,
Amphitryon, son époux,
Commande aux troupes thébaines,
Il en a pris la forme, et reçoit là-dessous
Un soulagement à ses peines
65 Dans la possession des plaisirs les plus doux.
L'état des mariés à ses feux est propice :
L'hymen ne les a joints que depuis quelques jours ;
Et la jeune chaleur de leurs tendres amours
A fait que Jupiter à ce bel artifice
70 S'est avisé d'avoir recours.
Son stratagème ici se trouve salutaire ;
Mais, près de maint objet chéri,
Pareil déguisement serait pour ne rien faire,
Et ce n'est pas partout un bon moyen de plaire
75 Que la figure d'un mari.

LA NUIT

J'admire Jupiter, et je ne comprends pas
Tous les déguisements qui lui viennent en tête.

MERCURE

Il veut goûter par-là toutes sortes d'états,
Et c'est agir en dieu qui n'est pas bête.
80 Dans quelque rang qu'il soit des mortels regardé,
Je le tiendrais fort misérable,
S'il ne quittait jamais sa mine redoutable,
Et qu'au faîte des cieux il fût toujours guindé [1].
Il n'est point, à mon gré, de plus sotte méthode
85 Que d'être emprisonné toujours dans sa grandeur;
Et surtout aux transports de l'amoureuse ardeur
La haute qualité devient fort incommode.
Jupiter, qui sans doute en plaisirs se connaît,
Sait descendre du haut de sa gloire suprême ;
90 Et pour entrer dans tout ce qu'il lui plaît
Il sort tout à fait de lui-même,
Et ce n'est plus alors Jupiter qui paraît.

LA NUIT

Passe encor de le voir, de ce sublime étage,
Dans celui des hommes venir,
95 Prendre tous les transports que leur cœur peut [fournir,
Et se faire à leur badinage,
Si, dans les changements où son humeur l'engage,
A la nature humaine il s'en voulait tenir ;
Mais de voir Jupiter taureau,
100 Serpent, cygne [2], ou quelque autre chose,
Je ne trouve point cela beau,
Et ne m'étonne pas si parfois on en cause.

MERCURE

Laissons dire tous les censeurs :
Tels changements ont leurs douceurs
Qui passent leur intelligence.
105 Ce dieu sait ce qu'il fait aussi bien là qu'ailleurs ;
Et dans les mouvements de leurs tendres ardeurs,
Les bêtes ne sont pas si bêtes que l'on pense.

LA NUIT

Revenons à l'objet dont il a les faveurs.
110 Si par son stratagème il voit sa flamme heureuse,
Que peut-il souhaiter ? et qu'est-ce que je puis ?

MERCURE

Que vos chevaux, par vous au petit pas réduits,
Pour satisfaire aux vœux de son âme amoureuse,
D'une nuit si délicieuse
115 Fassent la plus longue des nuits ;
Qu'à ses transports vous donniez plus d'espace,
Et retardiez la naissance du jour
Qui doit avancer le retour
De celui dont il tient la place.

LA NUIT

120 Voilà sans doute un bel emploi
Que le grand Jupiter m'apprête,
Et l'on donne un nom fort honnête
Au service qu'il veut de moi.

MERCURE

Pour une jeune déesse,
125 Vous êtes bien du bon temps [1] !
Un tel emploi n'est bassesse
Que chez les petites gens.
Lorsque dans un haut rang on a l'heur de paraître,
Tout ce qu'on fait est toujours bel et bon ;
130 Et suivant ce qu'on peut être,
Les choses changent de nom.

LA NUIT

Sur de pareilles matières
Vous en savez plus que moi ;
Et pour accepter l'emploi,
135 J'en veux croire vos lumières.

MERCURE

Hé ! là, là, Madame la Nuit,
Un peu doucement, je vous prie.

Vous avez dans le monde un bruit
De n'être pas si renchérie.
140 On vous fait confidente, en cent climats divers,
De beaucoup de bonnes affaires ;
Et je crois, à parler à sentiments ouverts,
Que nous ne nous en devons [1] guères.

LA NUIT

Laissons ces contrariétés [2],
145 Et demeurons ce que nous sommes :
N'apprêtons point à rire aux hommes
En nous disant nos vérités.

MERCURE

Adieu : je vais là-bas, dans ma commission,
Dépouiller promptement la forme de Mercure
150 Pour y vêtir la figure
Du valet d'Amphitryon.

LA NUIT

Moi, dans cet hémisphère, avec ma suite obscure
Je vais faire une station.

MERCURE

Bon jour, la Nuit.

LA NUIT

Adieu, Mercure.

Mercure descend de son nuage en terre, et la Nuit passe dans son char.

ACTE PREMIER

SCÈNE PREMIÈRE

SOSIE

155 Qui va là ? Heu ? Ma peur, à chaque pas, s'accroît.
Messieurs, ami de tout le monde.
Ah! quelle audace sans seconde
De marcher à l'heure qu'il est!
Que mon maître, couvert de gloire,
160 Me joue ici d'un vilain tour [1]!
Quoi ? si pour son prochain il avait quelque amour,
M'aurait-il fait partir par une nuit si noire ?
Et pour me renvoyer annoncer son retour
Et le détail de sa victoire,
165 Ne pouvait-il pas bien attendre qu'il fût jour ?
Sosie, à quelle servitude [2]
Tes jours sont-ils assujettis!
Notre sort est beaucoup plus rude
Chez les grands que chez les petits.
170 Ils veulent que pour eux tout soit, dans la nature,
Obligé de s'immoler.
Jour et nuit, grêle, vent, péril, chaleur, froidure,
Dès qu'ils parlent, il faut voler.
Vingt ans d'assidu service
175 N'en obtiennent rien pour nous ;
Le moindre petit caprice
Nous attire leur courroux.
Cependant notre âme insensée
S'acharne au vain honneur de demeurer près d'eux,

180 Et s'y veut contenter de la fausse pensée
Qu'ont tous les autres gens que nous sommes heu-
[reux.
Vers la retraite en vain la raison nous appelle ;
En vain notre dépit quelquefois y consent :
Leur vue a sur notre zèle
185 Un ascendant trop puissant,
Et la moindre faveur d'un coup d'œil caressant
Nous rengage de plus belle [1].
Mais enfin, dans l'obscurité,
Je vois notre maison, et ma frayeur s'évade.
190 Il me faudrait, pour l'ambassade,
Quelque discours prémédité.
Je dois aux yeux d'Alcmène un portrait militaire
Du grand combat qui met nos ennemis à bas ;
Mais comment diantre le faire,
195 Si je ne m'y trouvai pas [2] ?
N'importe, parlons-en et d'estoc et de taille [3],
Comme oculaire témoin :
Combien de gens font-ils des récits de bataille
Dont ils se sont tenus loin ?
200 Pour jouer mon rôle sans peine,
Je le veux un peu repasser.
Voici la chambre où j'entre en courrier que l'on
[mène,
Et cette lanterne est Alcmène [4],
A qui je me dois adresser.

Il pose sa lanterne à terre et lui adresse son compliment.

205 « Madame, Amphitryon, mon maître, et votre
[époux...
(Bon! beau début!) l'esprit toujours plein de vos
[charmes,
M'a voulu choisir entre tous,
Pour vous donner avis du succès de ses armes,
Et du désir qu'il a de se voir près de vous. »
210 « *Ha! vraiment, mon pauvre Sosie,*
A te revoir j'ai de la joie au cœur. »
« Madame, ce m'est trop d'honneur,

Et mon destin doit faire envie. »
(Bien répondu!) « *Comment se porte Amphitryon ?* »
215 « Madame, en homme de courage,
Dans les occasions [1] où la gloire l'engage. »
(Fort bien! belle conception!)
« *Quand viendra-t-il, par son retour charmant,*
Rendre mon âme satisfaite ? »
220 « Le plus tôt qu'il pourra, Madame, assurément,
Mais bien plus tard que son cœur ne souhaite. »
(Ah!) « *Mais quel est l'état où la guerre l'a mis ?*
Que dit-il ? que fait-il ? Contente un peu mon âme. »
« Il dit moins qu'il ne fait, Madame,
225 Et fait trembler les ennemis. »
(Peste! où prend mon esprit toutes ces gentillesses ?)
« *Que font les révoltés ? dis-moi, quel est leur sort ?* »
« Ils n'ont pu résister, Madame, à notre effort :
Nous les avons taillés en pièces,
230 Mis Ptérélas leur chef à mort,
Pris Télèbe [2] d'assaut, et déjà dans le port
Tout retentit de nos prouesses. »
« *Ah! quel succès! ô Dieux! Qui l'eût pu jamais croire ?*
Raconte-moi, Sosie, un tel événement. »
235 « Je le veux bien, Madame; et, sans m'enfler de [gloire,
Du détail de cette victoire
Je puis parler très savamment.
Figurez-vous donc que Télèbe,
Madame, est de ce côté :

Il marque les lieux sur sa main, ou à terre.

240 C'est une ville, en vérité,
Aussi grande quasi que Thèbes,
La rivière est comme là.
Ici nos gens se campèrent ;
Et l'espace que voilà,
245 Nos ennemis l'occupèrent :
Sur un haut, vers cet endroit,
Était leur infanterie ;
Et plus bas, du côté droit,
Était la cavalerie.

250 Après avoir aux Dieux adressé les prières,
Tous les ordres donnés, on donne le signal.
Les ennemis, pensant nous tailler des croupières [1],
Firent trois pelotons de leurs gens à cheval ;
Mais leur chaleur par nous fut bientôt réprimée,
255 Et vous allez voir comme quoi.
Voilà notre avant-garde à bien faire animée ;
Là, les archers de Créon, notre roi ;
Et voici le corps d'armée,

On fait un peu de bruit.

Qui d'abord... Attendez. » Le corps d'armée a peur.
260 J'entends quelque bruit, ce me semble.

SCÈNE II

MERCURE, SOSIE

MERCURE, *sous la forme de Sosie.*

Sous ce minois qui lui ressemble,
Chassons de ces lieux ce causeur,
Dont l'abord importun troublerait la douceur
Que nos amants goûtent ensemble.

SOSIE

265 Mon cœur tant soit peu se rassure,
Et je pense que ce n'est rien.
Crainte pourtant de sinistre aventure,
Allons chez nous achever l'entretien.

MERCURE

Tu seras plus fort que Mercure,
270 Ou je t'en empêcherai bien.

SOSIE

Cette nuit en longueur me semble sans pareille
Il faut, depuis le temps que je suis en chemin,
Ou que mon maître ait pris le soir pour le matin,

Ou que trop tard au lit le blond Phébus sommeille,
275 Pour avoir trop pris de son vin.

MERCURE

Comme avec irrévérence
Parle des Dieux ce maraud!
Mon bras saura bien tantôt
Châtier cette insolence,
280 Et je vais m'égayer avec lui comme il faut,
En lui volant son nom, avec sa ressemblance.

SOSIE

Ah! par ma foi, j'avais raison :
C'est fait de moi, chétive créature!
Je vois devant notre maison
285 Certain homme dont l'encolure [1]
Ne me présage rien de bon.
Pour faire semblant d'assurance,
Je veux chanter un peu d'ici.

Il chante ; et lorsque Mercure parle, sa voix s'affaiblit peu à peu.

MERCURE

Qui donc est ce coquin qui prend tant de licence,
290 Que de chanter et m'étourdir ainsi?
Veut-il qu'à l'étriller ma main un peu s'applique?

SOSIE

Cet homme assurément n'aime pas la musique.

MERCURE

Depuis plus d'une semaine,
Je n'ai trouvé personne à qui rompre les os;
295 La vertu de mon bras se perd dans le repos,
Et je cherche quelque dos,
Pour me remettre en haleine.

SOSIE

Quel diable d'homme est-ce ci?
De mortelles frayeurs je sens mon âme atteinte.

300 Mais pourquoi trembler tant aussi?
Peut-être a-t-il dans l'âme autant que moi de crainte,
Et que le drôle parle ainsi
Pour me cacher sa peur sous une audace feinte?
Oui, oui, ne souffrons point qu'on nous croie un [oison:
305 Si je ne suis hardi, tâchons de le paraître.
Faisons-nous du cœur par raison;
Il est seul, comme moi; je suis fort, j'ai bon maître[1].
Et voilà notre maison.

MERCURE

Qui va là?

SOSIE

Moi.

MERCURE

Qui, moi?

SOSIE

Moi. Courage, Sosie!

MERCURE

Quel est ton sort, dis-moi?

SOSIE

310 D'être homme, et de parler.

MERCURE

Es-tu maître ou valet?

SOSIE

Comme il me prend envie.

MERCURE

Où s'adressent tes pas?

SOSIE

Où j'ai dessein d'aller.

MERCURE

Ah! ceci me déplaît.

SOSIE

J'en ai l'âme ravie.

MERCURE

Résolument, par force ou par amour,
815 Je veux savoir de toi, traître,
Ce que tu fais, d'où tu viens avant jour,
Où tu vas, à qui tu peux être.

SOSIE

Je fais le bien et le mal tour à tour ;
Je viens de là, vais là ; j'appartiens à mon maître.

MERCURE

820 Tu montres de l'esprit, et je te vois en train
De trancher avec moi de l'homme d'importance.
Il me prend un désir, pour faire connaissance,
De te donner un soufflet de ma main.

SOSIE

A moi-même ?

MERCURE

A toi-même : et t'en voilà certain.

Il lui donne un soufflet.

SOSIE

Ah! ah! c'est tout de bon!

MERCURE

825 Non : ce n'est que pour [rire,
Et répondre à tes quolibets.

SOSIE

Tudieu! l'ami, sans vous rien dire,
Comme vous baillez des soufflets!

MERCURE

Ce sont là de mes moindres coups,
330 De petits soufflets ordinaires.

SOSIE

Si j'étais aussi prompt que vous,
Nous ferions de belles affaires.

MERCURE

Tout cela n'est encor rien,
Pour y faire quelque pause :
335 Nous verrons bien autre chose,
Poursuivons notre entretien.

SOSIE

Je quitte la partie.

Il veut s'en aller.

MERCURE

Où vas-tu ?

SOSIE

Que t'importe ?

MERCURE

Je veux savoir où tu vas.

SOSIE

Me faire ouvrir cette porte.
340 Pourquoi retiens-tu mes pas ?

MERCURE

Si jusqu'à l'approcher tu pousses ton audace,
Je fais sur toi pleuvoir un orage de coups.

SOSIE

Quoi ? tu veux, par ta menace,
M'empêcher d'entrer chez nous ?

MERCURE

Comment, chez nous ?

SOSIE

Oui, chez nous.

MERCURE

345 Ô le traître !

Tu te dis de cette maison ?

SOSIE

Fort bien. Amphitryon n'en est-il pas le maître ?

MERCURE

Hé bien ! que fait cette raison ?

SOSIE

Je suis son valet.

MERCURE

Toi ?

SOSIE

Moi.

MERCURE

Son valet ?

SOSIE

Sans doute.

MERCURE

Valet d'Amphitryon ?

SOSIE

350 D'Amphitryon, de lui.

MERCURE

Ton nom est... ?

SOSIE

Sosie.

MERCURE

Heu ? comment ?

SOSIE

Sosie.

MERCURE

Écoute :
Sais-tu que de ma main je t'assomme aujourd'hui ?

SOSIE

Pourquoi ! De quelle rage est ton âme saisie ?

MERCURE

Qui te donne, dis-moi, cette témérité
355 De prendre le nom de Sosie ?

SOSIE

Moi, je ne le prends point, je l'ai toujours porté.

MERCURE

Ô le mensonge horrible ! et l'impudence extrême !
Tu m'oses soutenir que Sosie est ton nom ?

SOSIE

Fort bien : je le soutiens, par la grande raison
360 Qu'ainsi l'a fait des Dieux la puissance suprême,
Et qu'il n'est pas en moi de pouvoir dire non,
Et d'être un autre que moi-même.

Mercure le bat.

MERCURE

Mille coups de bâton doivent être le prix
D'une pareille effronterie.

SOSIE

365 Justice, citoyens ! Au secours ! je vous prie.

MERCURE

Comment, bourreau, tu fais des cris?

SOSIE

De mille coups tu me meurtris,
Et tu ne veux pas que je crie?

MERCURE

C'est ainsi que mon bras...

SOSIE

L'action ne vaut rien :
370 Tu triomphes de l'avantage
Que te donne sur moi mon manque de courage ;
Et ce n'est pas en user bien.
C'est pure fanfaronnerie
De vouloir profiter de la poltronnerie
375 De ceux qu'attaque notre bras.
Battre un homme à jeu sûr n'est pas d'une belle
[âme ;
Et le cœur est digne de blâme
Contre les gens qui n'en ont pas.

MERCURE

Hé bien! es-tu Sosie à présent? qu'en dis-tu?

SOSIE

380 Tes coups n'ont point en moi fait de métamor-
[phose ;
Et tout le changement que je trouve à la chose,
C'est d'être Sosie battu.

MERCURE

Encor? Cent autres coups pour cette autre impu-
[dence.

SOSIE

De grâce, fais trêve à tes coups.

MERCURE

85 Fais donc trêve à ton insolence.

SOSIE

Tout ce qu'il te plaira ; je garde le silence :
La dispute est par trop inégale entre nous.

MERCURE

Es-tu Sosie encor ? dis, traître!

SOSIE

Hélas! je suis ce que tu veux ;
390 Dispose de mon sort tout au gré de tes vœux :
Ton bras t'en a fait le maître.

MERCURE

Ton nom était Sosie, à ce que tu disais ?

SOSIE

Il est vrai, jusqu'ici j'ai cru la chose claire ;
Mais ton bâton, sur cette affaire,
395 M'a fait voir que je m'abusais.

MERCURE

C'est moi qui suis Sosie, et tout Thèbes l'avoue :
Amphitryon jamais n'en eut d'autre que moi.

SOSIE

Toi, Sosie ?

MERCURE

Oui, Sosie ; et si quelqu'un s'y joue,
Il peut bien prendre garde à soi.

SOSIE

400 Ciel! me faut-il ainsi renoncer à moi-même,
Et par un imposteur me voir voler mon nom ?
Que son bonheur est extrême
De ce que je suis poltron!
Sans cela, par la mort... !

MERCURE

Entre tes dents, je pense,
405 Tu murmures je ne sais quoi ?

SOSIE

Non. Mais, au nom des Dieux, donne-moi la licence
De parler un moment à toi.

MERCURE

Parle.

SOSIE

Mais promets-moi, de grâce,
Que les coups n'en seront point.
Signons une trêve.

MERCURE

410 Passe ;
Va, je t'accorde ce point.

SOSIE

Qui te jette, dis-moi, dans cette fantaisie ?
Que te reviendra-t-il de m'enlever mon nom ?
Et peux-tu faire enfin, quand tu serais démon,
415 Que je ne sois pas moi ? que je ne sois Sosie ?

MERCURE [*levant son bâton sur Sosie* [1]]

Comment, tu peux...

SOSIE

Ah! tout doux :
Nous avons fait trêve aux coups.

MERCURE

Quoi ? pendard, imposteur, coquin...

SOSIE

Pour des in-
[jures,
Dis-m'en tant que tu voudras :
420 Ce sont légères blessures,
Et je ne m'en fâche pas.

MERCURE

Tu te dis Sosie ?

SOSIE

Oui. Quelque conte frivole...

MERCURE

Sus, je romps notre trêve, et reprends ma parole.

SOSIE

N'importe, je ne puis m'anéantir pour toi,
425 Et souffrir un discours si loin de l'apparence.
Être ce que je suis est-il en ta puissance?
Et puis-je cesser d'être moi?
S'avisa-t-on jamais d'une chose pareille?
Et peut-on démentir cent indices pressants?
430 Rêvé-je? est-ce que je sommeille?
Ai-je l'esprit troublé par des transports [1] puissants?
Ne sens-je pas bien que je veille?
Ne suis-je pas dans mon bon sens?
Mon maître Amphitryon ne m'a-t-il pas commis
435 A venir en ces lieux vers Alcmène sa femme?
Ne lui dois-je pas faire, en lui vantant sa flamme,
Un récit de ses faits contre nos ennemis?
Ne suis-je pas du port arrivé tout à l'heure?
Ne tiens-je pas une lanterne en main?
440 Ne te trouvé-je pas devant notre demeure?
Ne t'y parlé-je pas d'un esprit tout humain?
Ne te tiens-tu pas fort de ma poltronnerie
Pour m'empêcher d'entrer chez nous?
N'as-tu pas sur mon dos exercé ta furie?
445 Ne m'as-tu pas roué de coups?
Ah! tout cela n'est que trop véritable,
Et plût au Ciel le fût-il moins!
Cesse donc d'insulter au sort d'un misérable,
Et laisse à mon devoir s'acquitter de ses soins.

MERCURE

450 Arrête, ou sur ton dos le moindre pas attire
Un assommant éclat de mon juste courroux.
Tout ce que tu viens de dire
Est à moi, hormis les coups.
C'est moi qu'Amphitryon députe vers Alcmène,

455 Et qui du port Persique [1] arrive de ce pas ;
Moi qui viens annoncer la valeur de son bras
Qui nous fait remporter une victoire pleine,
Et de nos ennemis a mis le chef à bas ;
C'est moi qui suis Sosie enfin, de certitude,
460 Fils de Dave, honnête berger ;
Frère d'Arpage, mort en pays étranger ;
Mari de Cléanthis la prude,
Dont l'humeur me fait enrager ;
Qui dans Thèbes ai reçu mille coups d'étrivière [2],
465 Sans en avoir jamais dit rien,
Et jadis en public fus marqué par-derrière [3],
Pour être trop homme de bien.

SOSIE

Il a raison. A moins d'être Sosie,
On ne peut pas savoir tout ce qu'il dit ;
470 Et dans l'étonnement dont mon âme est saisie,
Je commence, à mon tour, à le croire un petit.
En effet, maintenant que je le considère,
Je vois qu'il a de moi taille, mine, action.
Faisons-lui quelque question,
475 Afin d'éclaircir ce mystère,
Parmi tout le butin fait sur nos ennemis,
Qu'est-ce qu'Amphitryon obtient pour son partage?

MERCURE

Cinq fort gros diamants, en nœud proprement mis,
Dont leur chef se parait comme d'un rare ouvrage [4].

SOSIE

480 A qui destine-t-il un si riche présent ?

MERCURE

A sa femme ; et sur elle il le veut voir paraître.

SOSIE

Mais où, pour l'apporter, est-il mis à présent ?

MERCURE

Dans un coffret, scellé des armes de mon maître.

SOSIE

Il ne ment pas d'un mot à chaque repartie,
485 Et de moi je commence à douter tout de bon.
Près de moi, par la force, il est déjà Sosie ;
Il pourrait bien encor l'être par la raison.
Pourtant, quand je me tâte et que je me rappelle,
Il me semble que je suis moi.
490 Où puis-je rencontrer quelque clarté fidèle,
Pour démêler ce que je vois ?
Ce que j'ai fait tout seul, et que n'a vu personne,
A moins d'être moi-même, on ne le peut savoir
Par cette question il faut que je l'étonne :
495 C'est de quoi le confondre, et nous allons le voir.
Lorsqu'on était aux mains, que fis-tu dans nos [tentes,
Où tu courus seul te fourrer?

MERCURE

D'un jambon...

SOSIE

L'y voilà !

MERCURE

Que j'allai déterrer,
Je coupai bravement deux tranches succulentes,
500 Dont je sus fort bien me bourrer ;
Et joignant à cela d'un vin que l'on ménage,
Et dont, avant le goût, les yeux se contentaient,
Je pris un peu de courage
Pour nos gens qui se battaient.

SOSIE

505 Cette preuve sans pareille
En sa faveur conclut bien ;
Et l'on n'y peut dire rien,
S'il n'était dans la bouteille [1].

Je ne saurais nier, aux preuves qu'on m'expose,
510 Que tu ne sois Sosie, et j'y donne ma voix.
Mais si tu l'es, dis-moi qui tu veux que je sois?
Car encor faut-il bien que je sois quelque chose.

MERCURE

Quand je ne serai plus Sosie,
Sois-le, j'en demeure d'accord ;
515 Mais tant que je le suis, je te garantis mort,
Si tu prends cette fantaisie.

SOSIE

Tout cet embarras met mon esprit sur les dents,
Et la raison à ce qu'on voit s'oppose.
Mais il faut terminer enfin par quelque chose ;
520 Et le plus court pour moi, c'est d'entrer là-dedans.

MERCURE

Ah! tu prends donc, pendard, goût à la bastonnade?

SOSIE

Ah! qu'est-ce ci? grands Dieux! il frappe un ton [plus fort,
Et mon dos, pour un mois, en doit être malade.
Laissons ce diable d'homme, et retournons au port.
525 Ô juste Ciel! j'ai fait une belle ambassade!

MERCURE

Enfin, je l'ai fait fuir ; et sous ce traitement
De beaucoup d'actions il a reçu la peine.
Mais je vois Jupiter, que fort civilement
Reconduit l'amoureuse Alcmène.

SCÈNE III

JUPITER, ALCMÈNE, CLÉANTHIS, MERCURE

JUPITER

530 Défendez, chère Alcmène, aux flambeaux d'appro-
[cher.
Ils m'offrent des plaisirs en m'offrant votre vue;
Mais ils pourraient ici découvrir ma venue,
Qu'il est à propos de cacher.
Mon amour, que gênaient tous ces soins éclatants
535 Où me tenait lié la gloire de nos armes,
Au devoir de ma charge a volé les instants
Qu'il vient de donner à vos charmes.
Ce vol qu'à vos beautés mon cœur a consacré
Pourrait être blâmé dans la bouche publique,
540 Et j'en veux pour témoin unique
Celle qui peut m'en savoir gré.

ALCMÈNE

Je prends, Amphitryon, grande part à la gloire
Que répandent sur vous vos illustres exploits ;
Et l'éclat de votre victoire
545 Sait toucher de mon cœur les sensibles endroits ;
Mais quand je vois que cet honneur fatal
Éloigne de moi ce que j'aime,
Je ne puis m'empêcher, dans ma tendresse extrême,
De lui vouloir un peu de mal,
550 Et d'opposer mes vœux à cet ordre suprême
Qui des Thébains vous fait le général.
C'est une douce chose, après une victoire,
Que la gloire où l'on voit ce qu'on aime élevé ;
Mais parmi les périls mêlés à cette gloire,
555 Un triste coup, hélas! est bientôt arrivé.
De combien de frayeurs a-t-on l'âme blessée,
Au moindre choc dont on entend parler!
Voit-on, dans les horreurs d'une telle pensée,

Par où jamais se consoler
560 Du coup dont on est menacée?
Et de quelque laurier qu'on couronne un vainqueur,
Quelque part que l'on ait à cet honneur suprême,
Vaut-il ce qu'il en coûte aux tendresses d'un cœur
Qui peut, à tout moment, trembler pour ce qu'il [aime?

JUPITER

565 Je ne vois rien en vous dont mon feu ne s'augmente:
Tout y marque à mes yeux un cœur bien enflammé;
Et c'est, je vous l'avoue, une chose charmante
De trouver tant d'amour dans un objet aimé.
Mai, si je l'ose dire, un scrupule me gêne
570 Aux tendres sentiments que vous me faites voir;
Et pour les bien goûter, mon amour, chère Alcmène,
Voudrait n'y voir entrer rien de votre devoir:
Qu'à votre seule ardeur, qu'à ma seule personne,
Je dusse les faveurs que je reçois de vous,
575 Et que la qualité que j'ai de votre époux
Ne fût point ce qui me les donne.

ALCMÈNE

C'est de ce nom pourtant que l'ardeur qui me brûle
Tient le droit de paraître au jour,
Et je ne comprends rien à ce nouveau scrupule
580 Dont s'embarrasse votre amour.

JUPITER

Ah! ce que j'ai pour vous d'ardeur et de tendresse
Passe aussi celle d'un époux,
Et vous ne savez pas, dans des moments si doux,
Quelle en est la délicatesse.
585 Vous ne concevez point qu'un cœur bien amoureux
Sur cent petits égards s'attache avec étude,
Et se fait une inquiétude
De la manière d'être heureux.
En moi, belle et charmante Alcmène,
590 Vous voyez un mari, vous voyez un amant [1],
Mais l'amant seul me touche, à parler franchement,

Et je sens, près de vous, que le mari le gêne.
Cet amant, de vos vœux jaloux au dernier point,
Souhaite qu'à lui seul votre cœur s'abandonne,
595 Et sa passion ne veut point
De ce que le mari lui donne.
Il veut de pure source obtenir vos ardeurs,
Et ne veut rien tenir des nœuds de l'hyménée,
Rien d'un fâcheux devoir qui fait agir les cœurs,
600 Et par qui, tous les jours, des plus chères faveurs
La douceur est empoisonnée.
Dans le scrupule enfin dont il est combattu,
Il veut, pour satisfaire à sa délicatesse,
Que vous le sépariez d'avec ce qui le blesse,
605 Que le mari ne soit que pour votre vertu,
Et que de votre cœur, de bonté revêtu,
L'amant ait tout l'amour et toute la tendresse.

ALCMÈNE

Amphitryon, en vérité,
Vous vous moquez de tenir ce langage,
610 Et j'aurais peur qu'on ne vous crût pas sage,
Si de quelqu'un vous étiez écouté.

JUPITER

Ce discours est plus raisonnable,
Alcmène, que vous ne pensez ;
Mais un plus long séjour me rendrait trop coupable,
615 Et du retour au port les moments sont pressés.
Adieu : de mon devoir l'étrange barbarie
Pour un temps m'arrache de vous ;
Mais, belle Alcmène, au moins, quand vous verrez
[l'époux,
Songez à l'amant, je vous prie.

ALCMÈNE

620 Je ne sépare point ce qu'unissent les Dieux [1],
Et l'époux et l'amant me sont fort précieux.

CLÉANTHIS

Ô Ciel! que d'aimables caresses
D'un époux ardemment chéri!

Et que mon traître de mari
625 Est loin de toutes ces tendresses!

MERCURE

La Nuit, qu'il me faut avertir,
N'a plus qu'à plier tous ses voiles;
Et, pour effacer les étoiles,
Le Soleil de son lit peut maintenant sortir.

SCÈNE IV

CLÉANTHIS, MERCURE

Mercure veut s'en aller.

CLÉANTHIS

630 Quoi? c'est ainsi que l'on me quitte?

MERCURE

Et comment donc? Ne veux-tu pas
Que de mon devoir je m'acquitte?
Et que d'Amphitryon j'aille suivre les pas?

CLÉANTHIS

Mais avec cette brusquerie,
635 Traître, de moi te séparer!

MERCURE

Le beau sujet de fâcherie!
Nous avons tant de temps ensemble à demeurer.

CLÉANTHIS

Mais quoi? partir ainsi d'une façon brutale,
Sans me dire un seul mot de douceur pour régale [1]!

MERCURE

640 Diantre! où veux-tu que mon esprit
T'aille chercher des fariboles?

Quinze ans de mariage épuisent les paroles,
Et depuis un long temps nous nous sommes tout dit.

CLÉANTHIS

Regarde, traître, Amphitryon,
645 Vois combien pour Alcmène il étale de flamme,
Et rougis là-dessus du peu de passion
Que tu témoignes pour ta femme.

MERCURE

Hé! mon Dieu! Cléanthis, ils sont encore amants.
Il est certain âge où tout passe ;
650 Et ce qui leur sied bien dans ces commencements,
En nous, vieux mariés, aurait mauvaise grâce.
Il nous ferait beau voir, attachés face à face
A pousser les beaux sentiments!

CLÉANTHIS

Quoi? suis-je hors d'état, perfide, d'espérer
655 Qu'un cœur auprès de moi soupire?

MERCURE

Non, je n'ai garde de le dire ;
Mais je suis trop barbon pour oser soupirer,
Et je ferais crever de rire.

CLÉANTHIS

Mérites-tu, pendard, cet insigne bonheur,
660 De te voir pour épouse une femme d'honneur?

MERCURE

Mon Dieu! tu n'es que trop honnête :
Ce grand honneur ne me vaut rien.
Ne sois point si femme de bien,
Et me romps un peu moins la tête.

CLÉANTHIS

665 Comment? de trop bien vivre on te voit me blâmer?

MERCURE

La douceur d'une femme est tout ce qui me charme;
Et ta vertu fait un vacarme
Qui ne cesse de m'assommer.

CLÉANTHIS

Il te faudrait des cœurs pleins de fausses tendresses
670 De ces femmes aux beaux et louables talents,
Qui savent accabler leurs maris de caresses,
Pour leur faire avaler l'usage des galants.

MERCURE

Ma foi! veux-tu que je te dise?
Un mal d'opinion [1] ne touche que les sots;
675 Et je prendrais pour ma devise :
« Moins d'honneur, et plus de repos. »

CLÉANTHIS

Comment? tu souffrirais, sans nulle répugnance,
Que j'aimasse un galant avec toute licence?

MERCURE

Oui, si je n'étais plus de tes cris rebattu,
680 Et qu'on te vît changer d'humeur et de méthode.
J'aime mieux un vice commode
Qu'une fatigante vertu.
Adieu, Cléanthis, ma chère âme :
Il me faut suivre Amphitryon.

Il s'en va.

CLÉANTHIS

685 Pourquoi, pour punir cet infâme,
Mon cœur n'a-t-il assez de résolution?
Ah! que dans cette occasion,
J'enrage d'être honnête femme!

ACTE II

SCÈNE PREMIÈRE

AMPHITRYON, SOSIE

AMPHITRYON

Viens çà, bourreau, viens çà. Sais-tu, maître fripon,
690 Qu'à te faire assommer ton discours peut suffire?
Et que pour te traiter comme je le désire,
Mon courroux n'attend qu'un bâton?

SOSIE

Si vous le prenez sur ce ton,
Monsieur, je n'ai plus rien à dire,
695 Et vous aurez toujours raison.

AMPHITRYON

Quoi? tu veux me donner pour des vérités, traître,
Des contes que je vois d'extravagance outrés?

SOSIE

Non : je suis le valet, et vous êtes le maître;
Il n'en sera, Monsieur, que ce que vous voudrez.

AMPHITRYON

700 Ça, je veux étouffer le courroux qui m'enflamme,
Et tout du long t'ouïr sur ta commission.
Il faut, avant que voir ma femme,
Que je débrouille ici cette confusion.
Rappelle tous tes sens, rentre bien dans ton âme,
705 Et réponds, mot pour mot, à chaque question.

SOSIE

Mais, de peur d'incongruité,
Dites-moi, de grâce, à l'avance,
De quel air il vous plaît que ceci soit traité.
Parlerai-je, Monsieur, selon ma conscience,
710 Ou comme auprès des grands on le voit usité?
Faut-il dire la vérité,
Ou bien user de complaisance?

AMPHITRYON

Non : je ne te veux obliger
Qu'à me rendre de tout un compte fort sincère.

SOSIE

715 Bon, c'est assez ; laissez-moi faire ;
Vous n'avez qu'à m'interroger.

AMPHITRYON

Sur l'ordre que tantôt je t'avais su prescrire...?

SOSIE

Je suis parti, les cieux d'un noir crêpe voilés,
Pestant fort contre vous dans ce fâcheux martyre,
720 Et maudissant vingt fois l'ordre dont vous parlez.

AMPHITRYON

Comment, coquin?

SOSIE

Monsieur, vous n'avez rien qu'à dire,
Je mentirai, si vous voulez.

AMPHITRYON

Voilà comme un valet montre pour nous du zèle.
Passons. Sur les chemins que t'est-il arrivé?

SOSIE

725 D'avoir une frayeur mortelle,
Au moindre objet que j'ai trouvé.

AMPHITRYON

Poltron!

SOSIE

En nous formant Nature a ses caprices ;
Divers penchants en nous elle fait observer :
Les uns à s'exposer trouvent mille délices ;
730 Moi, j'en trouve à me conserver.

AMPHITRYON

Arrivant au logis... ?

SOSIE

J'ai devant notre porte,
En moi-même voulu répéter un petit
Sur quel ton et de quelle sorte
Je ferais du combat le glorieux récit.

AMPHITRYON

Ensuite ?

SOSIE

735 On m'est venu troubler et mettre en peine.

AMPHITRYON

Et qui ?

SOSIE

Sosie, un moi, de vos ordres jaloux,
Que vous avez du port envoyé vers Alcmène,
Et qui de nos secrets a connaissance pleine,
Comme le moi qui parle à vous.

AMPHITRYON

Quels contes!

SOSIE

740 Non, Monsieur, c'est la vérité pure.
Ce moi plutôt que moi s'est au logis trouvé ;
Et j'étais venu, je vous jure,
Avant que je fusse arrivé.

AMPHITRYON

D'où peut procéder, je te prie,
745 Ce galimatias maudit ?
Est-ce songe ? est-ce ivrognerie ?
Aliénation d'esprit ?
Ou méchante plaisanterie ?

SOSIE

Non : c'est la chose comme elle est,
750 Et point du tout conte frivole.
Je suis homme d'honneur, j'en donne ma parole,
Et vous m'en croirez, s'il vous plaît.
Je vous dis que, croyant n'être qu'un seul Sosie,
Je me suis trouvé deux chez nous ;
755 Et que de ces deux moi, piqués de jalousie,
L'un est à la maison, et l'autre est avec vous ;
Que le moi que voici, chargé de lassitude
A trouvé l'autre moi frais, gaillard, et dispos,
Et n'ayant d'autre inquiétude
760 Que de battre et casser des os.

AMPHITRYON

Il faut être, je le confesse,
D'un esprit bien posé, bien tranquille, bien doux,
Pour souffrir qu'un valet de chansons me repaisse.

SOSIE

Si vous vous mettez en courroux,
765 Plus de conférence entre nous :
Vous savez que d'abord tout cesse.

AMPHITRYON

Non : sans emportement je te veux écouter ;
Je l'ai promis. Mais dis, en bonne conscience,
Au mystère nouveau que tu me viens conter
770 Est-il quelque ombre d'apparence ?

SOSIE

Non : vous avez raison, et la chose à chacun
Hors de créance doit paraître.

C'est un fait à n'y rien connaître,
Un conte extravagant, ridicule, importun :
775 Cela choque le sens commun ;
Mais cela ne laisse pas d'être.

AMPHITRYON

Le moyen d'en rien croire, à moins qu'être insensé ?

SOSIE

Je ne l'ai pas cru, moi, sans une peine extrême :
Je me suis d'être deux senti l'esprit blessé,
780 Et longtemps d'imposteur j'ai traité ce moi-même.
Mais à me reconnaître enfin il m'a forcé :
J'ai vu que c'était moi, sans aucun stratagème ;
Des pieds jusqu'à la tête, il est comme moi fait,
Beau, l'air noble, bien pris, les manières charmantes ;
785 Enfin deux gouttes de lait
Ne sont pas plus ressemblantes ;
Et n'était que ses mains sont un peu trop pesantes,
J'en serais fort satisfait.

AMPHITRYON

A quelle patience il faut que je m'exhorte !
790 Mais enfin n'es-tu pas entré dans la maison ?

SOSIE

Bon, entré ! Hé ! de quelle sorte ?
Ai-je voulu jamais entendre de raison ?
Et ne me suis-je pas interdit notre porte ?

AMPHITRYON

Comment donc ?

SOSIE

Avec un bâton :
795 Dont mon dos sent encor une douleur très forte.

AMPHITRYON

On t'a battu ?

SOSIE

Vraiment.

AMPHITRYON

Et qui?

SOSIE

Moi.

AMPHITRYON

Toi, te battre?

SOSIE

Oui, moi : non pas le moi d'ici,
Mais le moi du logis, qui frappe comme quatre.

AMPHITRYON

Te confonde le Ciel de me parler ainsi!

SOSIE

800 Ce ne sont point des badinages.
Le moi que j'ai trouvé tantôt
Sur le moi qui vous parle a de grands avantages :
Il a le bras fort, le cœur haut ;
J'en ai reçu des témoignages,
805 Et ce diable de moi m'a rossé comme il faut :
C'est un drôle qui fait des rages[1].

AMPHITRYON

Achevons. As-tu vu ma femme?

SOSIE

Non.

AMPHITRYON

Pourquoi?

SOSIE

Par une raison assez forte.

AMPHITRYON

Qui t'a fait y manquer, maraud? explique-toi.

SOSIE

810 Faut-il le répéter vingt fois de même sorte?
Moi, vous dis-je, ce moi plus robuste que moi,
Ce moi qui s'est de force emparé de la porte,
Ce moi qui m'a fait filer doux,
Ce moi qui le seul moi veut être,
815 Ce moi de moi-même jaloux,
Ce moi vaillant, dont le courroux
Au moi poltron s'est fait connaître,
Enfin ce moi qui suis chez nous,
Ce moi qui s'est montré mon maître,
820 Ce moi qui m'a roué de coups.

AMPHITRYON

Il faut que ce matin, à force de trop boire,
Il se soit troublé le cerveau.

SOSIE

Je veux être pendu si j'ai bu que de l'eau :
A mon serment on m'en peut croire.

AMPHITRYON

825 Il faut donc qu'au sommeil tes sens se soient portés?
Et qu'un songe fâcheux, dans ses confus mystères,
T'ait fait voir toutes les chimères
Dont tu me fais des vérités?

SOSIE

Tout aussi peu. Je n'ai point sommeillé,
830 Et n'en ai même aucune envie.
Je vous parle bien éveillé;
J'étais bien éveillé ce matin, sur ma vie!
Et bien éveillé même était l'autre Sosie,
Quand il m'a si bien étrillé.

AMPHITRYON

835 Suis-moi. Je t'impose silence :
C'est trop me fatiguer l'esprit ;
Et je suis un vrai fou d'avoir la patience
D'écouter d'un valet les sottises qu'il dit.

SOSIE

Tous les discours sont des sottises,
840 Partant d'un homme sans éclat ;
Ce serait paroles exquises
Si c'était un grand qui parlât.

AMPHITRYON

Entrons, sans davantage attendre.
Mais Alcmène paraît avec tous ses appas.
845 En ce moment sans doute elle ne m'attend pas
Et mon abord la va surprendre.

SCÈNE II

ALCMÈNE, CLÉANTHIS, AMPHITRYON, SOSIE

ALCMÈNE

Allons pour mon époux, Cléanthis, vers les Dieux [1]
Nous acquitter de nos hommages,
Et les remercier des succès glorieux
850 Dont Thèbes, par son bras, goûte les avantages.
Ô Dieux!

AMPHITRYON

Fasse le Ciel qu'Amphitryon vainqueur
Avec plaisir soit revu de sa femme,
Et que ce jour favorable à ma flamme
Vous redonne à mes yeux avec le même cœur,
855 Que j'y retrouve autant d'ardeur
Que vous en rapporte mon âme!

ALCMÈNE

Quoi? de retour si tôt?

AMPHITRYON

Certes, c'est en ce jour
Me donner de vos feux un mauvais témoignage,
Et ce « Quoi ? si tôt de retour ? »
860 En ces occasions n'est guère le langage
D'un cœur bien enflammé d'amour.
J'osais me flatter en moi-même
Que loin de vous j'aurais trop demeuré.
L'attente d'un retour ardemment désiré
865 Donne à tous les instants une longueur extrême,
Et l'absence de ce qu'on aime,
Quelque peu qu'elle dure, a toujours trop duré.

ALCMÈNE

Je ne vois...

AMPHITRYON

Non, Alcmène, à son impatience
On mesure le temps en de pareils états ;
870 Et vous comptez les moments de l'absence
En personne qui n'aime pas.
Lorsque l'on aime comme il faut,
Le moindre éloignement nous tue,
Et ce dont on chérit la vue
875 Ne revient jamais assez tôt.
De votre accueil, je le confesse,
Se plaint ici mon amoureuse ardeur,
Et j'attendais de votre cœur
D'autres transports de joie et de tendresse.

ALCMÈNE

880 J'ai peine à comprendre sur quoi
Vous fondez les discours que je vous entends faire ;
Et si vous vous plaignez de moi,
Je ne sais pas, de bonne foi,
Ce qu'il faut pour vous satisfaire ;
885 Hier au soir, ce me semble, à votre heureux retour,
On me vit témoigner une joie assez tendre,
Et rendre aux soins de votre amour
Tout ce que de mon cœur vous aviez lieu d'at-
[tendre.

AMPHITRYON

Comment?

ALCMÈNE

Ne fis-je pas éclater à vos yeux
890 Les soudains mouvements d'une entière allégresse?
Et le transport d'un cœur peut-il s'expliquer mieux
Au retour d'un époux qu'on aime avec tendresse?

AMPHITRYON

Que me dites-vous là?

ALCMÈNE

Que même votre amour
Montra de mon accueil une joie incroyable;
895 Et que, m'ayant quittée à la pointe du jour,
Je ne vois pas qu'à ce soudain retour
Ma surprise soit si coupable.

AMPHITRYON

Est-ce que du retour que j'ai précipité
Un songe, cette nuit, Alcmène, dans votre âme
900 A prévenu la vérité?
Et que m'ayant peut-être en dormant bien traité[1]
Votre cœur se croit vers ma flamme
Assez amplement acquitté?

ALCMÈNE

Est-ce qu'une vapeur[2], par sa malignité,
905 Amphitryon, a dans votre âme
Du retour d'hier au soir brouillé la vérité?
Et que du doux accueil duquel je m'acquittai
Votre cœur prétend à ma flamme
Ravir toute l'honnêteté?

AMPHITRYON

910 Cette vapeur dont vous me régalez[3]
Est un peu, ce me semble, étrange.

ALCMÈNE

C'est ce qu'on peut donner pour change
Au songe dont vous me parlez.

AMPHITRYON

A moins d'un songe, on ne peut pas sans doute
915 Excuser ce qu'ici votre bouche me dit.

ALCMÈNE

A moins d'une vapeur qui vous trouble l'esprit,
On ne peut pas sauver [1] ce que de vous j'écoute.

AMPHITRYON

Laissons un peu cette vapeur, Alcmène.

ALCMÈNE

Laissons un peu ce songe, Amphitryon.

AMPHITRYON

920 Sur le sujet dont il est question,
Il n'est guère de jeu que trop loin on ne mène.

ALCMÈNE

Sans doute ; et pour marque certaine,
Je commence à sentir un peu d'émotion.

AMPHITRYON

Est-ce donc que par-là vous voulez essayer
925 A réparer l'accueil dont je vous ai fait plainte ?

ALCMÈNE

Est-ce donc que par cette feinte
Vous désirez vous égayer?

AMPHITRYON

Ah! de grâce, cessons, Alcmène, je vous prie,
Et parlons sérieusement.

ALCMÈNE

930 Amphitryon, c'est trop pousser l'amusement :
Finissons cette raillerie.

AMPHITRYON

Quoi ? vous osez me soutenir en face
Que plus tôt qu'à cette heure on m'ait ici pu voir ?

ALCMÈNE

Quoi ? vous voulez nier avec audace
935 Que dès hier en ces lieux vous vîntes sur le soir ?

AMPHITRYON

Moi ! je vins hier ?

ALCMÈNE

Sans doute ; et dès devant l'au-
[rore,
Vous vous en êtes retourné.

AMPHITRYON

Ciel ! un pareil débat s'est-il pu voir encore ?
Et qui de tout ceci ne serait étonné ?
Sosie ?

SOSIE

940 Elle a besoin de six grains d'ellébore[1].
Monsieur, son esprit est tourné[2].

AMPHITRYON

Alcmène, au nom de tous les Dieux !
Ce discours a d'étranges suites :
Reprenez vos sens un peu mieux,
945 Et pensez à ce que vous dites.

ALCMÈNE

J'y pense mûrement aussi,
Et tous ceux du logis ont vu votre arrivée.
J'ignore quel motif vous fait agir ainsi ;
Mais si la chose avait besoin d'être prouvée,

950 S'il était vrai qu'on pût ne s'en souvenir pas,
De qui puis-je tenir, que de vous, la nouvelle
Du dernier de tous vos combats?
Et les cinq diamants que portait Ptérélas,
Qu'a fait dans la nuit éternelle
955 Tomber l'effort de votre bras?
En pourrait-on vouloir un plus sûr témoignage?

AMPHITRYON

Quoi? je vous ai déjà donné
Le nœud de diamants que j'eus pour mon partage,
Et que je vous ai destiné?

ALCMÈNE

960 Assurément. Il n'est pas difficile
De vous en bien convaincre.

AMPHITRYON

Et comment?

ALCMÈNE

Le voici.

AMPHITRYON

Sosie!

SOSIE

Elle se moque, et je le tiens ici [1];
Monsieur, la feinte est inutile.

AMPHITRYON

Le cachet est entier.

ALCMÈNE

Est-ce une vision?
965 Tenez. Trouverez-vous cette preuve assez forte?

AMPHITRYON

Ah Ciel! ô juste Ciel!

ALCMÈNE

Allez, Amphitryon,
Vous vous moquez d'en user de la sorte,
Et vous en devriez avoir confusion.

AMPHITRYON

Romps vite ce cachet.

SOSIE, *ayant ouvert le coffret :*

Ma foi, la place est vide.
970 Il faut que par magie on ait su le tirer,
Ou bien que de lui-même il soit venu, sans guide,
Vers celle qu'il a su qu'on en voulait parer.

AMPHITRYON

Ô Dieux, dont le pouvoir sur les choses préside,
Quelle est cette aventure? et qu'en puis-je augu-
[rer
975 Dont mon amour ne s'intimide!

SOSIE

Si sa bouche dit vrai, nous avons même sort,
Et de même que moi, Monsieur, vous êtes double.

AMPHITRYON

Tais-toi.

ALCMÈNE

Sur quoi vous étonner si fort?
Et d'où peut naître ce grand trouble?

AMPHITRYON

980 Ô Ciel! quel étrange embarras!
Je vois des incidents qui passent la nature;
Et mon honneur redoute une aventure
Que mon esprit ne comprend pas.

ALCMÈNE

Songez-vous, en tenant cette preuve sensible,
985 A me nier encor votre retour pressé?

AMPHITRYON

Non ; mais à ce retour daignez, s'il est possible,
Me conter ce qui s'est passé.

ALCMÈNE

Puisque vous demandez un récit de la chose,
Vous voulez dire donc que ce n'était pas vous ?

AMPHITRYON

990 Pardonnez-moi ; mais j'ai certaine cause
Qui me fait demander ce récit entre nous.

ALCMÈNE

Les soucis importants qui vous peuvent saisir,
Vous ont-ils fait si vite en perdre la mémoire ?

AMPHITRYON

Peut-être ; mais enfin vous me ferez plaisir
995 De m'en dire toute l'histoire.

ALCMÈNE

L'histoire n'est pas longue. A vous je m'avançai,
Pleine d'une aimable surprise ;
Tendrement je vous embrassai,
Et témoignai ma joie à plus d'une reprise.

AMPHITRYON, *en soi-même :*

1000 Ah ! d'un si doux accueil je me serais passé.

ALCMÈNE

Vous me fîtes d'abord ce présent d'importance,
Que du butin conquis vous m'aviez destiné.
Votre cœur, avec véhémence,
M'étala de ses feux toute la violence,
1005 Et les soins importuns qui l'avaient enchaîné,
L'aise de me revoir, les tourments de l'absence,
Tout le souci que son impatience
Pour le retour s'était donné ;
Et jamais votre amour, en pareille occurrence,
1010 Ne me parut si tendre et si passionné.

AMPHITRYON, *en soi-même :*

Peut-on plus vivement se voir assassiné ?

ALCMÈNE

Tous ces transports, toute cette tendresse,
Comme vous croyez bien, ne me déplaisaient pas ;
Et s'il faut que je le confesse,
1015 Mon cœur, Amphitryon, y trouvait mille appas.

AMPHITRYON

Ensuite, s'il vous plaît.

ALCMÈNE

Nous nous entrecoupâmes
De mille questions qui pouvaient nous toucher.
On servit. Tête à tête ensemble nous soupâmes ;
Et le souper fini, nous nous fûmes coucher.

AMPHITRYON

Ensemble ?

ALCMÈNE

1020 Assurément. Quelle est cette demande ?

AMPHITRYON

Ah ! c'est ici le coup le plus cruel de tous,
Et dont à s'assurer tremblait mon feu jaloux.

ALCMÈNE

D'où vous vient à ce mot une rougeur si grande ?
Ai-je fait quelque mal de coucher avec vous ?

AMPHITRYON

1025 Non, ce n'était pas moi, pour ma douleur sensible :
Et qui dit qu'hier ici mes pas se sont portés
Dit de toutes les faussetés
La fausseté la plus horrible.

ALCMÈNE

Amphitryon !

AMPHITRYON

Perfide!

ALCMÈNE

Ah! quel emportement!

AMPHITRYON

1030 Non, non : plus de douceur et plus de déférence,
Ce revers vient à bout de toute ma constance ;
Et mon cœur ne respire, en ce fatal moment,
Et que fureur et que vengeance.

ALCMÈNE

De qui donc vous venger? et quel manque de foi
1035 Vous fait ici me traiter de coupable!

AMPHITRYON

Je ne sais pas, mais ce n'était pas moi ;
Et c'est un désespoir qui de tout rend capable.

ALCMÈNE

Allez, indigne époux, le fait parle de soi,
Et l'imposture est effroyable.
1040 C'est trop me pousser là-dessus,
Et d'infidélité me voir trop condamnée.
Si vous cherchez, dans ces transports confus,
Un prétexte à briser les nœuds d'un hyménée
Qui me tient à vous enchaînée,
1045 Tous ces détours sont superflus ;
Et me voilà déterminée
A souffrir qu'en ce jour nos liens soient rompus.

AMPHITRYON

Après l'indigne affront que l'on me fait connaître,
C'est bien à quoi sans doute il faut vous préparer :
1050 C'est le moins qu'on doit voir, et les choses peut-
[être
Pourront n'en pas là demeurer.
Le déshonneur est sûr, mon malheur m'est visible,
Et mon amour en vain voudrait me l'obscurcir ;

Mais le détail encor ne m'en est pas sensible,
1055 Et mon juste courroux prétend s'en éclaircir.
Votre frère déjà peut hautement répondre
Que jusqu'à ce matin je ne l'ai point quitté :
Je m'en vais le chercher, afin de vous confondre
Sur ce retour qui m'est faussement imputé.
1060 Après, nous percerons jusqu'au fond d'un mystère
Jusques à présent inouï ;
Et dans les mouvements d'une juste colère,
Malheur à qui m'aura trahi!

SOSIE

Monsieur...

AMPHITRYON

Ne m'accompagne pas,
1065 Et demeure ici pour m'attendre.

CLÉANTHIS

Faut-il?...

ALCMÈNE

Je ne puis rien entendre :
Laisse-moi seule et ne suis point mes pas.

SCÈNE III

CLÉANTHIS, SOSIE

CLÉANTHIS

Il faut que quelque chose ait brouillé sa cervelle ;
Mais le frère sur-le-champ
1070 Finira cette querelle.

SOSIE

C'est ici, pour mon maître, un coup assez touchant.
Et son aventure est cruelle.
Je crains fort pour mon fait quelque chose appro-
[chant,
Et je m'en veux tout doux éclaircir avec elle.

CLÉANTHIS

1075 Voyez s'il me viendra seulement aborder!
Mais je veux m'empêcher de rien faire paraître.

SOSIE

La chose quelquefois est fâcheuse à connaître,
Et je tremble à la demander.
Ne vaudrait-il point mieux, pour ne rien hasarder,
1080 Ignorer ce qu'il en peut être?
Allons, tout coup vaille [1], il faut voir,
Et je ne m'en saurais défendre.
La faiblesse humaine est d'avoir
Des curiosités d'apprendre
1085 Ce qu'on ne voudrait pas savoir.
Dieu te gard' [2], Cléanthis!

CLÉANTHIS

Ah! ah! tu t'en avises,
Traître, de t'approcher de nous!

SOSIE

Mon Dieu! qu'as-tu? toujours on te voit en cour-
Et sur rien tu te formalises. [roux,

CLÉANTHIS

Qu'appelles-tu sur rien, dis?

SOSIE

1090 J'appelle sur rien
Ce qui sur rien s'appelle en vers ainsi qu'en prose;
Et rien, comme tu le sais bien,
Veut dire rien, ou peu de chose.

CLÉANTHIS

Je ne sais qui me tient, infâme,
1095 Que je ne t'arrache les yeux,
Et ne t'apprenne où va le courroux d'une femme.

SOSIE

Holà! d'où te vient donc ce transport furieux?

CLÉANTHIS

Tu n'appelles donc rien le procédé, peut-être,
Qu'avec moi ton cœur a tenu?

SOSIE

Et quel?

CLÉANTHIS

1100 Quoi? tu fais l'ingénu?
Est-ce qu'à l'exemple du maître
Tu veux dire qu'ici tu n'es pas revenu?

SOSIE

Non, je sais fort bien le contraire;
Mais je ne t'en fais pas le fin [1]:
1105 Nous avions bu de je ne sais quel vin,
Qui m'a fait oublier tout ce que j'ai pu faire.

CLÉANTHIS

Tu crois peut-être excuser par ce trait..

SOSIE

Non, tout de bon, tu m'en peux croire.
J'étais dans un état où je puis avoir fait
1110 Des choses dont j'aurais regret,
Et dont je n'ai nulle mémoire.

CLÉANTHIS

Tu ne te souviens point du tout de la manière
Dont tu m'as su traiter, étant venu du port?

SOSIE

Non plus que rien. Tu peux m'en faire le rapport:
1115 Je suis équitable et sincère,
Et me condamnerai moi-même, si j'ai tort.

CLÉANTHIS

Comment? Amphitryon m'ayant su disposer [2],
Jusqu'à ce que tu vins j'avais poussé ma veille;

Mais je ne vis jamais une froideur pareille :
1120 De ta femme il fallut moi-même t'aviser [1] ;
Et lorsque je fus te baiser,
Tu détournas le nez, et me donnas l'oreille.

SOSIE

Bon!

CLÉANTHIS

Comment, bon?

SOSIE

Mon Dieu! tu ne sais pas pourquoi,
Cléanthis, je tiens ce langage :
1125 J'avais mangé de l'ail, et fis en homme sage
De détourner un peu mon haleine de toi.

CLÉANTHIS

Je te sus exprimer des tendresses de cœur ;
Mais à tous mes discours tu fus comme une souche ;
Et jamais un mot de douceur
1130 Ne te put sortir de la bouche.

SOSIE

Courage!

CLÉANTHIS

Enfin ma flamme eut beau s'émanciper,
Sa chaste ardeur en toi ne trouva rien que glace ;
Et dans un tel retour, je te vis la tromper,
Jusqu'à faire refus de prendre au lit la place
1135 Que les lois de l'hymen t'obligent d'occuper.

SOSIE

Quoi? je ne couchai point...

CLÉANTHIS

Non, lâche.

SOSIE

Est-il pos-
[sible?

CLÉANTHIS

Traître, il n'est que trop assuré.
C'est de tous les affronts l'affront le plus sensible ;
Et loin que ce matin ton cœur l'ait réparé,
1140 Tu t'es d'avec moi séparé
Par des discours chargés d'un mépris tout visible.

SOSIE

Vivat Sosie!

CLÉANTHIS

Hé quoi? ma plainte a cet effet?
Tu ris après ce bel ouvrage?

SOSIE

Que je suis de moi satisfait!

CLÉANTHIS

1145 Exprime-t-on ainsi le regret d'un outrage!

SOSIE

Je n'aurais jamais cru que j'eusse été si sage.

CLÉANTHIS

Loin de te condamner d'un si perfide trait,
Tu m'en fais éclater la joie en ton visage!

SOSIE

Mon Dieu, tout doucement! Si je parais joyeux,
1150 Crois que j'en ai dans l'âme une raison très forte,
Et que, sans y penser, je ne fis jamais mieux
Que d'en user tantôt avec toi de la sorte.

CLÉANTHIS

Traître, te moques-tu de moi?

SOSIE

Non, je te parle avec franchise.
1155 En l'état où j'étais, j'avais certain effroi,
Dont avec ton discours mon âme s'est remise.

Je m'appréhendais fort, et craignais qu'avec toi
Je n'eusse fait quelque sottise.

CLÉANTHIS

Quelle est cette frayeur ? et sachons donc pourquoi.

SOSIE

1160 Les médecins [1] disent, quand on est ivre,
Que de sa femme on se doit abstenir,
Et que dans cet état il ne peut provenir
Que des enfants pesants et qui ne sauraient vivre.
Vois, si mon cœur n'eût su de froideur se munir,
1165 Quels inconvénients auraient pu s'en ensuivre!

CLÉANTHIS

Je me moque des médecins,
Avec leurs raisonnements fades :
Qu'ils règlent ceux qui sont malades,
Sans vouloir gouverner les gens qui sont bien sains.
1170 Ils se mêlent de trop d'affaires,
De prétendre tenir nos chastes feux gênés ;
Et sur les jours caniculaires
Ils nous donnent encor, avec leurs lois sévères,
De cent sots contes par le nez.

SOSIE

Tout doux!

CLÉANTHIS

1175 Non : je soutiens que cela conclut mal :
Ces raisons sont raisons d'extravagantes têtes.
Il n'est ni vin ni temps qui puisse être fatal
A remplir le devoir de l'amour conjugal ;
Et les médecins sont des bêtes.

SOSIE

1180 Contre eux, je t'en supplie, apaise ton courroux :
Ce sont d'honnêtes gens, quoi que le monde en dise.

CLÉANTHIS

Tu n'es pas où tu crois ; en vain tu files doux :
Ton excuse n'est point une excuse de mise ;
Et je me veux venger tôt ou tard, entre nous,
1185 De l'air dont chaque jour je vois qu'on me méprise.
Des discours de tantôt je garde tous les coups,
Et tâcherai d'user, lâche et perfide époux,
De cette liberté que ton cœur m'a permise.

SOSIE

Quoi ?

CLÉANTHIS

Tu m'as dit tantôt que tu consentais fort,
1190 Lâche, que j'en aimasse un autre.

SOSIE

Ah! pour cet article, j'ai tort.
Je m'en dédis, il y va trop du nôtre :
Garde-toi bien de suivre ce transport.

CLÉANTHIS

Si je puis une fois pourtant
1195 Sur mon esprit gagner la chose... [1].

SOSIE

Fais à ce discours quelque pause :
Amphitryon revient, qui me paraît content.

SCÈNE IV

JUPITER, CLÉANTHIS, SOSIE

JUPITER

Je viens prendre le temps de rapaiser Alcmène,
De bannir les chagrins que son cœur veut garder,
1200 Et donner à mes feux, dans ce soin qui m'amène,
Le doux plaisir de se raccommoder.
Alcmène est là-haut, n'est-ce pas?

CLÉANTHIS

Oui, pleine d'une inquiétude
Qui cherche de la solitude,
1205 Et qui m'a défendu d'accompagner ses pas.

JUPITER

Quelque défense qu'elle ait faite,
Elle ne sera pas pour moi.

CLÉANTHIS

Son chagrin, à ce que je vois,
A fait une prompte retraite.

SCÈNE V

CLÉANTHIS, SOSIE

SOSIE

1210 Que dis-tu, Cléanthis, de ce joyeux maintien,
Après son fracas effroyable?

CLÉANTHIS

Que si toutes nous faisions bien,
Nous donnerions tous les hommes au diable.
Et que le meilleur n'en vaut rien.

SOSIE

1215 Cela se dit dans le courroux;
Mais aux hommes par trop vous êtes accrochées;
Et vous seriez, ma foi! toutes bien empêchées,
Si le diable les prenait tous.

CLÉANTHIS

Vraiment...

SOSIE

Les voici. Taisons-nous.

SCÈNE VI

JUPITER, ALCMÈNE, CLÉANTHIS, SOSIE

JUPITER

1220 Voulez-vous me désespérer?
Hélas! arrêtez, belle Alcmène.

ALCMÈNE

Non, avec l'auteur de ma peine
Je ne puis du tout demeurer.

JUPITER

De grâce...

ALCMÈNE

Laissez-moi.

JUPITER

Quoi...?

ALCMÈNE

Laissez-moi, vous dis-je.

JUPITER

1225 Ses pleurs touchent mon âme, et sa douleur m'afflige.
Souffrez que mon cœur...

ALCMÈNE

Non, ne suivez point mes pas.

JUPITER

Où voulez-vous aller?

ALCMÈNE

Où vous ne serez pas.

JUPITER

Ce vous est une attente vaine.
Je tiens à vos beautés par un nœud trop serré,

1230 Pour pouvoir un moment en être séparé :
Je vous suivrai partout, Alcmène.

ALCMÈNE

Et moi, partout je vous fuirai.

JUPITER

Je suis donc bien épouvantable?

ALCMÈNE

Plus qu'on ne peut dire, à mes yeux.
1235 Oui, je vous vois comme un monstre effroyable,
Un monstre cruel, furieux,
Et dont l'approche est redoutable,
Comme un monstre à fuir en tous lieux.
Mon cœur souffre, à vous voir, une peine incroyable;
1240 C'est un supplice qui m'accable ;
Et je ne vois rien sous les cieux
D'affreux, d'horrible, d'odieux,
Qui ne me fût plus que vous supportable.

JUPITER

En voilà bien, hélas! que votre bouche dit.

ALCMÈNE

1245 J'en ai dans le cœur davantage ;
Et pour s'exprimer tout, ce cœur a du dépit
De ne point trouver de langage.

JUPITER

Hé! que vous a donc fait ma flamme,
Pour me pouvoir, Alcmène, en monstre regarder?

ALCMÈNE

1250 Ah! juste Ciel! cela peut-il se demander?
Et n'est-ce pas pour mettre à bout une âme?

JUPITER

Ah! d'un esprit plus adouci...

ALCMÈNE

Non, je ne veux du tout vous voir, ni vous entendre.

JUPITER

Avez-vous bien le cœur de me traiter ainsi ?
1255 Est-ce là cet amour si tendre,
Qui devait tant durer quand je vins hier ici ?

ALCMÈNE

Non, non, ce ne l'est pas ; et vos lâches injures
En ont autrement ordonné.
Il n'est plus, cet amour tendre et passionné ;
1260 Vous l'avez dans mon cœur, par cent vives blessures,
Cruellement assassiné.
C'est en sa place un courroux inflexible,
Un vif ressentiment, un dépit invincible,
Un désespoir d'un cœur justement animé,
1265 Qui prétend vous haïr, pour cet affront sensible,
Autant qu'il est d'accord de vous avoir aimé :
Et c'est haïr autant qu'il est possible.

JUPITER

Hélas! que votre amour n'avait guère de force,
Si de si peu de chose on le peut voir mourir!
1270 Ce qui n'était que jeu doit-il faire un divorce ?
Et d'une raillerie a-t-on lieu de s'aigrir ?

ALCMÈNE

Ah! c'est cela dont je suis offensée,
Et que ne peut pardonner mon courroux.
Des véritables traits d'un mouvement jaloux
1275 Je me trouverais moins blessée.
La jalousie a des impressions
Dont bien souvent la force nous entraîne ;
Et l'âme la plus sage, en ces occasions,
Sans doute avec assez de peine
1280 Répond de ses émotions ;
L'emportement d'un cœur qui peut s'être abusé
A de quoi ramener une âme qu'il offense ;

Et dans l'amour qui lui donne naissance
Il trouve au moins, malgré toute sa violence,
1285 Des raisons pour être excusé ;
De semblables transports contre un ressentiment
Pour défense toujours ont ce qui les fait naître,
Et l'on donne grâce aisément
A ce dont on n'est pas le maître.
1290 Mais que, de gaieté de cœur,
On passe aux mouvements d'une fureur extrême,
Que sans cause l'on vienne, avec tant de rigueur,
Blesser la tendresse et l'honneur
D'un cœur qui chèrement nous aime,
1295 Ah! c'est un coup trop cruel en lui-même,
Et que jamais n'oubliera ma douleur.

JUPITER

Oui, vous avez raison, Alcmène, il se faut rendre :
Cette action, sans doute, est un crime odieux ;
Je ne prétends plus le défendre ;
1300 Mais souffrez que mon cœur s'en défende à vos yeux,
Et donne au vôtre à qui se prendre
De ce transport injurieux.
A vous en faire un aveu véritable,
L'époux, Alcmène, a commis tout le mal ;
1305 C'est l'époux qu'il vous faut regarder en coupable.
L'amant n'a point de part à ce transport brutal,
Et de vous offenser son cœur n'est point capable :
Il a pour vous, ce cœur, pour jamais y penser,
Trop de respect et de tendresse ;
1310 Et si de faire rien à vous pouvoir blesser
Il avait eu la coupable faiblesse,
De cent coups à vos yeux il voudrait le percer.
Mais l'époux est sorti de ce respect soumis
Où pour vous on doit toujours être ;
1315 A son dur procédé l'époux s'est fait connaître,
Et par le droit d'hymen il s'est cru tout permis ;
Oui, c'est lui qui sans doute est criminel vers vous.
Lui seul a maltraité votre aimable personne :
Haïssez, détestez l'époux,
1320 J'y consens, et vous l'abandonne.

Mais, Alcmène, sauvez l'amant de ce courroux
Qu'une telle offense vous donne ;
N'en jetez pas sur lui l'effet,
Démêlez-le un peu du coupable ;
1325 Et pour être enfin équitable,
Ne le punissez point de ce qu'il n'a pas fait.

ALCMÈNE

Ah! toutes ces subtilités
N'ont que des excuses frivoles,
Et pour les esprits irrités
1330 Ce sont des contretemps [1] que de telles paroles.
Ce détour ridicule est en vain pris par vous :
Je ne distingue rien en celui qui m'offense,
Tout y devient l'objet de mon courroux,
Et dans sa juste violence
1335 Sont confondus et l'amant et l'époux.
Tous deux de même sorte occupent ma pensée,
Et des mêmes couleurs, par mon âme blessée,
Tous deux ils sont peints à mes yeux :
Tous deux sont criminels, tous deux m'ont offensée,
1340 Et tous deux me sont odieux.

JUPITER

Hé bien! puisque vous le voulez,
Il faut donc me charger du crime.
Oui, vous avez raison lorsque vous m'immolez
A vos ressentiments en coupable victime ;
1345 Un trop juste dépit contre moi vous anime,
Et tout ce grand courroux qu'ici vous étalez
Ne me fait endurer qu'un tourment légitime ;
C'est avec droit que mon abord vous chasse,
Et que de me fuir en tous lieux
1350 Votre colère me menace :
Je dois vous être un objet odieux,
Vous devez me vouloir un mal prodigieux ;
Il n'est aucune horreur que mon forfait ne passe,
D'avoir offensé vos beaux yeux.
1355 C'est un crime à blesser les hommes et les dieux,
Et je mérite enfin, pour punir cette audace,

Que contre moi votre haine ramasse
Tous ses traits les plus furieux.
Mais mon cœur vous demande grâce ;
1360 Pour vous la demander je me jette à genoux [1],
Et la demande au nom de la plus vive flamme,
Du plus tendre amour dont une âme
Puisse jamais brûler pour vous.
Si votre cœur, charmante Alcmène,
1365 Me refuse la grâce où j'ose recourir,
Il faut qu'une atteinte soudaine
M'arrache, en me faisant mourir,
Aux dures rigueurs d'une peine
Que je ne saurais plus souffrir.
1370 Oui, cet état me désespère :
Alcmène, ne présumez pas
Qu'aimant comme je fais vos célestes appas,
Je puisse vivre un jour avec votre colère.
Déjà de ces moments la barbare longueur
1375 Fait sous des atteintes mortelles
Succomber tout mon triste cœur ;
Et de mille vautours les blessures cruelles
N'ont rien de comparable à ma vive douleur.
Alcmène, vous n'avez qu'à me le déclarer :
1380 S'il n'est point de pardon que je doive espérer,
Cette épée aussitôt, par un coup favorable,
Va percer à vos yeux le cœur d'un misérable,
Ce cœur, ce traître cœur, trop digne d'expirer,
Puisqu'il a pu fâcher un objet adorable :
1385 Heureux, en descendant au ténébreux séjour,
Si de votre courroux mon trépas vous ramène,
Et ne laisse en votre âme, après ce triste jour,
Aucune impression de haine
Au souvenir de mon amour!
1390 C'est tout ce que j'attends pour faveur souveraine.

ALCMÈNE

Ah! trop cruel époux!

JUPITER

Dites, parlez, Alcmène.

ALCMÈNE

Faut-il encor pour vous conserver des bontés,
Et vous voir m'outrager par tant d'indignités ?

JUPITER

Quelque ressentiment qu'un outrage nous cause,
1395 Tient-il contre un remords d'un cœur bien enflam-
[mé ?

ALCMÈNE

Un cœur bien plein de flamme à mille morts s'expose,
Plutôt que de vouloir fâcher l'objet aimé.

JUPITER

Plus on aime quelqu'un, moins on trouve de peine...

ALCMÈNE

Non, ne m'en parlez point : vous méritez ma haine.

JUPITER

Vous me haïssez donc ?

ALCMÈNE

1400 J'y fais tout mon effort ;
Et j'ai dépit de voir que toute votre offense
Ne puisse de mon cœur jusqu'à cette vengeance
Faire encor aller le transport.

JUPITER

Mais pourquoi cette violence,
1405 Puisque pour vous venger je vous offre ma mort ?
Prononcez-en l'arrêt, et j'obéis sur l'heure.

ALCMÈNE

Qui ne saurait haïr peut-il vouloir qu'on meure ?

JUPITER

Et moi, je ne puis vivre, à moins que vous quittiez
Cette colère qui m'accable,
1410 Et que vous m'accordiez le pardon favorable

Que je vous demande à vos pieds.
[*Sosie et Cléanthis se mettent aussi à genoux.*]
Résolvez ici l'un des deux :
Ou de punir, ou bien d'absoudre.

ALCMÈNE

Hélas! ce que je puis résoudre
1415 Paraît bien plus que je ne veux.
Pour vouloir soutenir le courroux qu'on me donne,
Mon cœur a trop su me trahir :
Dire qu'on ne saurait haïr,
N'est-ce pas dire qu'on pardonne?

JUPITER

1420 Ah! belle Alcmène, il faut que, comblé d'allégresse...

ALCMÈNE

Laissez : je me veux mal de mon trop de faiblesse.

JUPITER

Va, Sosie, et dépêche-toi,
Voir, dans les doux transports dont mon âme est
[charmée,
Ce que tu trouveras d'officiers de l'armée,
1425 Et les invite à dîner avec moi.
Tandis que d'ici je le chasse,
Mercure y remplira sa place.

SCÈNE VII

CLÉANTHIS, SOSIE

SOSIE

Hé bien! tu vois, Cléanthis, ce ménage.
Veux-tu qu'à leur exemple ici
1430 Nous fassions entre nous un peu de paix aussi,
Quelque petit rapatriage [1]?

CLÉANTHIS

C'est pour ton nez [1], vraiment! Cela se fait ainsi.

SOSIE

Quoi? tu ne veux pas?

CLÉANTHIS

Non.

SOSIE

Il ne m'importe guère :
Tant pis pour toi.

CLÉANTHIS

Là, là, reviens.

SOSIE

1435 Non, morbleu! je n'en ferai rien,
Et je veux être, à mon tour, en colère.

CLÉANTHIS

Va, va traître, laisse-moi faire :
On se lasse parfois d'être femme de bien.

ACTE III

SCÈNE PREMIÈRE

AMPHITRYON

Oui, sans doute le sort tout exprès me le [1] cache,
1440 Et des tours que je fais à la fin je suis las.
Il n'est point de destin plus cruel, que je sache :
Je ne saurais trouver, portant partout mes pas,
Celui qu'à chercher je m'attache,
Et je trouve tous ceux que je ne cherche pas.
1445 Mille fâcheux cruels, qui ne pensent pas l'être,
De nos faits avec moi, sans beaucoup me connaître,
Viennent se réjouir, pour me faire enrager.
Dans l'embarras cruel du souci qui me blesse,
De leurs embrassements et de leur allégresse
1450 Sur mon inquiétude ils viennent tous charger [2].
En vain à passer je m'apprête,
Pour fuir leurs persécutions,
Leur tuante amitié de tous côtés m'arrête ;
Et tandis qu'à l'ardeur de leurs expressions
1455 Je réponds d'un geste de tête,
Je leur donne tout bas cent malédictions.
Ah! qu'on est peu flatté de louange, d'honneur,
Et de tout ce que donne une grande victoire,
Lorsque dans l'âme on souffre une vive douleur!
1460 Et que l'on donnerait volontiers cette gloire,
Pour avoir le repos du cœur!
Ma jalousie, à tout propos,
Me promène sur ma disgrâce [3] ;
Et plus mon esprit y repasse,

1465 Moins j'en puis débrouiller le funeste chaos.
Le vol des diamants n'est pas ce qui m'étonne :
On lève les cachets, qu'on ne l'aperçoit pas ;
Mais le don qu'on veut qu'hier j'en vins faire en [personne
Est ce qui fait ici mon cruel embarras.
1470 La nature parfois produit des ressemblances
Dont quelques imposteurs ont pris droit d'abuser ;
Mais il est hors de sens que sous ces apparences
Un homme pour époux se puisse supposer [1],
Et dans tous ces rapports sont mille différences
1475 Dont se peut une femme aisément aviser.
Des charmes de la Thessalie [2],
On vante de tout temps les merveilleux effets ;
Mais les contes fameux qui partout en sont faits
Dans mon esprit toujours ont passé pour folie ;
1480 Et ce serait du sort une étrange rigueur,
Qu'au sortir d'une ample victoire
Je fusse contraint de les croire,
Aux dépens de mon propre honneur.
Je veux la retâter sur ce fâcheux mystère,
1485 Et voir si ce n'est point une vaine chimère
Qui sur ses sens troublés ait su prendre crédit.
Ah! fasse le Ciel équitable
Que ce penser soit véritable,
Et que pour mon bonheur elle ait perdu l'esprit!

SCÈNE II

MERCURE, AMPHITRYON

MERCURE [*sur le balcon de la maison d'Amphitryon, sans être vu ni entendu par Amphitryon*]

1490 Comme l'amour ici ne m'offre aucun plaisir,
Je m'en veux faire au moins qui soient d'autre [nature.
Et je vais égayer mon sérieux loisir
A mettre Amphitryon hors de toute mesure.
Cela n'est pas d'un dieu bien plein de charité ;

1495 Mais aussi n'est-ce pas ce dont je m'inquiète,
Et je me sens par ma planète
A la malice un peu porté [1].

AMPHITRYON

D'où vient donc qu'à cette heure on ferme cette
[porte?

MERCURE

Holà! tout doucement! Qui frappe?

AMPHITRYON

Moi.

MERCURE

Qui, moi?

AMPHITRYON

Ah! ouvre.

MERCURE

1500 Comment, ouvre? Et qui donc es-tu, toi,
Qui fais tant de vacarme et parles de la sorte?

AMPHITRYON

Quoi? tu ne me connais pas?

MERCURE

Non.
Et n'en ai pas la moindre envie.

AMPHITRYON

Tout le monde perd-il aujourd'hui la raison?
1505 Est-ce un mal répandu? Sosie, holà! Sosie!

MERCURE

Hé bien! Sosie : oui, c'est mon nom;
As-tu peur que je ne l'oublie?

AMPHITRYON

Me vois-tu bien?

MERCURE

Fort bien. Qui peut pousser ton bras
A faire une rumeur si grande ?
1510 Et que demandes-tu là-bas ?

AMPHITRYON

Moi, pendard ! ce que je demande ?

MERCURE

Que ne demandes-tu donc pas ?
Parle, si tu veux qu'on t'entende.

AMPHITRYON

Attends, traître : avec un bâton
1515 Je vais là-haut me faire entendre,
Et de bonne façon t'apprendre,
A m'oser parler sur ce ton.

MERCURE

Tout beau ! si pour heurter tu fais la moindre ins-
[tance,
Je t'envoirai d'ici des messagers fâcheux.

AMPHITRYON

1520 Ô Ciel ! vit-on jamais une telle insolence ?
La peut-on concevoir d'un serviteur, d'un gueux ?

MERCURE

Hé bien ! qu'est-ce ? M'as-tu tout parcouru par
[ordre ?
M'as-tu de tes gros yeux assez considéré ?
Comme il les écarquille, et paraît effaré !
1525 Si des regards on pouvait mordre,
Il m'aurait déjà déchiré.

AMPHITRYON

Moi-même je frémis de ce que tu t'apprêtes,
Avec ces impudents propos.

Que tu grossis pour toi d'effroyables tempêtes!
1530 Quels orages de coups vont fondre sur ton dos!

MERCURE

L'ami, si de ces lieux tu ne veux disparaître,
Tu pourras y gagner quelque contusion.

AMPHITRYON

Ah! tu sauras, maraud, à ta confusion,
Ce que c'est qu'un valet qui s'attaque à son maître.

MERCURE

Toi, mon maître?

AMPHITRYON

1535 Oui, coquin. M'oses-tu mécon-
[naître?

MERCURE

Je n'en reconnais point d'autre qu'Amphitryon.

AMPHITRYON

Et cet Amphitryon, qui, hors moi, le peut être?

MERCURE

Amphitryon?

AMPHITRYON

Sans doute.

MERCURE

Ah! quelle vision!
Dis-nous un peu : quel est le cabaret honnête
1540 Où tu t'es coiffé [1] le cerveau?

AMPHITRYON

Comment? encor?

MERCURE

Était-ce un vin à faire fête?

AMPHITRYON

Ciel!

MERCURE

Était-il vieux, ou nouveau?

AMPHITRYON

Que de coups!

MERCURE

Le nouveau donne fort dans la tête,
Quand on le veut boire sans eau.

AMPHITRYON

1545 Ah! je t'arracherai cette langue sans doute.

MERCURE

Passe, mon cher ami, crois-moi :
Que quelqu'un ici ne t'écoute.
Je respecte le vin : va-t'en, retire-toi,
Et laisse Amphitryon dans les plaisirs qu'il goûte.

AMPHITRYON

Comment Amphitryon est là-dedans?

MERCURE

1550 Fort bien :
Qui, couvert des lauriers d'une victoire pleine,
Est auprès de la belle Alcmène,
A jouir des douceurs d'un aimable entretien.
Après le démêlé d'un amoureux caprice [1],
1555 Ils goûtent le plaisir de s'être rajustés,
Garde-toi de troubler leurs douces privautés,
Si tu ne veux qu'il ne punisse
L'excès de tes témérités.

SCÈNE III

AMPHITRYON

Ah! quel étrange coup m'a-t-il porté dans l'âme!
1560 En quel trouble cruel jette-t-il mon esprit!
Et si les choses sont comme le traître dit,
Où vois-je ici réduits mon honneur et ma flamme?
A quel parti me doit résoudre ma raison?
Ai-je l'éclat ou le secret à prendre?
1565 Et dois-je, en mon courroux, renfermer ou répandre
Le déshonneur de ma maison?
Ah! faut-il consulter dans un affront si rude?
Je n'ai rien à prétendre et rien à ménager;
Et toute mon inquiétude
1570 Ne doit aller qu'à me venger.

SCÈNE IV

SOSIE, NAUCRATÈS, POLIDAS, AMPHITRYON

SOSIE

Monsieur, avec mes soins tout ce que j'ai pu faire,
C'est de vous amener ces messieurs que voici.

AMPHITRYON

Ah! vous [1] voilà?

SOSIE

Monsieur.

AMPHITRYON

Insolent! téméraire.

SOSIE

Quoi?

AMPHITRYON

Je vous apprendrai de me traiter ainsi.

SOSIE

Qu'est-ce donc? qu'avez-vous?

AMPHITRYON [*mettant l'épée à la main*]

1575 Ce que j'ai, misérable?

SOSIE

Holà, Messieurs, venez donc tôt.

NAUCRATÈS [*à Amphitryon*]

Ah! de grâce, arrêtez.

SOSIE

De quoi suis-je coupable?

AMPHITRYON

Tu me le demandes, maraud?
Laissez-moi satisfaire un courroux légitime.

SOSIE

1580 Lorsque l'on pend quelqu'un, on lui dit pourquoi [c'est.

NAUCRATÈS

Daignez nous dire au moins quel peut être son [crime.

SOSIE

Messieurs, tenez bon, s'il vous plaît.

AMPHITRYON

Comment? il vient d'avoir l'audace
De me fermer ma porte au nez,
1585 Et de joindre encor la menace
A mille propos effrénés!
Ah, coquin!

SOSIE [*tombant à genoux*]

Je suis mort.

NAUCRATÈS

Calmez cette colère.

SOSIE

Messieurs.

POLIDAS

Qu'est-ce?

SOSIE

M'a-t-il frappé?

AMPHITRYON

Non, il faut qu'il ait le salaire
1590 Des mots où tout à l'heure il s'est émancipé.

SOSIE

Comment cela se peut-il faire,
Si j'étais [1] par votre ordre autre part occupé?
Ces messieurs sont ici pour rendre témoignage
Qu'à dîner avec vous je les viens d'inviter.

NAUCRATÈS

1595 Il est vrai qu'il nous vient de faire ce message,
Et n'a point voulu nous quitter.

AMPHITRYON

Qui t'a donné cet ordre?

SOSIE

Vous.

AMPHITRYON

Et quand?

SOSIE

Après votre paix faite,
Au milieu des transports d'une âme satisfaite
1600 D'avoir d'Alcmène apaisé le courroux.

[*Sosie se relève*]

AMPHITRYON

Ô Ciel! chaque instant, chaque pas
Ajoute quelque chose à mon cruel martyre;
Et dans ce fatal embarras,
Je ne sais plus que croire, ni que dire.

NAUCRATÈS

1605 Tout ce que de chez vous il vient de nous conter
Surpasse si fort la nature,
Qu'avant que de rien faire et de vous emporter,
Vous devez éclaircir toute cette aventure.

AMPHITRYON

Allons : vous y pourrez seconder mon effort,
1610 Et le Ciel à propos ici vous a fait rendre [1].

[*Amphitryon frappe à la porte de sa maison*]

Voyons quelle fortune en ce jour peut m'attendre :
Débrouillons ce mystère et, sachons notre sort.
Hélas! je brûle de l'apprendre,
Et je le crains plus que la mort.

SCÈNE V

JUPITER, AMPHITRYON, NAUCRATÈS, POLIDAS, SOSIE

JUPITER

1615 Quel bruit à descendre m'oblige?
Et qui frappe en maître où je suis?

AMPHITRYON

Que vois-je? justes Dieux!

NAUCRATÈS

Ciel! quel est ce pro-
[dige?
Quoi? deux Amphitryons ici nous sont produits!

AMPHITRYON

Mon âme demeure transie ;
1620 Hélas! je n'en puis plus : l'aventure est à bout,
Ma destinée est éclaircie,
Et ce que je vois me dit tout.

NAUCRATÈS

Plus mes regards sur eux s'attachent fortement,
Plus je trouve qu'en tout l'un à l'autre est sem-
[blable.

SOSIE [*passant du côté de Jupiter*]

1625 Messieurs, voici le véritable ;
L'autre est un imposteur digne de châtiment.

POLIDAS

Certes, ce rapport[1] admirable
Suspend ici mon jugement.

AMPHITRYON

C'est trop être éludés[2] par un fourbe exécrable :
1630 Il faut, avec ce fer, rompre l'enchantement.

NAUCRATÈS

Arrêtez.

AMPHITRYON

Laissez-moi.

NAUCRATÈS

Dieux! que voulez-vous faire ?

AMPHITRYON

Punir d'un imposteur les lâches trahisons.

JUPITER

Tout beau! l'emportement est fort peu nécessaire ;
Et lorsque de la sorte on se met en colère,
1635 On fait croire qu'on a de mauvaises raisons.

SOSIE

Oui, c'est un enchanteur qui porte un caractère[1]
Pour ressembler aux maîtres des maisons.

AMPHITRYON

Je te ferai, pour ton partage,
Sentir par mille coups ces propos outrageants.

SOSIE

1640 Mon maître est homme de courage,
Et ne souffrira point que l'on batte ses gens.

AMPHITRYON

Laissez-moi m'assouvir dans mon courroux ex-
[trême,
Et laver mon affront au sang d'un scélérat.

NAUCRATÈS [*arrêtant Amphitryon*]

Nous ne souffrirons point cet étrange combat
1645 D'Amphitryon contre lui-même.

AMPHITRYON

Quoi? mon honneur de vous reçoit ce traitement?
Et mes amis d'un fourbe embrassent la défense?
Loin d'être les premiers à prendre ma vengeance,
Eux-mêmes font obstacle à mon ressentiment?

NAUCRATÈS

1650 Que voulez-vous qu'à cette vue
Fassent nos résolutions,
Lorsque par deux Amphitryons
Toute notre chaleur demeure suspendue?
A vous faire éclater notre zèle aujourd'hui,
1655 Nous craignons de faillir et de vous méconnaître.
Nous voyons bien en vous Amphitryon paraître,
Du salut des Thébains le glorieux appui;
Mais nous le voyons tous aussi paraître en lui,
Et ne saurions juger dans lequel il peut être.
1660 Notre parti n'est point douteux,
Et l'imposteur par nous doit mordre la poussière;

Mais ce parfait rapport le cache entre vous deux ;
Et c'est un coup trop hasardeux
Pour l'entreprendre sans lumière.
1665 Avec douceur laissez-nous voir
De quel côté peut être l'imposture ;
Et dès que nous aurons démêlé l'aventure,
Il ne nous faudra point dire notre devoir.

JUPITER

Oui, vous avez raison ; et cette ressemblance
1670 A douter de tous deux vous peut autoriser.
Je ne m'offense point de vous voir en balance :
Je suis plus raisonnable, et sais vous excuser.
L'œil ne peut entre nous faire de différence,
Et je vois qu'aisément on s'y peut abuser.
1675 Vous ne me voyez point témoigner de colère,
Point mettre l'épée à la main :
C'est un mauvais moyen d'éclaircir ce mystère,
Et j'en puis trouver un plus doux et plus certain.
L'un de nous est Amphitryon ;
1680 Et tous deux à vos yeux nous le pouvons paraître.
C'est à moi de finir cette confusion ;
Et je prétends me faire à tous si bien connaître,
Qu'aux pressantes clartés de ce que je puis être,
Lui-même soit d'accord du sang qui m'a fait naître,
1685 Et n'ait plus de rien dire aucune occasion.
C'est aux yeux des Thébains que je veux avec vous
De la vérité pure ouvrir la connaissance ;
Et la chose sans doute est assez d'importance,
Pour affecter la circonstance[1]
1690 De l'éclaircir aux yeux de tous.
Alcmène attend de moi ce public témoignage :
Sa vertu, que l'éclat de ce désordre outrage,
Veut qu'on la justifie, et j'en vais prendre soin.
C'est à quoi mon amour envers elle m'engage ;
1695 Et des plus nobles chefs je fais un assemblage[2]
Pour l'éclaircissement dont sa gloire a besoin.
Attendant avec vous ces témoins souhaités,
Ayez, je vous prie, agréable

De venir honorer la table
1700 Où vous a Sosie invités.

SOSIE

Je ne me trompais pas. Messieurs, ce mot termine
Toute l'irrésolution :
Le véritable Amphitryon
Est l'Amphitryon où l'on dîne[1].

AMPHITRYON

1705 Ô Ciel! puis-je plus bas me voir humilié?
Quoi? faut-il que j'entende ici, pour mon martyre,
Tout ce que l'imposteur à mes yeux vient de dire,
Et que, dans la fureur que ce discours m'inspire,
On me tienne le bras lié?

NAUCRATÈS

1710 Vous vous plaignez à tort. Permettez-nous d'at-
[tendre
L'éclaircissement qui doit rendre
Les ressentiments de saison.
Je ne sais pas s'il impose ;
Mais il parle sur la chose
1715 Comme s'il avait raison.

AMPHITRYON

Allez, faibles amis, et flattez l'imposture :
Thèbes en a pour moi de tout autres que vous ;
Et je vais en trouver qui, partageant l'injure,
Sauront prêter la main à mon juste courroux.

JUPITER

1720 Hé bien! je les attends, et saurai décider
Le différend en leur présence.

AMPHITRYON

Fourbe, tu crois par-là peut-être t'évader ;
Mais rien ne te saurait sauver de ma vengeance.

JUPITER

A ces injurieux propos
1725 Je ne daigne à présent répondre :
Et tantôt je saurai confondre
Cette fureur, avec deux mots.

AMPHITRYON

Le Ciel même, le Ciel ne t'y saurait soustraire,
Et jusques aux Enfers j'irai suivre tes pas.

JUPITER

1730 Il ne sera pas nécessaire,
Et l'on verra tantôt que je ne fuirai pas.

AMPHITRYON

Allons, courons, avant que d'avec eux il sorte,
Assembler des amis qui suivent mon courroux,
Et chez moi venons à main forte,
1735 Pour le percer de mille coups.

JUPITER

Point de façons, je vous conjure,
Entrons vite dans la maison.

NAUCRATÈS

Certes, toute cette aventure
Confond le sens et la raison.

SOSIE

1740 Faites trêve, Messieurs, à toutes vos surprises,
Et pleins de joie, allez tabler[1] jusqu'à demain.
Que je vais m'en donner, et me mettre en beau
[train
De raconter nos vaillantises[2] !
Je brûle d'en venir aux prises,
1745 Et jamais je n'eus tant de faim.

SCÈNE VI

MERCURE, SOSIE

MERCURE

Arrête. Quoi! tu viens ici mettre ton nez,
Impudent fleureur[1] de cuisine?

SOSIE

Ah! de grâce, tout doux!

MERCURE

Ah! vous y retournez!
Je vous ajusterai l'échine.

SOSIE

1750 Hélas! brave et généreux moi,
Modère-toi, je t'en supplie.
Sosie, épargne un peu Sosie.
Et ne te plais point tant à frapper dessus toi.

MERCURE

Qui de t'appeler de ce nom
1755 A pu te donner la licence?
Ne t'en ai-je pas fait une expresse défense,
Sous peine d'essuyer mille coups de bâton?

SOSIE

C'est un nom que tous deux nous pouvons à la
[fois
Posséder sous un même maître.
1760 Pour Sosie en tous lieux on sait me reconnaître;
Je souffre bien que tu le sois :
Souffre aussi que je le puisse être.
Laissons aux deux Amphitryons
Faire éclater des jalousies :
1765 Et parmi leurs contentions[2],
Faisons en bonne paix vivre les deux Sosies.

MERCURE

Non : c'est assez d'un seul, et je suis obstiné
A ne point souffrir de partage.

SOSIE

Du pas devant sur moi tu prendras l'avantage[1] ;
1770 Je serai le cadet, et tu seras l'aîné.

MERCURE

Non : un frère incommode, et n'est pas de mon goût,
Et je veux être fils unique.

SOSIE

Ô cœur barbare et tyrannique!
Souffre qu'au moins je sois ton ombre.

MERCURE

Point du [tout.

SOSIE

1775 Que d'un peu de pitié ton âme s'humanise ;
En cette qualité souffre-moi près de toi :
Je te serai partout une ombre si soumise,
Que tu seras content de moi.

MERCURE

Point de quartier : immuable est la loi.
1780 Si d'entrer là-dedans tu prends encor l'audace,
Mille coups en seront le fruit.

SOSIE

Las! à quelle étrange disgrâce,
Pauvre Sosie, es-tu réduit!

MERCURE

Quoi? ta bouche se licencie
1785 A te donner encor un nom que je défends?

SOSIE

Non, ce n'est pas moi que j'entends.
Et je parle d'un vieux Sosie
Qui fut jadis de mes parents,
Qu'avec très grande barbarie,
1790 A l'heure du dîner, l'on chassa de céans.

MERCURE

Prends garde de tomber dans cette frénésie,
Si tu veux demeurer au nombre des vivants.

SOSIE

Que je te rosserais, si j'avais du courage,
Double fils de putain, de trop d'orgueil enflé!

MERCURE

Que dis-tu?

SOSIE

Rien.

MERCURE

1795 Tu tiens, je crois, quelque langage.

SOSIE

Demandez[1] : je n'ai pas soufflé.

MERCURE

Certain mot de fils de putain
A pourtant frappé mon oreille,
Il n'est rien de plus certain.

SOSIE

1800 C'est donc un perroquet que le beau temps ré-
[veille.

MERCURE

Adieu. Lorsque le dos pourra te démanger,
Voilà l'endroit où je demeure.

SOSIE

Ô Ciel! que l'heure de manger
Pour être mis dehors est une maudite heure!
1805 Allons, cédons au sort dans notre affliction,
Suivons-en aujourd'hui l'aveugle fantaisie ;
Et par une juste union,
Joignons le malheureux Sosie
Au malheureux Amphitryon.
1810 Je l'aperçois venir en bonne compagnie.

SCÈNE VII

AMPHITRYON, ARGATIPHONTIDAS, POSICLÈS, SOSIE

AMPHITRYON

Arrêtez là, Messieurs ; suivez-nous d'un peu loin,
Et n'avancez tous, je vous prie,
Que quand il en sera besoin.

POSICLÈS

Je comprends que ce coup doit fort toucher votre
[âme.

AMPHITRYON

1815 Ah! de tous les côtés mortelle est ma douleur,
Et je souffre pour ma flamme
Autant que pour mon honneur.

POSICLÈS

Si cette ressemblance est telle que l'on dit,
Alcmène, sans être coupable...

AMPHITRYON

1820 Ah! sur le fait dont il s'agit,
L'erreur simple devient un crime véritable,
Et, sans consentement[1], l'innocence y périt.
De semblables erreurs, quelque jour[2] qu'on leur
[donne,
Touchent des endroits délicats

1825 Et la raison bien souvent les pardonne,
Que[1] l'honneur et l'amour ne les pardonnent pas.

ARGATIPHONTIDAS

Je n'embarrasse point là-dedans ma pensée ;
Mais je hais vos Messieurs de leurs honteux délais ;
Et c'est un procédé dont j'ai l'âme blessée,
1830 Et que les gens de cœur n'approuveront jamais.
Quand quelqu'un nous emploie, on doit, tête bais-
[sée,
Se jeter dans ses intérêts.
Argatiphontidas ne va point aux accords[2].
Écouter d'un ami raisonner l'adversaire
1835 Pour des hommes d'honneur n'est point un coup à
[faire :
Il ne faut écouter que la vengeance alors.
Le procès[3] ne me saurait plaire ;
Et l'on doit commencer toujours, dans ses trans-
[ports,
Par bailler, sans autre mystère,
1840 De l'épée au travers du corps.
Oui, vous verrez, quoi qu'il advienne,
Qu'Argatiphontidas marche droit sur ce point ;
Et de vous il faut que j'obtienne
Que le pendard ne meure point
1845 D'une autre main que de la mienne.

AMPHITRYON

Allons.

SOSIE

Je viens, Monsieur, subir, à vos genoux,
Le juste châtiment d'une audace maudite.
Frappez, battez, chargez, accablez-moi de coups,
Tuez-moi dans votre courroux :
1850 Vous ferez bien, je le mérite,
Et je n'en dirai pas un seul mot contre vous.

AMPHITRYON

Lève-toi. Que fait-on ?

SOSIE

L'on m'a chassé tout net ;
Et croyant à manger m'aller comme eux ébattre,
Je ne songeais pas qu'en effet
1855 Je m'attendais là pour me battre.
Oui, l'autre moi, valet de l'autre vous, a fait
Tout de nouveau le diable à quatre.
La rigueur d'un pareil destin,
Monsieur, aujourd'hui nous talonne ;
1860 Et l'on me dés-Sosie enfin
Comme on vous dés-Amphitryonne.

AMPHITRYON

Suis-moi.

SOSIE

N'est-il pas mieux de voir s'il vient per-
[sonne ?

SCÈNE VIII

CLÉANTHIS, NAUCRATÈS, POLIDAS,
SOSIE, AMPHITRYON, ARGATIPHONTIDAS, POSICLÈS

CLÉANTHIS

Ô ciel !

AMPHITRYON

Qui t'épouvante ainsi ?
Quelle est la peur que je t'inspire ?

CLÉANTHIS

1865 Las ! vous êtes là-haut, et je vous vois ici !

NAUCRATÈS

Ne vous pressez point : le voici,
Pour donner devant tous les clartés qu'on désire,
Et qui, si l'on peut croire à ce qu'il vient de dire,
Sauront vous affranchir de trouble et de souci.

SCÈNE IX

MERCURE, CLÉANTHIS, NAUCRATÈS, POLIDAS, SOSIE, AMPHITRYON, ARGATIPHONTIDAS, POSICLÈS

MERCURE

1870 Oui, vous l'allez voir tous ; et sachez par avance
Que c'est le grand maître des dieux
Que, sous les traits chéris de cette ressemblance,
Alcmène a fait du ciel descendre dans ces lieux ;
Et quant à moi, je suis Mercure,
1875 Qui, ne sachant que faire, ai rossé tant soit peu
Celui dont j'ai pris la figure :
Mais de s'en consoler il a maintenant lieu ;
Et les coups de bâton d'un dieu
Font honneur à qui les endure.

SOSIE

1880 Ma foi ! Monsieur le dieu, je suis votre valet :
Je me serais passé de votre courtoisie.

MERCURE

Je lui donne à présent congé d'être Sosie :
Je suis las de porter un visage si laid,
Et je m'en vais au ciel, avec de l'ambrosie,
1885 M'en débarbouiller tout à fait.

Il vole dans le ciel.

SOSIE

Le Ciel de m'approcher t'ôte à jamais l'envie !
Ta fureur s'est par trop acharnée après moi
Et je ne vis de ma vie
Un dieu plus diable que toi.

SCÈNE X

JUPITER, CLÉANTHIS, NAUCRATÈS, POLIDAS, SOSIE, AMPHITRYON, ARGATIPHONTIDAS, POSICLÈS

JUPITER *dans une nue*[1].

1890 Regarde, Amphitryon, quel est ton imposteur,
Et sous tes propres traits vois Jupiter paraître :
A ces marques tu peux aisément le connaître ;
Et c'est assez, je crois, pour remettre ton cœur
Dans l'état auquel il doit être,
1895 Et rétablir chez toi la paix et la douceur.
Mon nom, qu'incessamment toute la terre adore,
Étouffe ici les bruits qui pouvaient éclater.
Un partage avec Jupiter
N'a rien du tout qui déshonore ;
1900 Et sans doute il ne peut être que glorieux
De se voir le rival du souverain des dieux.
Je n'y vois pour ta flamme aucun lieu de murmure :
Et c'est moi dans cette aventure,
Qui, tout dieu que je suis, dois être le jaloux.
1905 Alcmène est toute à toi, quelque soin qu'on em-
[ploie ;
Et ce doit à tes feux être un objet bien doux
De voir que pour lui plaire il n'est point d'autre
[voie
Que de paraître son époux,
Que Jupiter, orné de sa gloire immortelle,
1910 Par lui-même n'a pu triompher de sa foi,
Et que ce qu'il a reçu d'elle
N'a par son cœur ardent été donné qu'à toi.

SOSIE

Le seigneur Jupiter sait dorer la pilule[2].

JUPITER

Sors donc des noirs chagrins que ton cœur a souf-
[ferts.

1915 Et rends le calme entier à l'ardeur qui te brûle :
Chez toi doit naître un fils qui, sous le nom d'Her-
[cule,
Remplira de ses faits tout le vaste univers.
L'éclat d'une fortune en mille biens féconde
Fera connaître à tous que je suis ton support[1],
1920 Et je mettrai tout le monde
Au point d'envier ton sort.
Tu peux hardiment te flatter
De ces espérances données ;
C'est un crime que d'en douter :
1925 Les paroles de Jupiter
Sont des arrêts des destinées.

Il se perd dans les nues.

NAUCRATÈS

Certes, je suis ravi de ces marques brillantes...

SOSIE

Messieurs, voulez-vous bien suivre mon sentiment ?
Ne vous embarquez nullement
1930 Dans ces douceurs congratulantes :
C'est un mauvais embarquement,
Et d'une et d'autre part, pour un tel compliment,
Les phrases sont embarrassantes.
Le grand dieu Jupiter nous fait beaucoup d'hon-
[neur,
1935 Et sa bonté sans doute est pour nous sans secon-
[de ;
Il nous promet l'infaillible bonheur
D'une fortune en mille biens féconde,
Et chez nous il doit naître un fils d'un très grand
[cœur[2] :
Tout cela va le mieux du monde ;
1940 Mais enfin coupons aux discours,
Et que chacun chez soi doucement se retire.
Sur telles affaires, toujours
Le meilleur est de ne rien dire.

LE GRAND DIVERTISSEMENT ROYAL DE VERSAILLES

GEORGE DANDIN

LE GRAND DIVERTISSEMENT ROYAL DE VERSAILLES

A PARIS
Par Robert Ballard,
seul imprimeur du Roi pour la musique.

M. DC. LXVIII

AVEC PRIVILÈGE DE SA MAJESTÉ

NOTICE

La campagne éclair qui a vu Condé, rentré en grâce, conquérir la Franche-Comté amène la paix d'Aix-la-Chapelle (2 mai 1668). A Versailles, dont les jardins prennent déjà grande allure, le roi donne à sa cour des fêtes splendides. Il faut pour les connaître lire le livre premier des Amours de Psyché et de Cupidon *de La Fontaine.*

Le souvenir de ces fêtes est conservé par le Livret, *c'est-à-dire le programme distribué aux spectateurs ; par la* Gazette *aussi et par les vers du journaliste Robinet ; par une longue et minutieuse* Relation *de Félibien également.* George Dandin *trouvait sa place dans ce décor de fêtes où tout s'organisait pour un étrange conte des* Mille et Une Nuits : *la statue de Pan et celle des satyres dansants, les jets d'eau et les architectures de branchages, le palais bâti de massepains et les pyramides de confiture, et même les couches à melon avec des fruits d'une grosseur surprenante pour la saison. Il y eut collation, pendant laquelle le sieur de Launay, intendant des menus plaisirs, distribua le livret, contenant le sujet de la comédie et du ballet. Le livret est peut-être de Molière ; les vers des chansons qu'il contient sont en tout cas son œuvre. La musique est de Lully.*

Après la collation, « le roi abandonna les tables au pillage des gens qui suivaient, et la destruction d'un arrangement si beau servit encore d'un divertissement agréable à toute la cour, par l'empressement et la confusion de ceux qui démolissaient ces châteaux de massepains et ces montagnes de confiture ».

La cour et les curieux auxquels les portes avaient été libéralement ouvertes prirent place ensuite dans un grand salon : douze cents personnes sur des sièges en amphithéâtre, un plus grand nombre au parterre sur des bancs. L'ouverture de la scène était encadrée par deux figures, dont l'une représentait la Paix et l'autre la Victoire « pour montrer que Sa Majesté est toujours en état de faire que ses peuples jouissent d'une paix heureuse et pleine d'abondance ». Le rideau se levant laissa apparaître un jardin, des statues, des vases dorés, des architectures, des terrasses, un canal, des jets d'eau véritables.

Une seconde collation de fruits était disposée sur le théâtre ; on les servit pendant la distribution du Livret.

Le Grand Divertissement royal *commença alors. C'était une pastorale avec chants et danse ; la musique était de Lully ; les paroles de Molière. Dans cette pastorale même se trouve enchâssée la comédie de* George Dandin, *les trois actes étant précédés, séparés, suivis par les chants et danses de la pastorale.*

On voit ces curieux emboîtements : le jardin de théâtre dans des jardins vrais, ou presque vrais seulement, tant l'art avait contraint la nature ; les évolutions des personnages irréels d'une pastorale, dans laquelle est sertie une comédie de mœurs bourgeoises assez amère, comme un grain de réalité au centre d'un rêve d'architectures, de végétations, voire de confiserie. Dandin et les Sotenville devaient apparaître comme des marionnettes dans un renfoncement, rendues plus burlesques encore par le cadre.

Tel se présenta George Dandin *le 15 juillet 1668 ; tel il fut donné de nouveau devant la cour à Saint-Germain trois fois du 3 au 6 novembre 1668. Les Parisiens purent voir la pièce à partir du 9 novembre. La Grange ne dit pas si la pastorale qui encadrait la pièce à la cour avait été conservée pour le grand public. Il nous paraît certain que non : la médiocrité de la recette, 298 livres pour la première représentation, 232 pour la suivante, indique que le spectacle n'avait pas été particulièrement soigné. D'autre part était donnée en même temps* La Folle Querelle ou la Critique d'Andromaque *de Subligny : c'est donc qu'il avait fallu compléter un spectacle trop bref.* George Dandin *prenait dès lors la physionomie qu'il devait garder : une comédie assez courte, en trois actes, qui normalement accompagnera une autre pièce. On dut penser assez généralement comme Ch. Huyghens : « Une comédie faite fort à la hâte [et] de peu de chose. » Le jugement était dur et injuste.*

Plus dure encore sera l'opinion de Bourdaloue. Sans doute n'avait-il pas vu de ses yeux cette œuvre du démon qu'est George Dandin. *Il se scandalisa pourtant. « Le comble du désordre, c'est que les devoirs, je dis les devoirs les plus généraux et les plus inviolables chez les païens même, soient maintenant des sujets de risée. Un mari sensible au déshonneur de sa maison est le personnage que l'on joue sur le théâtre : une femme adroite à le tromper est l'héroïne que l'on y produit; des spectacles où l'impudence lève le masque et qui corrompent plus de cœurs que jamais les prédicateurs de l'Évangile n'en convertiront, c'est ceux auxquels on applaudit. »* George Dandin *méritait-il cette indignité ou cet excès d'honneur ?*

George Dandin *eut dix représentations au Palais-Royal en 1668, treize en 1669, dix en 1670, trois en 1671. Après la mort de Molière, il fut repris souvent.*

La pièce fut imprimée à la fin de 1668.

Le thème vient manifestement de La Jalousie du Barbouillé, *qui le tenait, peut-être par l'intermédiaire de quelque canevas de la* commedia dell'arte, *de Boccace. L'idée comique centrale est en effet celle-ci : une femme qui se conduit mal se trouve à la porte de la maison, et le mari qui est dedans va pouvoir la convaincre d'inconduite. Elle fait semblant de se tuer : il sort pour voir. Elle rentre, ferme la porte et accuse son mari d'inconduite. Cette scène amusante ne pouvait pourtant pas constituer tout le canevas d'une comédie, même courte, en trois actes. Molière était riche d'assez d'expérience humaine et théâtrale, pour lui donner de la substance.*

Il l'a fait en approfondissant les caractères, et surtout celui du mari. Plus encore en créant le couple des Sotenville : un gentillâtre de province et sa femme, très pénétrés tous deux de l'importance de leurs personnages, de l'illustration de leur lignée ; nourrissant le plus solide mépris pour le gendre roturier, dont la fortune a permis de boucher les brèches de leur patrimoine. Par George Dandin et plus encore par ses beaux-parents, la farce hâtive tourne à la comédie de mœurs. La pièce s'inscrit aussi fort honorablement dans les « Scènes de la vie de province » de Molière.

La pièce est lucide, mais animée par des héros dont aucun ne mérite la sympathie, ni même la pitié. A.Adam a très justement observé que « le rire de Molière est en train de changer », que Monsieur de Pourceaugnac, *que* Le Bourgeois gentilhomme, *que* Les Fourberies de Scapin *ne mettent guère en scène que des pères cupides, des fils dévoyés, des valets malhonnêtes. « Molière pendant quelques années a failli devenir amer . » Disons que* George Dandin *figure dans la série des pièces « grinçantes » de Molière.*

Nous donnons, selon l'ordre chronologique et logique, le texte du livret distribué aux spectateurs en 1668 sous le titre *Le Grand Divertissement royal de Versailles*, puis le texte de la pièce *George Dandin*, éditée en 1669.

LE GRAND DIVERTISSEMENT ROYAL DE VERSAILLES

Sujet de la comédie qui se doit faire
à la grande fête de Versailles.

Du Prince des Français rien ne borne la gloire,
A tout elle s'étend, et chez les nations
Les vérités de son histoire
Vont passer des vieux temps toutes les fictions :
On aura beau chanter les restes magnifiques
De tous ces destins héroïques
Qu'un bel art prit plaisir d'élever jusqu'aux Cieux.
On en voit par ses faits la splendeur effacée,
Et tous ces fameux demi-dieux
Dont fait bruit l'histoire passée,
Ne sont point à notre pensée
Ce que LOUIS *est à nos yeux.*

Pour passer du langage des Dieux au langage des hommes, le Roi est un grand roi en tout, et nous ne voyons point que sa gloire soit retranchée à quelques qualités hors desquelles il tombe dans le commun des hommes. Tout se soutient d'égale force en lui, il n'y a point d'endroit par où il lui soit désavantageux d'être regardé, et de quelque vue que vous le preniez, même grandeur, même éclat se rencontre. C'est un roi de tous les côtés ; nul emploi ne l'abaisse, aucune action ne le défigure ; il est toujours lui-même, et partout on le reconnaît. Il y a du héros dans toutes les choses qu'il fait, et jusques aux affaires de plaisir, il y fait éclater une grandeur qui passe tout ce qui a été vu jusques ici.

Cette nouvelle fête de Versailles le montre pleinement, ce sont des prodiges et des miracles aussi bien que le reste de ses actions ; et si vous avez vu sur nos frontières les provinces conquises en une semaine d'hiver [1], et les puissantes villes forcées en faisant chemin, on voit ici sortir, en moins de rien, du milieu des jardins les superbes palais et les magnifiques théâtres, de tous côtés enrichis d'or et de grandes statues, que la verdure égaie, et que cent jets d'eau rafraîchissent. On ne peut rien imaginer de plus pompeux ni de plus surprenant ; et l'on dirait que ce digne monarque a voulu faire voir ici qu'il sait maîtriser pleinement l'ardeur de son courage, prenant soin de parer de toutes ces magnificences les beaux jours d'une paix, où son grand cœur a résisté, et à laquelle il ne s'est relâché que par les prières de ses sujets.

Je n'entreprends point de vous écrire le détail de toutes ces merveilles : un de nos beaux esprits est chargé d'en faire le récit [2], et je m'arrête à la comédie, dont par avance vous me demandez des nouvelles.

C'est Molière qui l'a faite ; comme je suis fort de ses amis [3], je trouve à propos de ne vous en dire ni bien ni mal, et vous en jugerez quand vous l'aurez vue. Je dirai seulement qu'il serait à souhaiter pour lui que chacun eût les yeux qu'il faut pour tous les impromptus de comédie, et que l'honneur d'obéir promptement au Roi pût faire dans les esprits des auditeurs une partie du mérite de ces sortes d'ouvrages.

Le sujet est un paysan qui s'est marié à la fille d'un gentilhomme, et qui dans tout le cours de la comédie se trouve puni de son ambition. Puisque vous la devez voir, je me garderai, pour l'amour de vous, de toucher au détail ; et je ne veux point lui ôter la grâce de la nouveauté, et à vous le plaisir de la surprise. Mais comme ce sujet est mêlé avec une espèce de comédie en musique et ballet, il est bon de vous expliquer l'ordre de tout cela, et de vous dire les vers qui se chantent.

Notre nation n'est guère faite à la comédie en musique, et je ne puis pas répondre comme cette nouveauté-ci réussira. Il ne faut rien, souvent, pour effaroucher les esprits des Français ; un petit mot tourné en ridicule, une syllabe qui avec un air un peu rude s'approchera d'une oreille délicate, un geste d'un musicien qui n'aura pas peut-être encore au théâtre la liberté qu'il faudrait, une perruque tant soit peu de côté, un ruban qui pendra, la moindre chose est capable de gâter toute une affaire. Mais, enfin, il est assuré, au sentiment des connaisseurs qui ont vu la répétition, que Lully n'a jamais rien fait de plus beau, soit pour la musique, soit pour les danses, et que tout y brille d'invention. En vérité c'est un admirable homme, et le Roi pourrait perdre beaucoup de gens considérables qui ne lui seraient pas si malaisés à remplacer que celui-là.

Toute l'affaire se passe dans une grande fête champêtre.

L'OUVERTURE

En est faite par quatre illustres bergers déguisés en valets de fêtes [a] ; lesquels accompagnés de quatre autres bergers qui jouent de la flûte, font une danse qui interrompt les rêveries du paysan marié, et l'oblige à se retirer après quelque contrainte.

Climène et Cloris, deux bergères amies, s'avisent au son de ces flûtes de chanter cette

CHANSONNETTE

L'autre jour d'Annette
J'entendis la voix,
Qui sur la musette
Chantait dans nos bois,
Amour, que sous ton empire
On souffre de maux cuisants,
Je le puis bien dire
Puisque je le sens.

La jeune Lisette,
Au même moment,
Sur le ton d'Annette
Reprit tendrement :
Amour, si sous ton empire
Je souffre des maux cuisants,
C'est de n'oser dire
Tout ce que je sens.

Tircis et Philène, amants de ces deux bergères, les abordent pour leur parler de leur passion, et font avec elles une

SCÈNE EN MUSIQUE

CLORIS

Laissez-nous en repos, Philène.

a. Les noms des acteurs sont donnés en marge dans le Livret : nous ne croyons pas utile de les reproduire.

CLIMÈNE

Tircis, ne viens point m'arrêter.

TIRCIS ET PHILÈNE

Ah ! belle inhumaine,
Daigne un moment m'écouter !

CLIMÈNE ET CLORIS

Mais, que me veux-tu conter ?

LES DEUX BERGERS

Que d'une flamme immortelle
Mon cœur brûle sous tes lois.

LES DEUX BERGÈRES

Ce n'est pas une nouvelle,
Tu me l'as dit mille fois.

PHILÈNE

Quoi ? veux-tu toute ma vie
Que j'aime et n'obtienne rien ?

CLORIS

Non, ce n'est pas mon envie,
N'aime plus, je le veux bien.

TIRCIS

Le Ciel me force à l'hommage
Dont tous ces bois sont témoins.

CLIMÈNE

C'est au Ciel, puisqu'il t'engage,
A te payer de tes soins.

PHILÈNE

C'est par ton mérite extrême
Que tu captives mes vœux.

CLORIS

Si je mérite qu'on m'aime,
Je ne dois rien à tes feux.

LES DEUX BERGERS

L'éclat de tes yeux me tue.

LES DEUX BERGÈRES

Détourne de moi tes pas.

LES DEUX BERGERS

Je me plais dans cette vue.

LES DEUX BERGÈRES

Berger, ne t'en plains donc pas.

PHILÈNE

Ah! belle Climène.

TIRCIS

Ah! belle Cloris.

PHILÈNE

Rends-la pour moi plus humaine.

TIRCIS

Dompte pour moi ses mépris.

CLIMÈNE, *à Cloris*

Sois sensible à l'amour que te porte Philène.

CLORIS, *à Climène*

Sois sensible à l'ardeur dont Tircis est épris.

CLIMÈNE

Si tu veux me donner ton exemple, bergère,
Peut-être je le recevrai.

CLORIS

Si tu veux te résoudre à marcher la première
Possible que je te suivrai.

CLIMÈNE, *à Philène*

Adieu, berger.

CLORIS, *à Tircis*

Adieu, berger.

CLIMÈNE

Attends un favorable sort.

CLORIS

Attends un doux succès, du mal qui te possède.

TIRCIS

Je n'attends aucun remède.

PHILÈNE

Et je n'attends que la mort.

TIRCIS ET PHILÈNE

Puisqu'il nous faut languir en de tels déplaisirs,
Mettons fin en mourant à nos tristes soupirs.

Ces deux bergers s'en vont désespérés, suivant la coutume des anciens amants qui se désespéraient de peu de chose ; en suite de cette musique vient

LE PREMIER ACTE DE LA COMÉDIE

qui se récite.

Le paysan marié y reçoit des mortifications de son mariage, et sur la fin de l'acte, dans un chagrin assez puissant, il est interrompu par une bergère qui lui vient faire le récit du désespoir des deux bergers ; il la quitte en colère, et fait place à Cloris qui sur la mort de son amant vient faire une

PLAINTE EN MUSIQUE

Ah ! mortelles douleurs !
Qu'ai-je plus à prétendre ?
Coulez, coulez mes pleurs,
Je n'en puis trop répandre.

Pourquoi faut-il qu'un tyrannique honneur
Tienne notre âme en esclave asservie ?
Hélas ! pour contenter sa barbare rigueur
J'ai réduit mon amant à sortir de la vie.
Ah ! mortelles douleurs !
Qu'ai-je plus à prétendre ?
Coulez, coulez mes pleurs,
Je n'en puis trop répandre.

Me puis-je pardonner dans ce funeste sort
Les sévères froideurs dont je m'étais armée ?
Quoi donc, mon cher amant, je t'ai donné la mort,
Est-ce le prix, hélas ! de m'avoir tant aimée ?
Ah ! mortelles douleurs ! etc.

La fin de ces plaintes fait venir

LE SECOND ACTE DE LA COMÉDIE

qui se récite.

C'est une suite des déplaisirs du paysan marié, et la même bergère ne manque pas de venir encore l'interrompre dans sa douleur. Elle lui raconte comme Tircis et Philène ne sont point morts, et lui montre six bateliers qui les ont sauvés ; il ne veut point s'arrêter à les voir, et les bateliers ravis de la récompense qu'ils ont reçue, dansent avec leurs crocs et se jouent ensemble, après quoi commence

LE TROISIÈME ACTE DE LA COMÉDIE

qui se récite.

Qui est le comble des douleurs du paysan marié. Enfin un de ses amis lui conseille de noyer dans le vin toutes ses inquiétudes [1], et part avec lui pour joindre sa troupe, voyant venir toute la foule des bergers amoureux, qui à la manière des anciens bergers, commencent à célébrer par des chants et des danses le pouvoir de l'Amour.

CLORIS

Ici l'ombre des ormeaux
Donne un teint frais aux herbettes,
Et les bords de ces ruisseaux
Brillent de mille fleurettes
Qui se mirent dans les eaux.
Prenez, bergers, vos musettes,
Ajustez vos chalumeaux,
Et mêlons nos chansonnettes
Aux chants des petits oiseaux.
Le Zéphire entre ces eaux
Fait mille courses secrètes,
Et les rossignols nouveaux
De leurs douces amourettes
Parlent aux tendres rameaux.
Prenez, bergers, vos musettes,
Ajustez vos chalumeaux,
Et mêlons nos chansonnettes
Aux chants des petits oiseaux.

Plusieurs bergers et bergères galantes mêlent aussi leurs pas à tout ceci, et occupent les yeux tandis que la musique occupe les oreilles.

CLIMÈNE

Ah! qu'il est doux, belle Silvie,
Ah! qu'il est doux de s'enflammer;
Il faut retrancher de la vie
Ce qu'on en passe sans aimer.

CLORIS

Ah! les beaux jours qu'Amour nous donne
Lorsque sa flamme unit les cœurs;
Est-il ni gloire ni couronne
Qui vaille ses moindres douceurs?

TIRCIS

Qu'avec peu de raison on se plaint d'un martyre
Que suivent de si doux plaisirs.

PHILÈNE

Un moment de bonheur dans l'amoureux empire
Répare dix ans de soupirs.

TOUS ENSEMBLE

Chantons tous de l'Amour le pouvoir adorable,
Chantons tous dans ces lieux
Ses attraits glorieux ;
Il est le plus aimable
Et le plus grand des Dieux.

A ces mots toute la troupe de Bacchus arrive, et l'un d'eux s'avançant à la tête chante fièrement ces paroles :

Arrêtez, c'est trop entreprendre,
Un autre Dieu dont nous suivons les lois
S'oppose à cet honneur qu'à l'Amour osent rendre
Vos musettes et vos voix :
A des titres si beaux, Bacchus seul peut prétendre,
Et nous sommes ici pour défendre ses droits.

CHŒUR DE BACCHUS

Nous suivons de Bacchus le pouvoir adorable,
Nous suivons en tous lieux
Ses attraits glorieux,
Il est le plus aimable,
Et le plus grand des Dieux.

Plusieurs du parti de Bacchus mêlent aussi leurs pas à la musique, et l'on voit ici un combat de danseurs contre danseurs, et de chantres contre chantres.

CLORIS

C'est le Printemps qui rend l'âme
A nos champs semés de fleurs ;

Mais c'est l'Amour et sa flamme
Qui font revivre nos cœurs.

UN SUIVANT DE BACCHUS

Le soleil chasse les ombres
Dont le ciel est obscurci,
Et des âmes les plus sombres
Bacchus chasse le souci.

CHŒUR DE BACCHUS

Bacchus est révéré sur la terre et sur l'onde.

CHŒUR DE L'AMOUR

Et l'Amour est un Dieu qu'on adore en tous lieux.

CHŒUR DE BACCHUS

Bacchus à son pouvoir a soumis tout le monde.

CHŒUR DE L'AMOUR

Et l'Amour a dompté les hommes et les Dieux.

CHŒUR DE BACCHUS

Rien peut-il égaler sa douceur sans seconde ?

CHŒUR DE L'AMOUR

Rien peut-il égaler ses charmes précieux ?

CHŒUR DE BACCHUS

Fi de l'Amour et de ses feux.

LE PARTI DE L'AMOUR

Ah ! quel plaisir d'aimer.

LE PARTI DE BACCHUS

Ah ! quel plaisir de boire.

LE PARTI DE L'AMOUR

A qui vit sans amour, la vie est sans appas.

LE PARTI DE BACCHUS

C'est mourir que de vivre, et de ne boire pas.

LE PARTI DE L'AMOUR

Aimables fers,

LE PARTI DE BACCHUS

Douce victoire.

LE PARTI DE L'AMOUR

Ah ! quel plaisir d'aimer.

LE PARTI DE BACCHUS

Ah ! quel plaisir de boire.

LES DEUX PARTIS

Non, non c'est un abus,
Le plus grand Dieu de tous...

LE PARTI DE L'AMOUR

C'est l'Amour.

LE PARTI DE BACCHUS

C'est Bacchus.

Un berger se jette au milieu de cette dispute et chante ces vers aux deux partis :

C'est trop, c'est trop, bergers, hé pourquoi ces débats
Souffrons qu'en un parti la raison nous assemble,
L'Amour a des douceurs, Bacchus a des appas,
Ce sont deux déités qui sont fort bien ensemble,
Ne les séparons pas.

LES DEUX CHŒURS ENSEMBLE

Mêlons donc leurs douceurs aimables,
Mêlons nos voix dans ces lieux agréables,

Et faisons répéter aux Échos d'alentour
Qu'il n'est rien de plus doux que Bacchus et l'Amour.

Tous les danseurs se mêlent ensemble à l'exemple des autres, et avec cette pleine réjouissance de tous les bergers et bergères finira le divertissement de la comédie d'où l'on passera aux autres merveilles, dont vous aurez la relation.

[Suit une liste d'acteurs (*Bergers* et *Satyres*) que nous ne croyons pas utile de reproduire.]

GEORGE DANDIN

OU LE

MARI CONFONDU

COMÉDIE

Par J.-B. P. de Molière.

A PARIS

Chez Jean Ribou, au Palais, vis-à-vis
la Porte de l'Église de la Sainte-Chapelle,
à l'Image Saint Louis.

M. DC. LXIX

AVEC PRIVILÈGE DU ROI

GEORGE DANDIN
OU LE
MARI CONFONDU

COMÉDIE

Par J.-B. P. de Molière.

Représentée la première fois, pour le Roi,
à Versailles, le 15 de juillet 1668
et depuis donnée au public à Paris,
sur le Théâtre du Palais-Royal,
le 9 novembre de la même année 1668
par la Troupe du Roi.

GEORGE DANDIN
OU LE MARI CONFONDU

ACTEURS

GEORGE DANDIN, *riche paysan*[1], *mari d'Angélique.*
ANGÉLIQUE[2], *femme de George Dandin et fille de M. de Sotenville.*
MONSIEUR DE SOTENVILLE[3], *gentilhomme campagnard, père d'Angélique.*
MADAME DE SOTENVILLE, *sa femme.*
CLITANDRE, *amoureux d'Angélique.*
CLAUDINE, *suivante d'Angélique.*
LUBIN, *paysan, servant Clitandre*[4].
COLIN, *valet de George Dandin.*

La scène est devant la maison de George Dandin.

ACTE PREMIER

SCÈNE PREMIÈRE

GEORGE DANDIN

Ah! qu'une femme demoiselle[1] est une étrange affaire, et que mon mariage est une leçon bien parlante à tous les paysans qui veulent s'élever au-dessus de leur condition, et s'allier, comme j'ai fait, à la maison d'un gentilhomme[2]! La noblesse de soi est bonne, c'est une chose considérable assurément; mais elle est accompagnée de tant de mauvaises circonstances, qu'il est très bon de ne s'y point frotter. Je suis devenu là-dessus savant à mes dépens, et connais le style des nobles lorsqu'ils nous font, nous autres, entrer dans leur famille. L'alliance qu'ils font est petite avec nos personnes : c'est notre bien seul qu'ils épousent, et j'aurais bien mieux fait, tout riche que je suis, de m'allier en bonne et franche paysannerie que de prendre une femme qui se tient au-dessus de moi, s'offense de porter mon nom, et pense qu'avec tout mon bien je n'ai pas assez acheté la qualité de son mari. George Dandin, George Dandin, vous avez fait une sottise la plus grande du monde. Ma maison m'est effroyable maintenant, et je n'y rentre point sans y trouver quelque chagrin.

SCÈNE II

GEORGE DANDIN, LUBIN

GEORGE DANDIN, *voyant sortir Lubin de chez lui :* Que diantre ce drôle-là vient-il faire chez moi?

LUBIN : Voilà un homme qui me regarde.

GEORGE DANDIN : Il ne me connaît pas.

LUBIN : Il se doute de quelque chose.

GEORGE DANDIN : Ouais! il a grand-peine à saluer.

LUBIN : J'ai peur qu'il n'aille dire qu'il m'a vu sortir de là-dedans.

GEORGE DANDIN : Bonjour.

LUBIN : Serviteur.

GEORGE DANDIN : Vous n'êtes pas d'ici, que je crois?

LUBIN : Non, je n'y suis venu que pour voir la fête de demain.

GEORGE DANDIN : Hé! dites-moi un peu, s'il vous plaît, vous venez de là-dedans?

LUBIN : Chut!

GEORGE DANDIN : Comment?

LUBIN : Paix!

GEORGE DANDIN : Quoi donc?

LUBIN : Motus! Il ne faut pas dire que vous m'ayez vu sortir de là.

GEORGE DANDIN : Pourquoi?

LUBIN : Mon Dieu! parce.

GEORGE DANDIN : Mais encore?

LUBIN : Doucement. J'ai peur qu'on ne nous écoute.

GEORGE DANDIN : Point, point.

LUBIN : C'est que je viens de parler à la maîtresse du logis, de la part d'un certain monsieur qui lui fait les doux yeux, et il ne faut pas qu'on sache cela. Entendez-vous?

GEORGE DANDIN : Oui.

LUBIN : Voilà la raison. On m'a chargé de prendre garde que personne ne me vît, et je vous prie au moins de ne pas dire que vous m'ayez vu.

GEORGE DANDIN : Je n'ai garde.

LUBIN : Je suis bien aise de faire les choses secrètement comme on m'a recommandé.

GEORGE DANDIN : C'est bien fait.

LUBIN : Le mari, à ce qu'ils disent, est un jaloux qui ne veut pas qu'on fasse l'amour[1] à sa femme, et il ferait le diable à quatre si cela venait à ses oreilles : vous comprenez bien?

GEORGE DANDIN : Fort bien.

LUBIN : Il ne faut pas qu'il sache rien de tout ceci.

GEORGE DANDIN : Sans doute.

LUBIN : On le veut tromper tout doucement : vous entendez bien?

GEORGE DANDIN : le mieux du monde.

LUBIN : Si vous alliez dire que vous m'avez vu sortir de chez lui, vous gâteriez toute l'affaire : vous comprenez bien?

GEORGE DANDIN : Assurément. Hé? comment nommez-vous celui qui vous a envoyé là-dedans?

LUBIN : C'est le seigneur de notre pays, Monsieur le vicomte de chose... Foin[1]! je ne me souviens jamais comment diantre ils baragouinent ce nom-là. Monsieur Cli... Clitande.

GEORGE DANDIN : Est-ce ce jeune courtisan qui demeure...

LUBIN : Oui : auprès de ces arbres.

GEORGE DANDIN, *à part* : C'est pour cela que depuis peu ce damoiseau poli s'est venu loger contre moi ; j'avais bon nez sans doute, et son voisinage déjà m'avait donné quelque soupçon.

LUBIN : Testigué! c'est le plus honnête homme que vous ayez jamais vu. Il m'a donné trois pièces d'or pour aller dire seulement à la femme qu'il est amoureux d'elle, et qu'il souhaite fort l'honneur de pouvoir lui parler. Voyez s'il y a là une grande fatigue pour me payer si bien, et ce qu'est au prix de cela une journée de travail où je ne gagne que dix sols.

GEORGE DANDIN : Hé bien! avez-vous fait votre message?

LUBIN : Oui, j'ai trouvé là-dedans une certaine Claudine, qui tout du premier coup a compris ce que je voulais, et qui m'a fait parler à sa maîtresse.

GEORGE DANDIN, *à part* : Ah! coquine de servante!

LUBIN : Morguéne! cette Claudine-là est tout à fait jolie[2], elle a gagné mon amitié, et il ne tiendra qu'à elle que nous ne soyons mariés ensemble.

GEORGE DANDIN : Mais quelle réponse a fait la maîtresse à ce Monsieur le courtisan ?

LUBIN : Elle m'a dit de lui dire... attendez, je ne sais si je me souviendrai bien de tout cela... qu'elle lui est tout à fait obligée de l'affection qu'il a pour elle, et qu'à cause de son mari, qui est fantasque, il garde d'en rien faire paraître, et qu'il faudra songer à chercher quelque invention pour se pouvoir entretenir tous deux.

GEORGE DANDIN, *à part* : Ah ! pendarde de femme !

LUBIN : Testiguiéne ! cela sera drôle ; car le mari ne se doutera point de la manigance, voilà ce qui est de bon ; et il aura un pied de nez [1] avec sa jalousie : est-ce pas ?

GEORGE DANDIN : Cela est vrai.

LUBIN : Adieu. Bouche cousue au moins. Gardez bien le secret, afin que le mari ne le sache pas.

GEORGE DANDIN : Oui, oui.

LUBIN : Pour moi, je vais faire semblant de rien : je suis un fin matois, et l'on ne dirait pas que j'y touche.

SCÈNE III

GEORGE DANDIN

Hé bien ! George Dandin, vous voyez de quel air votre femme vous traite. Voilà ce que c'est d'avoir voulu épouser une demoiselle : l'on vous accommode de toutes pièces, sans que vous puissiez vous venger, et la gentilhommerie [2] vous tient les bras liés. L'égalité de condition laisse du moins à l'honneur d'un mari liberté de ressentiment ; et si c'était une paysanne, vous auriez maintenant toutes vos coudées franches à vous en faire la justice à bons coups de bâton. Mais vous avez voulu tâter de la noblesse, et il vous ennuyait d'être maître chez vous. Ah ! j'enrage de tout mon cœur, et je me donnerais volontiers des soufflets. Quoi ? écouter impudemment l'amour d'un damoiseau, et y promettre en même temps de la correspondance [1]! Morbleu! je ne veux point laisser passer une occasion de la sorte. Il me faut de ce pas aller faire mes plaintes au père et à la mère, et les rendre témoins, à telle fin que de raison, des sujets de chagrin et de ressentiment que leur fille me donne. Mais les voici l'un et l'autre fort à propos.

SCÈNE IV

MONSIEUR ET MADAME DE SOTENVILLE, GEORGE DANDIN

MONSIEUR DE SOTENVILLE : Qu'est-ce, mon gendre? vous me paraissez tout troublé.

GEORGE DANDIN : Aussi en ai-je du sujet, et...

MADAME DE SOTENVILLE : Mon Dieu! notre gendre, que vous avez peu de civilité de ne pas saluer les gens quand vous les approchez!

GEORGE DANDIN : Ma foi! ma belle-mère, c'est que j'ai d'autres choses en tête, et...

MADAME DE SOTENVILLE : Encore! Est-il possible, notre gendre, que vous sachiez si peu votre monde, et qu'il n'y ait pas moyen de vous instruire de la manière qu'il faut vivre parmi les personnes de qualité?

GEORGE DANDIN : Comment?

MADAME DE SOTENVILLE : Ne vous déferez-vous jamais avec moi de la familiarité de ce mot de « ma belle-mère », et ne sauriez-vous vous accoutumer à me dire « Madame »?

GEORGE DANDIN : Parbleu! si vous m'appelez votre gendre, il me semble que je puis vous appeler ma belle-mère.

MADAME DE SOTENVILLE : Il y a fort à dire, et les choses ne sont pas égales. Apprenez, s'il vous plaît, que ce n'est pas à vous à vous servir de ce mot-là avec une personne de ma condition ; que tout notre gendre que vous soyez, il y a grande différence de vous à nous et que vous devez vous connaître.

MONSIEUR DE SOTENVILLE : C'en est assez, mamour, laissons cela.

MADAME DE SOTENVILLE : Mon Dieu! Monsieur de Sotenville, vous avez des indulgences qui n'appartiennent qu'à vous, et vous ne savez pas vous faire rendre par les gens ce qui vous est dû.

MONSIEUR DE SOTENVILLE : Corbleu! pardonnez-moi, on ne peut point me faire de leçons là-dessus, et j'ai su montrer en ma vie, par vingt actions de vigueur, que je ne suis point homme à démordre jamais d'une partie de mes prétentions. Mais il suffit de lui avoir donné un petit avertissement. Sachons un peu, mon gendre, ce que vous avez dans l'esprit.

GEORGE DANDIN : Puisqu'il faut donc parler catégoriquement, je vous dirai, Monsieur de Sotenville, que j'ai lieu de...

MONSIEUR DE SOTENVILLE : Doucement, mon gendre. Apprenez qu'il n'est pas respectueux d'appeler les gens par leur nom, et qu'à ceux qui sont au-dessus de nous il faut dire « Monsieur » tout court [1].

GEORGE DANDIN : Hé bien! Monsieur tout court, et non plus Monsieur de Sotenville, j'ai à vous dire que ma femme me donne...

MONSIEUR DE SOTENVILLE : Tout beau! Apprenez aussi que vous ne devez pas dire « ma femme », quand vous parlez de notre fille.

GEORGE DANDIN : J'enrage. Comment? ma femme n'est pas ma femme[2]?

MADAME DE SOTENVILLE : Oui, notre gendre, elle est votre femme ; mais il ne vous est pas permis de l'appeler ainsi, et c'est tout ce que vous pourriez faire, si vous aviez épousé une de vos pareilles.

GEORGE DANDIN : Ah! George Dandin, où t'es-tu fourré? Eh! de grâce, mettez, pour un moment, votre gentilhommerie à côté, et souffrez que je vous parle maintenant comme je pourrai. Au diantre soit la tyrannie de toutes ces histoires-là! Je vous dis donc que je suis mal satisfait de mon mariage.

MONSIEUR DE SOTENVILLE : Et la raison, mon gendre?

MADAME DE SOTENVILLE : Quoi? parler ainsi d'une chose dont vous avez tiré de si grands avantages?

GEORGE DANDIN : Et quels avantages, Madame, puisque Madame y a? L'aventure n'a pas été mauvaise pour vous, car sans moi vos affaires, avec votre permission, étaient fort délabrées, et mon argent a servi à reboucher d'assez bons trous; mais moi, de quoi y ai-je profité, je vous prie, que d'un allongement de nom, et au lieu de George Dandin, d'avoir reçu par vous le titre de « Monsieur de la Dandinière »[1]?

MONSIEUR DE SOTENVILLE : Ne comptez-vous rien, mon gendre, l'avantage d'être allié à la maison de Sotenville?

MADAME DE SOTENVILLE : Et à celle de la Prudoterie[2], dont j'ai l'honneur d'être issue, maison où le ventre anoblit[3], et qui, par ce beau privilège, rendra vos enfants gentilshommes?

GEORGE DANDIN : Oui, voilà qui est bien, mes enfants seront gentilshommes; mais je serai cocu, moi, si l'on n'y met ordre.

MONSIEUR DE SOTENVILLE : Que veut dire cela, mon gendre?

GEORGE DANDIN : Cela veut dire que votre fille ne vit pas comme il faut qu'une femme vive, et qu'elle fait des choses qui sont contre l'honneur.

MADAME DE SOTENVILLE : Tout beau! prenez garde à ce que vous dites. Ma fille est d'une race trop pleine de vertu pour se porter jamais à faire aucune chose dont l'honnêteté soit blessée; et de la maison de la Prudoterie il y a plus de trois cents ans qu'on n'a point remarqué qu'il y ait eu de femme, Dieu merci, qui ait fait parler d'elle.

MONSIEUR DE SOTENVILLE : Corbleu! dans la maison de Sotenville on n'a jamais vu de coquette, et la bravoure n'y est pas plus héréditaire aux mâles que la chasteté aux femelles.

MADAME DE SOTENVILLE : Nous avons eu une Jacqueline de la Prudoterie qui ne voulut jamais être la maîtresse d'un duc et pair, gouverneur de notre province.

MONSIEUR DE SOTENVILLE : Il y a eu une Mathurine de Sotenville qui refusa vingt mille écus d'un favori du Roi, qui ne lui demandait seulement que la faveur de lui parler.

GEORGE DANDIN : Ho bien! votre fille n'est pas si difficile que cela, et elle s'est apprivoisée depuis qu'elle est chez moi.

MONSIEUR DE SOTENVILLE : Expliquez-vous, mon gendre. Nous ne sommes point gens à la supporter dans de mauvaises actions, et nous serons les premiers, sa mère et moi, à vous en faire la justice.

MADAME DE SOTENVILLE : Nous n'entendons point raillerie sur les matières de l'honneur, et nous l'avons élevée dans toute la sévérité possible.

GEORGE DANDIN : Tout ce que je vous puis dire, c'est qu'il y a ici un certain courtisan que vous avez vu, qui est amoureux d'elle à ma barbe, et qui lui a fait faire des protestations d'amour qu'elle a très humainement écoutées.

MADAME DE SOTENVILLE : Jour de Dieu! je l'étranglerais de mes propres mains, s'il fallait qu'elle forlignât [1] de l'honnêteté de sa mère.

MONSIEUR DE SOTENVILLE : Corbleu! je lui passerais mon épée au travers du corps, à elle et au galant, si elle avait forfait à son honneur.

GEORGE DANDIN : Je vous ai dit ce qui se passe pour vous faire mes plaintes, et je vous demande raison de cette affaire-là.

MONSIEUR DE SOTENVILLE : Ne vous tourmentez point, je vous la ferai de tous deux, et je suis homme pour serrer le bouton [2] à qui que ce puisse être. Mais êtes-vous bien sûr aussi de ce que vous nous dites ?

GEORGE DANDIN : Très sûr.

MONSIEUR DE SOTENVILLE : Prenez bien garde au moins ; car, entre gentilshommes, ce sont des choses chatouilleuses, et il n'est pas question d'aller faire ici un pas de clerc.

GEORGE DANDIN : Je ne vous ai rien dit, vous dis-je, qui ne soit véritable.

MONSIEUR DE SOTENVILLE : Mamour, allez-vous-en parler à votre fille, tandis qu'avec mon gendre j'irai parler à l'homme.

MADAME DE SOTENVILLE : Se pourrait-il, mon fils, qu'elle s'oubliât de la sorte, après le sage exemple que vous savez vous-même que je lui ai donné ?

MONSIEUR DE SOTENVILLE : Nous allons éclaircir l'affaire. Suivez-moi, mon gendre, et ne vous mettez pas en peine. Vous verrez de quels bois nous nous chauffons lorsqu'on s'attaque à ceux qui nous peuvent appartenir.

GEORGE DANDIN : Le voici qui vient vers nous.

SCÈNE V

MONSIEUR DE SOTENVILLE, CLITANDRE,
GEORGE DANDIN

MONSIEUR DE SOTENVILLE : Monsieur, suis-je connu de vous ?

CLITANDRE : Non pas, que je sache, Monsieur.

MONSIEUR DE SOTENVILLE : Je m'appelle le baron de Sotenville.

CLITANDRE : Je m'en réjouis fort.

MONSIEUR DE SOTENVILLE : Mon nom est connu à la cour, et j'eus l'honneur dans ma jeunesse de me signaler des premiers à l'arrière-ban [1] de Nancy.

CLITANDRE : A la bonne heure.

MONSIEUR DE SOTENVILLE : Monsieur, mon père Jean-Gilles de Sotenville eut la gloire d'assister en personne au grand siège de Montauban [2].

CLITANDRE : J'en suis ravi.

MONSIEUR DE SOTENVILLE : Et j'ai eu un aïeul, Bertrand de Sotenville, qui fut si considéré en son temps, que d'avoir permission de vendre tout son bien pour le voyage d'outre-mer [3].

CLITANDRE : Je le veux croire.

MONSIEUR DE SOTENVILLE : Il m'a été rapporté, Monsieur, que vous aimez et poursuivez une jeune personne, qui est ma fille, pour laquelle je m'intéresse, et pour l'homme que vous voyez, qui a l'honneur d'être mon gendre [1].

CLITANDRE : Qui, moi?

MONSIEUR DE SOTENVILLE : Oui ; et je suis bien aise de vous parler, pour tirer de vous, s'il vous plaît, un éclaircissement [2] de cette affaire.

CLITANDRE : Voilà une étrange médisance! Qui vous a dit cela, Monsieur?

MONSIEUR DE SOTENVILLE : Quelqu'un qui croit le bien savoir.

CLITANDRE : Ce quelqu'un-là en a menti. Je suis honnête homme. Me croyez-vous capable, Monsieur, d'une action aussi lâche que celle-là? Moi, aimer une jeune et belle personne, qui a l'honneur d'être la fille de Monsieur le baron de Sotenville! je vous révère trop pour cela, et suis trop votre serviteur. Quiconque vous l'a dit est un sot.

MONSIEUR DE SOTENVILLE : Allons, mon gendre.

GEORGE DANDIN : Quoi?

CLITANDRE : C'est un coquin, et un maraud.

MONSIEUR DE SOTENVILLE : Répondez.

GEORGE DANDIN : Répondez vous-même.

CLITANDRE : Si je savais qui ce peut être, je lui donnerais en votre présence de l'épée dans le ventre.

MONSIEUR DE SOTENVILLE : Soutenez donc la chose.

GEORGE DANDIN : Elle est toute soutenue, cela est vrai.

CLITANDRE : Est-ce votre gendre, Monsieur, qui...

MONSIEUR DE SOTENVILLE : Oui, c'est lui-même qui s'en est plaint à moi.

CLITANDRE : Certes, il peut remercier l'avantage qu'il a de vous appartenir, et sans cela je lui apprendrais bien à tenir de pareils discours d'une personne comme moi.

SCÈNE VI

MONSIEUR ET MADAME DE SOTENVILLE,
ANGÉLIQUE, CLITANDRE,
GEORGE DANDIN, CLAUDINE

MADAME DE SOTENVILLE : Pour ce qui est de cela, la jalousie est une étrange chose! J'amène ici ma fille pour éclaircir l'affaire en présence de tout le monde.

CLITANDRE : Est-ce donc vous, Madame, qui avez dit à votre mari que je suis amoureux de vous?

ANGÉLIQUE : Moi? et comment lui aurais-je dit? est-ce que cela est? Je voudrais bien le voir vraiment que vous fussiez amoureux de moi. Jouez-vous-y, je vous en prie, vous trouverez à qui parler. C'est une chose que je vous conseille de faire. Ayez recours, pour voir, à tous les détours des amants : essayez un peu, par plaisir, à m'envoyer des ambassades [1], à m'écrire secrètement de petits billets doux, à épier les moments que mon mari n'y sera pas, ou le temps que je sortirai, pour me parler de votre amour. Vous n'avez qu'à y venir, je vous promets que vous serez reçu comme il faut.

CLITANDRE : Hé! là, là, Madame, tout doucement. Il n'est pas nécessaire de me faire tant de leçons, et de vous tant scandaliser. Qui vous dit que je songe à vous aimer?

ANGÉLIQUE : Que sais-je, moi, ce qu'on me vient conter ici?

CLITANDRE : On dira ce que l'on voudra ; mais vous savez si je vous ai parlé d'amour, lorsque je vous ai rencontrée.

ANGÉLIQUE : Vous n'aviez qu'à le faire, vous auriez été bien venu.

CLITANDRE : Je vous assure qu'avec moi vous n'avez rien à craindre ; que je ne suis point homme à donner du chagrin aux belles ; et que je vous respecte trop, et vous et Messieurs vos parents, pour avoir la pensée d'être amoureux de vous.

MADAME DE SOTENVILLE : Hé bien! vous le voyez.

MONSIEUR DE SOTENVILLE : Vous voilà satisfait [1], mon gendre. Que dites-vous à cela?

GEORGE DANDIN : Je dis que ce sont là des contes à dormir debout ; que je sais bien ce que je sais, et que tantôt, puisqu'il faut parler, elle a reçu une ambassade de sa part.

ANGÉLIQUE : Moi, j'ai reçu une ambassade?

CLITANDRE : J'ai envoyé une ambassade?

ANGÉLIQUE : Claudine.

CLITANDRE : Est-il vrai?

CLAUDINE : Par ma foi, voilà une étrange fausseté!

GEORGE DANDIN : Taisez-vous, carogne que vous êtes. Je sais de vos nouvelles, et c'est vous qui tantôt avez introduit le courrier [2].

CLAUDINE : Qui, moi?

GEORGE DANDIN : Oui, vous. Ne faites point tant la sucrée [3].

CLAUDINE : Hélas! que le monde aujourd'hui est rempli de méchanceté, de m'aller soupçonner ainsi, moi qui suis l'innocence même!

GEORGE DANDIN : Taisez-vous, bonne pièce [4]. Vous faites la sournoise ; mais je vous connais il y a longtemps, et vous êtes une dessalée [5].

CLAUDINE : Madame, est-ce que...?

GEORGE DANDIN : Taisez-vous, vous dis-je, vous pourriez bien porter la folle enchère [6] de tous les autres ; et vous n'avez point de père gentilhomme.

ANGÉLIQUE : C'est une imposture si grande, et qui me touche si fort au cœur, que je ne puis pas même avoir la force d'y répondre. Cela est bien horrible d'être accusée par un mari lorsqu'on ne lui fait rien qui ne soit à faire. Hélas! si je suis blâmable de quelque chose, c'est d'en user trop bien avec lui.

CLAUDINE : Assurément.

ANGÉLIQUE : Tout mon malheur est de le trop considérer ; et plût au Ciel que je fusse capable de souffrir, comme il dit, les galanteries de quelqu'un! je ne serais pas tant à plaindre. Adieu : je me retire, et je ne puis plus endurer qu'on m'outrage de cette sorte.

MADAME DE SOTENVILLE : Allez, vous ne méritez pas l'honnête femme qu'on vous a donnée.

CLAUDINE : Par ma foi! il mériterait qu'elle lui fît dire vrai ; et si j'étais en sa place, je n'y marchanderais [1] pas. Oui, Monsieur, vous devez, pour le punir, faire l'amour à ma maîtresse. Poussez [2], c'est moi qui vous le dis, ce sera fort bien employé [3] ; et je m'offre à vous y servir, puisqu'il m'en a déjà taxée [4].

MONSIEUR DE SOTENVILLE : Vous méritez, mon gendre, qu'on vous dise ces choses-là ; et votre procédé met tout le monde contre vous.

MADAME DE SOTENVILLE : Allez, songez à mieux traiter une demoiselle bien née, et prenez garde désormais à ne plus faire de pareilles bévues.

GEORGE DANDIN : J'enrage de bon cœur d'avoir tort, lorsque j'ai raison.

CLITANDRE : Monsieur, vous voyez comme j'ai été faussement accusé : vous êtes homme qui savez les maximes du point d'honneur, et je vous demande raison de l'affront qui m'a été fait.

MONSIEUR DE SOTENVILLE : Cela est juste, et c'est l'ordre des procédés [5]. Allons, mon gendre, faites satisfaction [6] à Monsieur.

GEORGE DANDIN : Comment satisfaction?

MONSIEUR DE SOTENVILLE : Oui, cela se doit dans les règles pour l'avoir à tort accusé.

GEORGE DANDIN : C'est une chose, moi, dont je ne demeure pas d'accord, de l'avoir à tort accusé, et je sais bien ce que j'en pense.

MONSIEUR DE SOTENVILLE : Il n'importe. Quelque pensée qui vous puisse rester, il a nié : c'est satisfaire les personnes, et l'on n'a nul droit de se plaindre de tout homme qui se dédit [7].

GEORGE DANDIN : Si bien donc que si je le trouvais couché avec ma femme, il en serait quitte pour se dédire?

MONSIEUR DE SOTENVILLE : Point de raisonnement. Faites-lui les excuses que je vous dis.

GEORGE DANDIN : Moi, je lui ferai encore des excuses après...?

MONSIEUR DE SOTENVILLE : Allons, vous dis-je. Il n'y a rien à balancer, et vous n'avez que faire d'avoir peur d'en trop faire, puisque c'est moi qui vous conduis.

GEORGE DANDIN : Je ne saurais...

MONSIEUR DE SOTENVILLE : Corbleu ! mon gendre, ne m'échauffez pas la bile : je me mettrais avec lui contre vous. Allons, laissez-vous gouverner par moi.

GEORGE DANDIN : Ah ! George Dandin !

MONSIEUR DE SOTENVILLE : Votre bonnet à la main le premier : Monsieur est gentilhomme, et vous ne l'êtes pas.

GEORGE DANDIN : J'enrage.

MONSIEUR DE SOTENVILLE : Répétez après moi : « Monsieur. »

GEORGE DANDIN : « Monsieur. »

MONSIEUR DE SOTENVILLE. *Il voit que son gendre fait difficulté de lui obéir :* « Je vous demande pardon. » Ah !

GEORGE DANDIN : « Je vous demande pardon. »

MONSIEUR DE SOTENVILLE : « Des mauvaises pensées que j'ai eues de vous. »

GEORGE DANDIN : « Des mauvaises pensées que j'ai eues de vous. »

MONSIEUR DE SOTENVILLE : « C'est que je n'avais pas l'honneur de vous connaître. »

GEORGE DANDIN : « C'est que je n'avais pas l'honneur de vous connaître. »

MONSIEUR DE SOTENVILLE : « Et je vous prie de croire. »

GEORGE DANDIN : « Et je vous prie de croire. »

MONSIEUR DE SOTENVILLE : « Que je suis votre serviteur. »

GEORGE DANDIN : Voulez-vous que je sois serviteur d'un homme qui me veut faire cocu ?

MONSIEUR DE SOTENVILLE. *Il le menace encore :* Ah !

CLITANDRE : Il suffit, Monsieur.

MONSIEUR DE SOTENVILLE : Non : je veux qu'il achève, et que tout aille dans les formes. « Que je suis votre serviteur. »

GEORGE DANDIN : « Que je suis votre serviteur. »

CLITANDRE : Monsieur, je suis le vôtre de tout mon cœur, et je ne songe plus à ce qui s'est passé. Pour vous, Monsieur, je vous donne le bonjour, et suis fâché du petit chagrin que vous avez eu.

MONSIEUR DE SOTENVILLE : Je vous baise les mains [1] ; et quand il vous plaira, je vous donnerai le divertissement de courre un lièvre [2].

CLITANDRE : C'est trop de grâce que vous me faites.

MONSIEUR DE SOTENVILLE : Voilà, mon gendre, comme il faut pousser les choses [3]. Adieu. Sachez que vous êtes entré dans une famille qui vous donnera de l'appui, et ne souffrira point que l'on vous fasse aucun affront.

SCÈNE VII

GEORGE DANDIN

Ah! que je... Vous l'avez voulu, vous l'avez voulu, George Dandin, vous l'avez voulu, cela vous sied fort bien, et vous voilà ajusté comme il faut ; vous avez justement ce que vous méritez. Allons, il s'agit seulement de désabuser le père et la mère, et je pourrai trouver peut-être quelque moyen d'y réussir.

ACTE II

SCÈNE PREMIÈRE

CLAUDINE, LUBIN

CLAUDINE : Oui, j'ai bien deviné qu'il fallait que cela vînt de toi, et que tu l'eusses dit à quelqu'un qui l'ait rapporté à notre maître.

LUBIN : Par ma foi! je n'en ai touché qu'un petit mot en passant à un homme, afin qu'il ne dît point qu'il m'avait vu sortir, et il faut que les gens en ce pays-ci soient de grands babillards.

CLAUDINE : Vraiment, ce Monsieur le Vicomte a bien choisi son monde que de te prendre pour son ambassadeur, et il s'est allé servir là d'un homme bien chanceux.

LUBIN : Va, une autre fois je serai plus fin, et je prendrai mieux garde à moi.

CLAUDINE : Oui, oui, il sera temps.

LUBIN : Ne parlons plus de cela. Écoute.

CLAUDINE : Que veux-tu que j'écoute?

LUBIN : Tourne un peu ton visage devers moi.

CLAUDINE : Hé bien, qu'est-ce?

LUBIN : Claudine.

CLAUDINE : Quoi?

LUBIN : Hé! là, ne sais-tu pas bien ce que je veux dire?

CLAUDINE : Non.

LUBIN : Morgué! je t'aime.

CLAUDINE : Tout de bon?

LUBIN : Oui, le diable m'emporte! tu me peux croire, puisque j'en jure.

CLAUDINE : A la bonne heure.

LUBIN : Je me sens tout tribouiller [1] le cœur quand je te regarde.

CLAUDINE : Je m'en réjouis.

LUBIN : Comment est-ce que tu fais pour être si jolie ?

CLAUDINE : Je fais comme font les autres.

LUBIN : Vois-tu, il ne faut point tant de beurre pour faire un quarteron [2] : si tu veux, tu seras ma femme, je serai ton mari, et nous serons tous deux mari et femme.

CLAUDINE : Tu serais peut-être jaloux comme notre maître.

LUBIN : Point.

CLAUDINE : Pour moi, je hais les maris soupçonneux, et j'en veux un qui ne s'épouvante de rien, un si plein de confiance, et si sûr de ma chasteté, qu'il me vît sans inquiétude au milieu de trente hommes.

LUBIN : Hé bien! je serai tout comme cela.

CLAUDINE : C'est la plus sotte chose du monde que de se défier d'une femme, et de la tourmenter. La vérité de l'affaire est qu'on n'y gagne rien de bon : cela nous fait songer à mal, et ce sont souvent les maris qui, avec leurs vacarmes, se font eux-mêmes ce qu'ils sont.

LUBIN : Hé bien! je te donnerai la liberté de faire tout ce qu'il te plaira.

CLAUDINE : Voilà comme il faut faire pour n'être point trompé. Lorsqu'un mari se met à notre discrétion, nous ne prenons de liberté que ce qu'il nous en faut, et il en est comme avec ceux qui nous ouvrent leur bourse et nous disent : « Prenez. » Nous en usons honnêtement, et nous nous contentons de la raison. Mais ceux qui nous chicanent, nous nous efforçons de les tondre, et nous ne les épargnons point.

LUBIN : Va, je serai de ceux qui ouvrent leur bourse, et tu n'as qu'à te marier avec moi.

CLAUDINE : Hé bien, bien, nous verrons.

LUBIN : Viens donc ici, Claudine.

CLAUDINE : Que veux-tu ?

LUBIN : Viens, te dis-je.

CLAUDINE : Ah! doucement : je n'aime pas les patineurs [1].

LUBIN : Eh! un petit brin d'amitié.

CLAUDINE : Laisse-moi là, te dis-je : je n'entends pas raillerie.

LUBIN : Claudine.

CLAUDINE : Ahy!

LUBIN : Ah! que tu es rude à pauvres gens. Fi! que cela est malhonnête de refuser les personnes! N'as-tu point de honte d'être belle, et de ne vouloir pas qu'on te caresse! Eh là!

CLAUDINE : Je te donnerai sur le nez.

LUBIN : Oh! la farouche, la sauvage. Fi, poua! la vilaine, qui est cruelle.

CLAUDINE : Tu t'émancipes trop.

LUBIN : Qu'est-ce que cela te coûterait de me laisser un peu faire?

CLAUDINE : Il faut que tu te donnes patience.

LUBIN : Un petit baiser seulement, en rabattant [2] sur notre mariage.

CLAUDINE : Je suis votre servante.

LUBIN : Claudine, je t'en prie, sur l'et-tant-moins [3].

CLAUDINE : Eh! que nenni : j'y ai déjà été attrapée. Adieu. Va-t'en, et dis à Monsieur le Vicomte que j'aurai soin de rendre son billet.

LUBIN : Adieu, beauté rude ânière [4].

CLAUDINE : Le mot est amoureux.

LUBIN : Adieu, rocher, caillou, pierre de taille, et tout ce qu'il y a de plus dur au monde.

CLAUDINE : Je vais remettre aux mains de ma maîtresse... Mais la voici avec son mari : éloignons-nous, et attendons qu'elle soit seule.

SCÈNE II

GEORGE DANDIN, ANGÉLIQUE, CLITANDRE

GEORGE DANDIN : Non, non, on ne m'abuse pas avec tant de facilité, et je ne suis que trop certain que le rapport que l'on m'a fait est véritable. J'ai de meilleurs yeux qu'on ne pense, et votre galimatias ne m'a point tantôt ébloui [1].

CLITANDRE : Ah! la voilà ; mais le mari est avec elle.

GEORGE DANDIN : Au travers de toutes vos grimaces, j'ai vu la vérité de ce que l'on m'a dit, et le peu de respect que vous avez pour le nœud qui nous joint. Mon Dieu! laissez là votre révérence, ce n'est pas de ces sortes de respect dont je vous parle, et vous n'avez que faire de vous moquer.

ANGÉLIQUE : Moi, me moquer! En aucune façon.

GEORGE DANDIN : Je sais votre pensée, et connais... Encore? Ah! ne raillons pas davantage! Je n'ignore pas qu'à cause de votre noblesse vous me tenez fort au-dessous de vous, et le respect que je vous veux dire ne regarde point ma personne : j'entends parler de celui que vous devez à des nœuds aussi vénérables que le sont ceux du mariage. Il ne faut point lever des épaules, et je ne dis point de sottises.

ANGÉLIQUE : Qui songe à lever les épaules?

GEORGE DANDIN : Mon Dieu! nous voyons clair. Je vous dis encore une fois que le mariage est une chaîne à laquelle on doit porter toute sorte de respect, et que c'est fort mal fait à vous d'en user comme vous faites. Oui, oui, mal fait à vous ; et vous n'avez que faire de hocher la tête, et de me faire la grimace.

ANGÉLIQUE : Moi! Je ne sais ce que vous voulez dire.

GEORGE DANDIN : Je le sais fort bien, moi ; et vos mépris me sont connus. Si je ne suis pas né noble, au moins suis-je d'une race où il n'y a point de reproche, et la famille des Dandins...

CLITANDRE, *derrière Angélique, sans être aperçu de Dandin :* Un moment d'entretien.

GEORGE DANDIN : Eh?

ANGÉLIQUE : Quoi? Je ne dis mot.

GEORGE DANDIN : Le voilà qui vient rôder autour de vous.

ANGÉLIQUE : Hé bien, est-ce ma faute? Que voulez-vous que j'y fasse?

GEORGE DANDIN : Je veux que vous y fassiez ce que fait une femme qui ne veut plaire qu'à son mari. Quoi qu'on en puisse dire, les galants n'obsèdent jamais que quand on le veut bien. Il y a un certain air doucereux qui les attire, ainsi que le miel fait les mouches ; et les honnêtes femmes ont des manières qui les savent chasser d'abord.

ANGÉLIQUE : Moi, les chasser ? et par quelle raison ? Je ne me scandalise point qu'on me trouve bien faite, et cela me fait du plaisir.

GEORGE DANDIN : Oui. Mais quel personnage voulez-vous que joue un mari pendant cette galanterie ?

ANGÉLIQUE : Le personnage d'un honnête homme qui est bien aise de voir sa femme considérée.

GEORGE DANDIN : Je suis votre valet. Ce n'est pas là mon compte, et les Dandins ne sont point accoutumés à cette mode-là.

ANGÉLIQUE : Oh ! les Dandins s'y accoutumeront s'ils veulent. Car pour moi, je vous déclare que mon dessein n'est pas de renoncer au monde, et de m'enterrer toute vive dans un mari. Comment ? parce qu'un homme s'avise de nous épouser, il faut d'abord que toutes choses soient finies pour nous, et que nous rompions tout commerce avec les vivants ? C'est une chose merveilleuse que cette tyrannie de Messieurs les maris, et je les trouve bons de vouloir qu'on soit morte à tous les divertissements, et qu'on ne vive que pour eux. Je me moque de cela, et ne veux point mourir si jeune.

GEORGE DANDIN : C'est ainsi que vous satisfaites aux engagements de la foi que vous m'avez donnée publiquement ?

ANGÉLIQUE : Moi ? Je ne vous l'ai point donnée de bon cœur, et vous me l'avez arrachée. M'avez-vous, avant le mariage, demandé mon consentement, et si je voulais bien de vous ? Vous n'avez consulté, pour cela, que mon père et ma mère ; ce sont eux proprement qui vous ont épousé, et c'est pourquoi vous ferez bien de vous plaindre toujours à eux des torts que l'on pourra vous faire. Pour moi, qui ne vous ai point dit de vous marier avec moi, et que vous avez prise sans consulter mes sentiments, je prétends n'être point obligée à me soumettre en esclave à vos volontés ; et je veux jouir, s'il vous plaît, de quelque nombre de beaux jours que m'offre la jeunesse, prendre les douces libertés que l'âge me permet, voir un peu le beau monde, et goûter le plaisir de m'ouïr dire des douceurs. Préparez-vous-y, pour votre punition, et rendez grâces au Ciel de ce que je ne suis pas capable de quelque chose de pis.

GEORGE DANDIN : Oui! c'est ainsi que vous le prenez. Je suis votre mari, et je vous dis que je n'entends pas cela.

ANGÉLIQUE : Moi je suis votre femme, et je vous dis que je l'entends.

GEORGE DANDIN : Il me prend des tentations d'accommoder tout son visage à la compote, et le mettre en état de ne plaire de sa vie aux diseurs de fleurettes. Ah ! allons, George Dandin ; je ne pourrais me retenir, et il vaut mieux quitter la place.

SCÈNE III

CLAUDINE, ANGÉLIQUE

CLAUDINE : J'avais, Madame, impatience qu'il s'en allât, pour vous rendre ce mot de la part que vous savez.

ANGÉLIQUE : Voyons.

CLAUDINE : A ce que je puis remarquer, ce qu'on lui dit ne lui déplaît pas trop.

ANGÉLIQUE : Ah! Claudine, que ce billet s'explique d'une façon galante! Que dans tous leurs discours et dans toutes leurs actions les gens de cour ont un air agréable! Et qu'est-ce que c'est auprès d'eux que nos gens de province ?

CLAUDINE : Je crois qu'après les avoir vus, les Dandins ne vous plaisent guère.

ANGÉLIQUE : Demeure ici : je m'en vais faire la réponse.

CLAUDINE : Je n'ai pas besoin, que je pense, de lui recommander de la faire agréable. Mais voici...

SCÈNE IV

CLITANDRE, LUBIN, CLAUDINE

CLAUDINE : Vraiment, Monsieur, vous avez pris là un habile messager.

CLITANDRE : Je n'ai pas osé envoyer de mes gens. Mais, ma pauvre Claudine, il faut que je te récompense des bons offices que je sais que tu m'as rendus.

CLAUDINE : Eh! Monsieur, il n'est pas nécessaire. Non, Monsieur, vous n'avez que faire de vous donner cette peine-là ; et je vous rends service parce que vous le méritez, et que je me sens au cœur de l'inclination pour vous.

CLITANDRE : Je te suis obligé.

LUBIN : Puisque nous serons mariés, donne-moi cela, que je le mette avec le mien.

CLAUDINE : Je te le garde aussi bien que le baiser.

CLITANDRE : Dis-moi, as-tu rendu mon billet à ta belle maîtresse ?

CLAUDINE : Oui, elle est allée y répondre.

CLITANDRE : Mais, Claudine, n'y a-t-il pas moyen que je la puisse entretenir ?

CLAUDINE : Oui : venez avec moi, je vous ferai parler à elle.

CLITANDRE : Mais le trouvera-t-elle bon ? et n'y a-t-il rien à risquer ?

CLAUDINE : Non, non : son mari n'est pas au logis ; et puis, ce n'est pas lui qu'elle a le plus à ménager ; c'est son père et sa mère ; et pourvu qu'ils soient prévenus [1], tout le reste n'est point à craindre.

CLITANDRE : Je m'abandonne à ta conduite.

LUBIN : Testiguenne! que j'aurai là une habile femme! Elle a de l'esprit comme quatre.

SCÈNE V

GEORGE DANDIN, LUBIN

GEORGE DANDIN : Voici mon homme de tantôt. Plût au Ciel qu'il pût se résoudre à vouloir rendre témoignage au père et à la mère de ce qu'ils ne veulent point croire!

LUBIN : Ah! vous voilà, Monsieur le babillard, à qui j'avais tant recommandé de ne point parler, et qui me l'aviez tant promis. Vous êtes donc un causeur, et vous allez redire ce que l'on vous dit en secret?

GEORGE DANDIN : Moi?

LUBIN : Oui. Vous avez été tout rapporter au mari, et vous êtes cause qu'il a fait du vacarme. Je suis bien aise de savoir que vous avez de la langue, et cela m'apprendra à ne vous plus rien dire.

GEORGE DANDIN : Écoute, mon ami.

LUBIN : Si vous n'aviez point babillé, je vous aurais conté ce qui se passe à cette heure ; mais pour votre punition vous ne saurez rien du tout.

GEORGE DANDIN : Comment? qu'est-ce qui se passe?

LUBIN : Rien, rien. Voilà ce que c'est d'avoir causé : vous n'en tâterez plus, et je vous laisse sur la bonne bouche [1].

GEORGE DANDIN : Arrête un peu.

LUBIN : Point.

GEORGE DANDIN : Je ne te veux dire qu'un mot.

LUBIN : Nennin, nennin. Vous avez envie de me tirer les vers du nez.

GEORGE DANDIN : Non, ce n'est pas cela.

LUBIN : Eh! quelque sot [2]. Je vous vois venir.

GEORGE DANDIN : C'est autre chose. Écoute.

LUBIN : Point d'affaire. Vous voudriez que je vous disse que Monsieur le Vicomte vient de donner de l'argent à Claudine, et qu'elle l'a mené chez sa maîtresse. Mais je ne suis pas si bête.

GEORGE DANDIN : De grâce.

LUBIN : Non.

GEORGE DANDIN : Je te donnerai...
LUBIN : Tarare [1]!

SCÈNE VI

GEORGE DANDIN

Je n'ai pu me servir avec cet innocent de la pensée que j'avais. Mais le nouvel avis qui lui est échappé ferait la même chose, et si le galant est chez moi, ce serait pour avoir raison [2] aux yeux du père et de la mère, et les convaincre pleinement de l'effronterie de leur fille. Le mal de tout ceci, c'est que je ne sais comment faire pour profiter d'un tel avis. Si je rentre chez moi, je ferai évader le drôle, et quelque chose que je puisse voir moi-même de mon déshonneur, je n'en serai point cru à mon serment, et l'on me dira que je rêve. Si, d'autre part, je vais querir beau-père et belle-mère sans être sûr de trouver chez moi le galant, ce sera la même chose, et je retomberai dans l'inconvénient de tantôt. Pourrais-je point m'éclaircir doucement s'il y est encore ? Ah Ciel! il n'en faut plus douter, et je viens de l'apercevoir par le trou de la porte. Le sort me donne ici de quoi confondre ma partie ; et pour achever l'aventure, il fait venir à point nommé les juges dont j'avais besoin.

SCÈNE VII

MONSIEUR ET MADAME DE SOTENVILLE,
GEORGE DANDIN

GEORGE DANDIN : Enfin vous ne m'avez pas voulu croire tantôt, et votre fille l'a emporté sur moi ; mais j'ai en main de quoi vous faire voir comme elle m'accommode [3] et, Dieu merci! mon déshonneur est si clair maintenant, que vous n'en pourrez plus douter.

MONSIEUR DE SOTENVILLE : Comment, mon gendre, vous en êtes encore là-dessus ?

GEORGE DANDIN : Oui, j'y suis, et jamais je n'eus tant de sujet d'y être.

MADAME DE SOTENVILLE : Vous nous venez encore étourdir la tête ?

GEORGE DANDIN : Oui, Madame, et l'on fait bien pis à la mienne.

MONSIEUR DE SOTENVILLE : Ne vous lassez-vous point de vous rendre importun ?

GEORGE DANDIN : Non ; mais je me lasse fort d'être pris pour dupe.

MADAME DE SOTENVILLE : Ne voulez-vous point vous défaire de vos pensées extravagantes ?

GEORGE DANDIN : Non, Madame ; mais je voudrais bien me défaire d'une femme qui me déshonore.

MADAME DE SOTENVILLE : Jour de Dieu ! notre gendre, apprenez à parler.

MONSIEUR DE SOTENVILLE : Corbleu ! cherchez des termes moins offensants que ceux-là.

GEORGE DANDIN : Marchand qui perd ne peut rire.

MADAME DE SOTENVILLE : Souvenez-vous que vous avez épousé une demoiselle.

GEORGE DANDIN : Je m'en souviens assez, et ne m'en souviendrai que trop.

MONSIEUR DE SOTENVILLE : Si vous vous en souvenez, songez donc à parler d'elle avec plus de respect.

GEORGE DANDIN : Mais que ne songe-t-elle plutôt à me traiter plus honnêtement ? Quoi ? parce qu'elle est demoiselle, il faut qu'elle ait la liberté de me faire ce qui lui plaît, sans que j'ose souffler ?

MONSIEUR DE SOTENVILLE : Qu'avez-vous donc, et que pouvez-vous dire ? N'avez-vous pas vu ce matin qu'elle s'est défendue de connaître celui dont vous m'étiez venu parler ?

GEORGE DANDIN : Oui. Mais vous, que pourrez-vous dire si je vous fais voir maintenant que le galant est avec elle ?

MADAME DE SOTENVILLE : Avec elle ?

GEORGE DANDIN : Oui, avec elle, et dans ma maison ?

MONSIEUR DE SOTENVILLE : Dans votre maison?

GEORGE DANDIN : Oui, dans ma propre maison.

MADAME DE SOTENVILLE : Si cela est, nous serons pour vous contre elle.

MONSIEUR DE SOTENVILLE : Oui : l'honneur de notre famille nous est plus cher que toute chose ; et si vous dites vrai, nous la renoncerons pour notre sang, et l'abandonnerons à votre colère.

GEORGE DANDIN : Vous n'avez qu'à me suivre.

MADAME DE SOTENVILLE : Gardez de vous tromper.

MONSIEUR DE SOTENVILLE : N'allez pas faire comme tantôt.

GEORGE DANDIN : Mon Dieu! vous allez voir. Tenez, ai-je menti ?

SCÈNE VIII

ANGÉLIQUE, CLITANDRE, CLAUDINE,
MONSIEUR ET MADAME DE SOTENVILLE,
GEORGE DANDIN

ANGÉLIQUE : Adieu. J'ai peur qu'on vous surprenne ici, et j'ai quelques mesures à garder.

CLITANDRE : Promettez-moi donc, Madame, que je pourrai vous parler cette nuit.

ANGÉLIQUE : J'y ferai mes efforts.

GEORGE DANDIN : Approchons doucement par-derrière, et tâchons de n'être point vus.

CLAUDINE : Ah! Madame, tout est perdu : voilà votre père et votre mère, accompagnés de votre mari.

CLITANDRE : Ah Ciel!

ANGÉLIQUE : Ne faites pas semblant de rien, et me laissez faire tous deux. Quoi? Vous osez en user de la sorte, après l'affaire de tantôt, et c'est ainsi que vous dissimulez vos sentiments ? On me vient rapporter que vous avez de l'amour pour moi, et que vous faites des desseins de me solliciter ; j'en témoigne mon dépit, et m'explique à vous clairement en présence de tout le monde ; vous niez hautement la chose, et me donnez parole de n'avoir aucune pensée de m'offenser ; et cependant, le même jour, vous prenez la hardiesse de venir chez moi me rendre visite, de me dire que vous m'aimez, et de me faire cent sots contes pour me persuader de répondre à vos extravagances : comme si j'étais femme à violer la foi que j'ai donnée à un mari, et m'éloigner jamais de la vertu que mes parents m'ont enseignée. Si mon père savait cela, il vous apprendrait bien à tenter de ces entreprises. Mais une honnête femme n'aime point les éclats ; je n'ai garde de lui en rien dire, et je veux vous montrer que, toute femme que je suis, j'ai assez de courage pour me venger moi-même des offenses que l'on me fait. L'action que vous avez faite n'est pas d'un gentilhomme, et ce n'est pas en gentilhomme aussi que je veux vous traiter.

Elle prend un bâton et bat son mari, au lieu de Clitandre, qui se met entre deux.

CLITANDRE : Ah! ah! ah! ah! ah! doucement.

CLAUDINE : Fort, Madame, frappez comme il faut.

ANGÉLIQUE : S'il vous demeure quelque chose sur le cœur, je suis pour vous répondre.

CLAUDINE : Apprenez à qui vous vous jouez.

ANGÉLIQUE : Ah mon père, vous êtes là !

MONSIEUR DE SOTENVILLE : Oui, ma fille, et je vois qu'en sagesse et en courage tu te montres un digne rejeton de la maison de Sotenville. Viens ça, approche-toi que je t'embrasse.

MADAME DE SOTENVILLE : Embrasse-moi aussi, ma fille. Las! je pleure de joie, et reconnais mon sang aux choses que tu viens de faire.

MONSIEUR DE SOTENVILLE : Mon gendre, que vous devez être ravi, et que cette aventure est pour vous pleine de douceurs! Vous aviez un juste sujet de vous alarmer ; mais vos soupçons se trouvent dissipés le plus avantageusement du monde.

MADAME DE SOTENVILLE : Sans doute, notre gendre, et vous devez maintenant être le plus content des hommes.

CLAUDINE : Assurément. Voilà une femme, celle-là. Vous êtes trop heureux de l'avoir, et vous devriez baiser les pas où elle passe.

GEORGE DANDIN : Euh! traîtresse!

MONSIEUR DE SOTENVILLE : Qu'est-ce, mon gendre? Que ne remerciez-vous un peu votre femme de l'amitié que vous voyez qu'elle montre pour vous?

ANGÉLIQUE : Non, non, mon père, il n'est pas nécessaire. Il ne m'a aucune obligation de ce qu'il vient de voir, et tout ce que j'en fais n'est que pour l'amour de moi-même.

MONSIEUR DE SOTENVILLE : Où allez-vous, ma fille?

ANGÉLIQUE : Je me retire, mon père, pour ne me voir point obligée à recevoir ses compliments.

CLAUDINE : Elle a raison d'être en colère. C'est une femme qui mérite d'être adorée, et vous ne la traitez pas comme vous devriez.

GEORGE DANDIN : Scélérate!

MONSIEUR DE SOTENVILLE : C'est un petit ressentiment de l'affaire de tantôt, et cela se passera avec un peu de caresse que vous lui ferez. Adieu, mon gendre, vous voilà en état de ne vous plus inquiéter. Allez-vous-en faire la paix ensemble, et tâchez de l'apaiser par des excuses de votre emportement.

MADAME DE SOTENVILLE : Vous devez considérer que c'est une jeune fille élevée à la vertu, et qui n'est point accoutumée à se voir soupçonner d'aucune vilaine action. Adieu. Je suis ravie de voir vos désordres finis et des transports de joie que vous doit donner sa conduite.

GEORGE DANDIN : Je ne dis mot, car je ne gagnerais rien à parler, et jamais il ne s'est rien vu d'égal à ma disgrâce. Oui, j'admire mon malheur, et la subtile adresse de ma carogne de femme pour se donner toujours raison, et me faire avoir tort. Est-il possible que toujours j'aurai du dessous avec elle, que les apparences toujours tourneront contre moi, et que je ne parviendrai point à convaincre mon effrontée? Ô Ciel, seconde mes desseins, et m'accorde la grâce de faire voir aux gens que l'on me déshonore.

ACTE III

SCÈNE PREMIÈRE

CLITANDRE, LUBIN

CLITANDRE : La nuit est avancée, et j'ai peur qu'il ne soit trop tard. Je ne vois point à me conduire. Lubin!

LUBIN : Monsieur ?

CLITANDRE : Est-ce par ici ?

LUBIN : Je pense que oui. Morgué! voilà une sotte nuit, d'être si noire que cela.

CLITANDRE : Elle a tort assurément ; mais si d'un côté elle nous empêche de voir, elle empêche de l'autre que nous ne soyons vus.

LUBIN : Vous avez raison, elle n'a pas tant de tort. Je voudrais bien savoir, Monsieur, vous qui êtes savant, pourquoi il ne fait point jour la nuit.

CLITANDRE : C'est une grande question, et qui est difficile. Tu es curieux, Lubin.

LUBIN : Oui. Si j'avais étudié, j'aurais été songer à des choses où on n'a jamais songé.

CLITANDRE : Je le crois. Tu as la mine d'avoir l'esprit subtil et pénétrant.

LUBIN : Cela est vrai. Tenez, j'explique du latin, quoique jamais je ne l'aie appris, et voyant l'autre jour écrit sur une grande porte *collegium*, je devinai que cela voulait dire collège.

CLITANDRE : Cela est admirable! Tu sais donc lire, Lubin ?

LUBIN : Oui, je sais lire la lettre moulée [1], mais je n'ai jamais su apprendre à lire l'écriture.

CLITANDRE : Nous voici contre la maison. C'est le signal que m'a donné Claudine.

LUBIN : Par ma foi! c'est une fille qui vaut de l'argent, et je l'aime de tout mon cœur.

CLITANDRE : Aussi t'ai-je amené avec moi pour l'entretenir.

LUBIN : Monsieur, je vous suis...

CLITANDRE : Chut! J'entends quelque bruit.

SCÈNE II

ANGÉLIQUE, CLAUDINE, CLITANDRE, LUBIN

ANGÉLIQUE : Claudine.

CLAUDINE : Hé bien?

ANGÉLIQUE : Laisse la porte entrouverte.

CLAUDINE : Voilà qui est fait.

CLITANDRE : Ce sont elles. St.

ANGÉLIQUE : St.

LUBIN : St.

CLAUDINE : St.

CLITANDRE, *à Claudine* : Madame.

ANGÉLIQUE, *à Lubin* : Quoi?

LUBIN, *à Angélique* : Claudine.

CLAUDINE : Qu'est-ce?

CLITANDRE, *à Claudine* : Ah! Madame, que j'ai de joie!

LUBIN, *à Angélique* : Claudine, ma pauvre Claudine.

CLAUDINE, *à Clitandre* : Doucement, Monsieur.

ANGÉLIQUE, *à Lubin* : Tout beau, Lubin.

CLITANDRE : Est-ce toi, Claudine?

CLAUDINE : Oui.

LUBIN : Est-ce vous, Madame?

ANGÉLIQUE : Oui.

CLAUDINE : Vous avez pris l'une pour l'autre.

LUBIN : Ma foi, la nuit, on n'y voit goutte.

ANGÉLIQUE : Est-ce pas vous, Clitandre?

CLITANDRE : Oui, Madame.

ANGÉLIQUE : Mon mari ronfle comme il faut, et j'ai pris ce temps pour nous entretenir ici.

CLITANDRE : Cherchons quelque lieu pour nous asseoir.

CLAUDINE : C'est fort bien avisé.

Ils vont s'asseoir au fond du théâtre.

LUBIN : Claudine, où est-ce que tu es?

SCÈNE III

GEORGE DANDIN, LUBIN

GEORGE DANDIN : J'ai entendu descendre ma femme, et je me suis vite habillé pour descendre après elle. Où peut-elle être allée? Serait-elle sortie?

LUBIN. *Il prend George Dandin pour Claudine :* Où es-tu donc, Claudine? Ah! te voilà. Par ma foi, ton maître est plaisamment attrapé, et je trouve ceci aussi drôle que les coups de bâton de tantôt dont on m'a fait récit [1]. Ta maîtresse dit qu'il ronfle, à cette heure, comme tous les diantres, et il ne sait pas que Monsieur le Vicomte et elle sont ensemble pendant qu'il dort. Je voudrais bien savoir quel songe il fait maintenant. Cela est tout à fait risible! De quoi s'avise-t-il aussi d'être jaloux de sa femme, et de vouloir qu'elle soit à lui tout seul? C'est un impertinent, et Monsieur le Vicomte lui fait trop d'honneur. Tu ne dis mot, Claudine. Allons, suivons-les, et me donne ta petite menotte que je la baise. Ah! que cela est doux! il me semble que je mange des confitures. (*Comme il baise la main de Dandin, Dandin la lui pousse rudement au visage.*) Tubleu! comme vous y allez! Voilà une petite menotte qui est un peu bien rude.

GEORGE DANDIN : Qui va là?

LUBIN : Personne.

GEORGE DANDIN : Il fuit, et me laisse informé de la nouvelle perfidie de ma coquine. Allons, il faut que sans tarder j'envoie appeler son père et sa mère, et que cette aventure me serve à me faire séparer d'elle. Holà! Colin, Colin.

SCÈNE IV

COLIN, GEORGE DANDIN

COLIN, *à la fenêtre :* Monsieur.

GEORGE DANDIN : Allons vite, ici-bas.

COLIN, *en sautant par la fenêtre :* M'y voilà ! on ne peut pas plus vite.

GEORGE DANDIN : Tu es là ?

COLIN : Oui, Monsieur.

Pendant qu'il va lui parler d'un côté, Colin va de l'autre.

GEORGE DANDIN : Doucement. Parle bas. Écoute. Va-t'en chez mon beau-père et ma belle-mère, et dis que je les prie très instamment de venir tout à l'heure ici. Entends-tu ? Eh ? Colin, Colin.

COLIN *de l'autre côté :* Monsieur.

GEORGE DANDIN : Où diable es-tu ?

COLIN : Ici.

GEORGE DANDIN. *Comme ils se vont tous deux chercher, l'un passe d'un côté, et l'autre de l'autre :* Peste soit du maroufle qui s'éloigne de moi ! Je te dis que tu ailles de ce pas trouver mon beau-père et ma belle-mère, et leur dire que je les conjure de se rendre ici tout à l'heure. M'entends-tu bien ? Réponds, Colin, Colin.

COLIN, *de l'autre côté :* Monsieur.

GEORGE DANDIN : Voilà un pendard qui me fera enrager. Viens-t'en à moi. (*Ils se cognent.*) Ah ! le traître ! il m'a estropié. Où est-ce que tu es ? Approche, que je te donne mille coups. Je pense qu'il me fuit.

COLIN : Assurément.

GEORGE DANDIN : Veux-tu venir ?

COLIN : Nenni, ma foi !

GEORGE DANDIN : Viens, te dis-je.

COLIN : Point : vous me voulez battre.

GEORGE DANDIN : Hé bien ! non. Je ne te ferai rien.

COLIN : Assurément ?

GEORGE DANDIN : Oui. Approche. Bon. Tu es bien

heureux de ce que j'ai besoin de toi. Va-t'en vite de ma part prier mon beau-père et ma belle-mère de se rendre ici le plus tôt qu'ils pourront, et leur dis que c'est pour une affaire de la dernière conséquence ; et s'ils faisaient quelque difficulté à cause de l'heure, ne manque pas de les presser, et de leur bien faire entendre qu'il est très important qu'ils viennent, en quelque état qu'ils soient. Tu m'entends bien maintenant ?

COLIN : Oui, Monsieur.

GEORGE DANDIN : Va vite, et reviens de même. Et moi, je vais rentrer dans ma maison, attendant que... Mais j'entends quelqu'un. Ne serait-ce point ma femme? Il faut que j'écoute, et me serve de l'obscurité qu'il fait.

SCÈNE V

CLITANDRE, ANGÉLIQUE, GEORGE DANDIN, CLAUDINE, LUBIN

ANGÉLIQUE : Adieu. Il est temps de se retirer.

CLITANDRE : Quoi? si tôt?

ANGÉLIQUE : Nous nous sommes assez entretenus.

CLITANDRE : Ah! Madame, puis-je assez vous entretenir, et trouver en si peu de temps toutes les paroles dont j'ai besoin? Il me faudrait des journées entières pour me bien expliquer à vous de tout ce que je sens, et je ne vous ai pas dit encore la moindre partie de ce que j'ai à vous dire.

ANGÉLIQUE : Nous en écouterons une autre fois davantage.

CLITANDRE : Hélas! de quel coup me percez-vous l'âme lorsque vous parlez de vous retirer, et avec combien de chagrins m'allez-vous laisser maintenant ?

ANGÉLIQUE : Nous troverons un moyen de nous revoir.

CLITANDRE : Oui ; mais je songe qu'en me quittant, vous allez trouver un mari. Cette pensée m'assassine, et les privilèges qu'ont les maris sont des choses cruelles pour un amant qui aime bien.

ANGÉLIQUE : Serez-vous assez fort [1] pour avoir

cette inquiétude, et pensez-vous qu'on soit capable d'aimer de certains maris qu'il y a? On les prend, parce qu'on ne s'en peut défendre, et que l'on dépend de parents qui n'ont des yeux que pour le bien mais on sait leur rendre justice, et l'on se moque fort de les considérer au-delà de ce qu'ils méritent.

GEORGE DANDIN : Voilà nos carognes de femmes.

CLITANDRE : Ah! qu'il faut avouer que celui qu'on vous a donné était peu digne de l'honneur qu'il a reçu, et que c'est une étrange chose que l'assemblage qu'on a fait d'une personne comme vous avec un homme comme lui!

GEORGE DANDIN, *à part :* Pauvres maris! voilà comme on vous traite.

CLITANDRE : Vous méritez sans doute une tout autre destinée, et le Ciel ne vous a point faite pour être la femme d'un paysan.

GEORGE DANDIN : Plût au Ciel fût-elle la tienne! tu changerais bien de langage. Rentrons; c'en est assez.

Il entre et ferme la porte.

CLAUDINE : Madame, si vous avez à dire du mal de votre mari, dépêchez vite, car il est tard.

CLITANDRE : Ah! Claudine, que tu es cruelle!

ANGÉLIQUE : Elle a raison. Séparons-nous.

CLITANDRE : Il faut donc s'y résoudre, puisque vous le voulez. Mais au moins je vous conjure de me plaindre un peu des méchants moments que je vais passer.

ANGÉLIQUE : Adieu.

LUBIN : Où es-tu, Claudine, que je te donne le bonsoir?

CLAUDINE : Va, va, je le reçois de loin, et je t'en renvoie autant.

SCÈNE VI

ANGÉLIQUE, CLAUDINE, GEORGE DANDIN

ANGÉLIQUE : Rentrons sans faire de bruit.

CLAUDINE : La porte s'est fermée.

ANGÉLIQUE : J'ai le passe-partout.

CLAUDINE : Ouvrez donc doucement.

ANGÉLIQUE : On a fermé en dedans, et je ne sais comment nous ferons.

CLAUDINE : Appelez le garçon qui couche là.

ANGÉLIQUE : Colin, Colin, Colin.

GEORGE DANDIN, *mettant la tête à sa fenêtre :* Colin, Colin? Ah! je vous y prends donc, Madame ma femme, et vous faites des *escampativos* [1] pendant que je dors. Je suis bien aise de cela, et de vous voir dehors à l'heure qu'il est.

ANGÉLIQUE : Hé bien! quel grand mal est-ce qu'il y a à prendre le frais de la nuit?

GEORGE DANDIN : Oui, oui, l'heure est bonne à prendre le frais. C'est bien plutôt le chaud, Madame la coquine ; et nous savons toute l'intrigue du rendez-vous, et du damoiseau. Nous avons entendu votre galant entretien, et les beaux vers à ma louange [2] que vous avez dits l'un et l'autre. Mais ma consolation, c'est que je vais être vengé, et que votre père et votre mère seront convaincus maintenant de la justice de mes plaintes, et du dérèglement de votre conduite. Je les ai envoyé querir, et ils vont être ici dans un moment.

ANGÉLIQUE : Ah Ciel!

CLAUDINE : Madame.

GEORGE DANDIN : Voilà un coup sans doute où vous ne vous attendiez pas. C'est maintenant que je triomphe, et j'ai de quoi mettre à bas votre orgueil, et détruire vos artifices. Jusques ici vous avez joué mes accusations, ébloui vos parents, et plâtré vos malversations [3]. J'ai eu beau voir, et beau dire, et votre adresse toujours l'a emporté sur mon bon droit, et toujours vous avez trouvé moyen d'avoir raison ; mais à cette fois, Dieu merci, les choses vont être éclaircies, et votre effronterie sera pleinement confondue.

ANGÉLIQUE : Hé! je vous prie, faites-moi ouvrir la porte.

GEORGE DANDIN : Non, non ; il faut attendre la venue de ceux que j'ai mandés, et je veux qu'ils vous trouvent dehors à la belle heure qu'il est. En attendant qu'ils viennent, songez, si vous voulez, à chercher dans votre tête quelque nouveau détour pour vous tirer de cette affaire, à inventer quelque moyen de rhabiller votre escapade, à trouver quelque belle ruse pour éluder ici les gens et paraître innocente, quelque prétexte spécieux de pèlerinage nocturne, ou d'amie en travail d'enfant, que vous veniez de secourir.

ANGÉLIQUE : Non : mon intention n'est pas de vous rien déguiser. Je ne prétends point me défendre, ni vous nier les choses, puisque vous les savez.

GEORGE DANDIN : C'est que vous voyez bien que tous les moyens vous en sont fermés, et que dans cette affaire vous ne sauriez inventer d'excuse qu'il ne me soit facile de convaincre de fausseté.

ANGÉLIQUE : Oui, je confesse que j'ai tort, et que vous avez sujet de vous plaindre. Mais je vous demande par grâce de ne m'exposer point maintenant à la mauvaise humeur de mes parents, et de me faire promptement ouvrir.

GEORGE DANDIN : Je vous baise les mains.

ANGÉLIQUE : Eh! mon pauvre petit mari, je vous en conjure!

GEORGE DANDIN : Ah! mon pauvre petit mari? Je suis votre petit mari maintenant, parce que vous vous sentez prise. Je suis bien aise de cela, et vous ne vous étiez jamais avisée de me dire de ces douceurs.

ANGÉLIQUE : Tenez, je vous promets de ne vous plus donner aucun sujet de déplaisir, et de me...

GEORGE DANDIN : Tout cela n'est rien. Je ne veux point perdre cette aventure, et il m'importe qu'on soit une fois éclairci à fond de vos déportements.

ANGÉLIQUE : De grâce, laissez-moi vous dire. Je vous demande un moment d'audience.

GEORGE DANDIN : Hé bien, quoi ?

ANGÉLIQUE : Il est vrai que j'ai failli, je vous l'avoue encore une fois, et que votre ressentiment est juste ; que j'ai pris le temps de sortir pendant que vous dormiez, et que cette sortie est un rendez-vous que j'avais donné à la personne que vous dites. Mais enfin ce sont des actions que vous devez pardonner à mon âge ; des emportements de jeune personne qui n'a encore rien vu, et ne fait que d'entrer au monde ; des libertés où l'on s'abandonne sans y penser de mal, et qui sans doute dans le fond n'ont rien de...

GEORGE DANDIN : Oui, vous le dites et ce sont de ces choses qui ont besoin qu'on les croie pieusement.

ANGÉLIQUE : Je ne veux point m'excuser par-là d'être coupable envers vous, et je vous prie seulement d'oublier une offense dont je vous demande pardon de tout mon cœur, et de m'épargner en cette rencontre le déplaisir que me pourraient causer les reproches fâcheux de mon père et de ma mère. Si vous m'accordez généreusement la grâce que je vous demande, ce procédé obligeant, cette bonté que vous me ferez voir, me gagnera entièrement. Elle touchera tout à fait mon cœur, et y fera naître pour vous ce que tout le pouvoir de mes parents et les liens du mariage n'avaient pu y jeter. En un mot, elle sera cause que je renoncerai à toutes les galanteries, et n'aurai de l'attachement que pour vous. Oui, je vous donne ma parole que vous m'allez voir désormais la meilleure femme du monde, et que je vous témoignerai tant d'amitié, tant d'amitié, que vous en serez satisfait.

GEORGE DANDIN : Ah ! crocodile [1], qui flatte les gens pour les étrangler.

ANGÉLIQUE : Accordez-moi cette faveur.

GEORGE DANDIN : Point d'affaires. Je suis inexorable.

ANGÉLIQUE : Montrez-vous généreux.

GEORGE DANDIN : Non.

ANGÉLIQUE : De grâce!

GEORGE DANDIN : Point.

ANGÉLIQUE : Je vous en conjure de tout mon cœur!

GEORGE DANDIN : Non, non, non. Je veux qu'on soit détrompé de vous, et que votre confusion éclate.

ANGÉLIQUE : Hé bien! si vous me réduisez au désespoir, je vous avertis qu'une femme en cet état est capable de tout, et que je ferai quelque chose ici dont vous vous repentirez.

GEORGE DANDIN : Et que ferez-vous, s'il vous plaît?

ANGÉLIQUE : Mon cœur se portera jusqu'aux extrêmes résolutions, et de ce couteau que voici je me tuerai sur la place.

GEORGE DANDIN : Ah! ah! à la bonne heure!

ANGÉLIQUE : Pas tant à la bonne heure pour vous que vous vous imaginez. On sait de tous côtés nos différends, et les chagrins perpétuels que vous concevez contre moi. Lorsqu'on me trouvera morte, il n'y aura personne qui mette en doute que ce ne soit vous qui m'aurez tuée ; et mes parents ne sont pas gens assurément à laisser cette mort impunie, et ils en feront sur votre personne toute la punition que leur pourront offrir et les poursuites de la justice, et la chaleur de leur ressentiment. C'est par-là que je trouverai moyen de me venger de vous, et je ne suis pas la première qui ait su recourir à de pareilles vengeances, qui n'ait pas fait difficulté de se donner la mort pour perdre ceux qui ont la cruauté de nous pousser à la dernière extrémité.

GEORGE DANDIN : Je suis votre valet. On ne s'avise plus de se tuer soi-même, et la mode en est passée il y a longtemps.

ANGÉLIQUE : C'est une chose dont vous pouvez vous tenir sûr ; et si vous persistez dans votre refus, si vous ne me faites ouvrir, je vous jure que tout à l'heure je vais vous faire voir jusques où peut aller la résolution d'une personne qu'on met au désespoir.

GEORGE DANDIN : Bagatelles, bagatelles. C'est pour me faire peur.

ANGÉLIQUE : Hé bien! puisqu'il le faut, voici qui nous contentera tous deux, et montrera si je me moque. Ah! c'en est fait. Fasse le Ciel que ma mort soit vengée comme je le souhaite, et que celui qui en est cause reçoive un juste châtiment de la dureté qu'il a eue pour moi!

GEORGE DANDIN : Ouais! serait-elle bien si malicieuse que de s'être tuée pour me faire pendre? Prenons un bout de chandelle pour aller voir.

ANGÉLIQUE : St. Paix! Rangeons-nous chacune immédiatement contre un des côtés de la porte.

GEORGE DANDIN : La méchanceté d'une femme iraitelle bien jusque-là? (*Il sort avec un bout de chandelle, sans les apercevoir ; elles entrent ; aussitôt elles ferment la porte.*) Il n'y a personne. Eh! je m'en étais bien douté, et la pendarde s'est retirée, voyant qu'elle ne gagnait rien après moi [1], ni par prières ni par menaces. Tant mieux! cela rendra ses affaires encore plus mauvaises, et le père et la mère qui vont venir en verront mieux son crime. Ah! ah! la porte s'est fermée. Holà! ho! quelqu'un! qu'on m'ouvre promptement!

ANGÉLIQUE, *à la fenêtre avec Claudine :* Comment? c'est toi! D'où viens-tu, bon pendard? Est-il l'heure de revenir chez soi quand le jour est près de paraître? et cette manière de vie est-elle celle que doit suivre un honnête mari?

CLAUDINE : Cela est-il beau d'aller ivrogner toute la nuit? et de laisser ainsi toute seule une pauvre jeune femme dans la maison?

GEORGE DANDIN : Comment? vous avez...

ANGÉLIQUE : Va, va, traître, je suis lasse de tes déportements, et je m'en veux plaindre, sans plus tarder, à mon père et à ma mère.

GEORGE DANDIN : Quoi? c'est ainsi que vous osez...

SCÈNE VII

MONSIEUR et MADAME DE SOTENVILLE, COLIN, CLAUDINE, ANGÉLIQUE, GEORGE DANDIN

Monsieur et Madame de Sotenville sont en habits de nuit, et conduits par Colin qui porte une lanterne.

ANGÉLIQUE : Approchez, de grâce, et venez me faire raison de l'insolence la plus grande du monde d'un mari à qui le vin et la jalousie ont troublé de telle sorte la cervelle, qu'il ne sait plus ni ce qu'il dit ni ce qu'il fait, et vous a lui-même envoyé querir pour vous faire témoins de l'extravagance la plus étrange dont on ait jamais ouï parler. Le voilà qui revient comme vous voyez, après s'être fait attendre toute la nuit ; et, si vous voulez l'écouter, il vous dira qu'il a les plus grandes plaintes du monde à vous faire de moi ; que durant qu'il dormait, je me suis dérobée d'auprès de lui pour m'en aller courir, et cent autres contes de même nature qu'il est allé rêver.

GEORGE DANDIN : Voilà une méchante carogne.

CLAUDINE : Oui, il nous a voulu faire accroire qu'il était dans la maison, et que nous en étions dehors, et c'est une folie qu'il n'y a pas moyen de lui ôter de la tête.

MONSIEUR DE SOTENVILLE : Comment, qu'est-ce à dire cela ?

MADAME DE SOTENVILLE : Voilà une furieuse impudence que de nous envoyer querir.

GEORGE DANDIN : Jamais...

ANGÉLIQUE : Non, mon père, je ne puis plus souffrir un mari de la sorte. Ma patience est poussée à bout, et il vient de me dire cent paroles injurieuses.

MONSIEUR DE SOTENVILLE : Corbleu ! vous êtes un malhonnête homme.

ANGÉLIQUE : C'est une conscience de voir une pauvre jeune femme traitée de la façon, et cela crie vengeance au Ciel.

GEORGE DANDIN : Peut-on... ?

MADAME DE SOTENVILLE : Allez, vous devriez mourir de honte.

GEORGE DANDIN : Laissez-moi vous dire deux mots.

ANGÉLIQUE : Vous n'avez qu'à l'écouter, il va vous en conter de belles.

GEORGE DANDIN : Je désespère.

CLAUDINE : Il a tant bu, que je ne pense pas qu'on puisse durer contre lui, et l'odeur du vin qu'il souffle est montée jusqu'à nous.

GEORGE DANDIN : Monsieur mon beau-père, je vous conjure...

MONSIEUR DE SOTENVILLE : Retirez-vous : vous puez le vin à pleine bouche.

GEORGE DANDIN : Madame, je vous prie...

MADAME DE SOTENVILLE : Fi! ne m'approchez pas : votre haleine est empestée.

GEORGE DANDIN : Souffrez que je vous...

MONSIEUR DE SOTENVILLE : Retirez-vous, vous dis-je : on ne peut vous souffrir.

GEORGE DANDIN : Permettez, de grâce, que...

MADAME DE SOTENVILLE : Poua! vous m'engloutissez le cœur [1]. Parlez de loin, si vous voulez.

GEORGE DANDIN : Hé bien oui, je parle de loin. Je vous jure que je n'ai bougé de chez moi, et que c'est elle qui est sortie.

ANGÉLIQUE : Ne voilà pas ce que je vous ai dit ?

CLAUDINE : Vous voyez quelle apparence il y a.

MONSIEUR DE SOTENVILLE : Allez, vous vous moquez des gens. Descendez, ma fille, et venez ici.

GEORGE DANDIN : J'atteste le Ciel que j'étais dans la maison, et que...

MADAME DE SOTENVILLE : Taisez-vous, c'est une extravagance qui n'est pas supportable.

GEORGE DANDIN : Que la foudre m'écrase tout à l'heure si... !

MONSIEUR DE SOTENVILLE : Ne nous rompez pas davantage la tête, et songez à demander pardon à votre femme.

GEORGE DANDIN : Moi, demander pardon?

MONSIEUR DE SOTENVILLE : Oui, pardon, et sur-le-champ.

GEORGE DANDIN : Quoi? je...

MONSIEUR DE SOTENVILLE : Corbleu! si vous me répliquez, je vous apprendrai ce que c'est que de vous jouer à nous.

GEORGE DANDIN : Ah! George Dandin!

MONSIEUR DE SOTENVILLE : Allons, venez, ma fille, que votre mari vous demande pardon.

ANGÉLIQUE, *descendue :* Moi? lui pardonner tout ce qu'il m'a dit? Non, non, mon père, il m'est impossible de m'y résoudre, et je vous prie de me séparer d'un mari avec lequel je ne saurais plus vivre.

CLAUDINE : Le moyen d'y résister?

MONSIEUR DE SOTENVILLE : Ma fille, de semblables séparations ne se font point sans grand scandale, et vous devez vous montrer plus sage que lui, et patienter encore cette fois.

ANGÉLIQUE : Comment patienter après de telles indignités? Non, mon père, c'est une chose où je ne puis consentir.

MONSIEUR DE SOTENVILLE : Il le faut, ma fille, et c'est moi qui vous le commande.

ANGÉLIQUE : Ce mot me ferme la bouche, et vous avez sur moi une puissance absolue.

CLAUDINE : Quelle douceur!

ANGÉLIQUE : Il est fâcheux d'être contrainte d'oublier de telles injures ; mais quelle violence que je me fasse, c'est à moi de vous obéir.

CLAUDINE : Pauvre mouton!

MONSIEUR DE SOTENVILLE : Approchez.

ANGÉLIQUE : Tout ce que vous me faites faire ne servira de rien, et vous verrez que ce sera dès demain à recommencer.

MONSIEUR DE SOTENVILLE : Nous y donnerons ordre. Allons, mettez-vous à genoux.

GEORGE DANDIN : A genoux?

MONSIEUR DE SOTENVILLE : Oui, à genoux [1], et sans tarder.

GEORGE DANDIN. *Il se met à genoux :* Ô Ciel! Que faut-il dire ?

MONSIEUR DE SOTENVILLE : « Madame, je vous prie de me pardonner. »

GEORGE DANDIN : « Madame, je vous prie de me pardonner. »

MONSIEUR DE SOTENVILLE : « L'extravagance que j'ai faite. »

GEORGE DANDIN : « L'extravagance que j'ai faite » (*à part*) de vous épouser.

MONSIEUR DE SOTENVILLE : « Et je vous promets de mieux vivre à l'avenir. »

GEORGE DANDIN : « Et je vous promets de mieux vivre à l'avenir. »

MONSIEUR DE SOTENVILLE : Prenez-y garde, et sachez que c'est ici la dernière de vos impertinences que nous souffrirons.

MADAME DE SOTENVILLE : Jour de Dieu! si vous y retournez, on vous apprendra le respect que vous devez à votre femme, et à ceux de qui elle sort.

MONSIEUR DE SOTENVILLE : Voilà le jour qui va paraître. Adieu. Rentrez chez vous, et songez bien à être sage. Et nous, mamour, allons nous mettre au lit.

SCÈNE VIII

GEORGE DANDIN

Ah! je le quitte [1] maintenant, et je n'y vois plus de remède ; lorsqu'on a, comme moi, épousé une méchante femme, le meilleur parti qu'on puisse prendre, c'est de s'aller jeter dans l'eau la tête la première.

L'AVARE

COMÉDIE

Par J-B. P. MOLIÈRE.

A PARIS
Chez JEAN RIBOU, au Palais, vis-à-vis
la Porte de l'Église de la Sainte-Chapelle,
à l'image Saint Louis.

M. DC. LXIX

AVEC PRIVILÈGE DU ROI

L'AVARE

COMÉDIE

Par J-B. P. de MOLIÈRE.

Représentée pour la première fois à Paris,
sur le Théâtre du Palais-Royal,
le 9 du mois de septembre 1668
par la Troupe du Roi.

NOTICE

L'Avare *a été joué pour la première fois le 9 septembre 1668 au Palais-Royal. Succès médiocre attesté par une recette de 1 069 livres* (*première de* L'École des femmes, *1 518 livres ; de* Dom Juan, *1 830 livres ; du* Tartuffe, *2 860 livres ; du* Misanthrope, *1 447 livres ; d'*Amphitryon, *1 668 livres*).

Tout de suite L'Avare *est donné en alternance avec des pièces anciennes :* Amphitryon, Le Médecin malgré lui. *Après la neuvième représentation, il ne reparaît plus jusqu'au 14 décembre ; il est alors accompagné d'une farce,* Le Fin Lourdaud, *jusqu'à la fin de l'année. Une nouvelle série de représentations du 15 au 22 janvier produit des recettes médiocres.*

Vient ensuite Le Tartuffe *enfin joué librement* (*5 février 1669*) *avec un succès énorme.* L'Avare *ne reparaîtra qu'à la fin de mai avec des recettes très faibles : une représentation en mai, une en juin, trois en juillet, deux en août 1669 ; six pendant l'année 1670 ; six encore en 1671 ; huit en 1672.*

Que le public ait boudé L'Avare *est donc bien certain ; il faut, bon gré mal gré, que les moliéristes en prennent leur parti. On a donné comme explication que l'emploi de la prose pour une grande comédie en cinq actes a choqué, comme contraire aux usages. L'explication a tout de suite transparu dans le compte rendu, quant au reste fort élogieux, de Robinet :*

Il parle en prose, et non en vers ;
Mais, nonobstant les goûts divers,
Cette prose est si théâtrale
Qu'en douceur les vers elle égale.

Elle a été reprise par Grimarest.

Il ne faut pas se hâter de la rejeter. Elle ne suffit pas ? Peut-être. Nous songerions volontiers à en ajouter une autre : Molière se faisait à lui-même une dure concurrence. Il venait de donner en fort peu de temps : Amphitryon, *janvier 1668 ;* George Dandin, *juillet 1668 ;* Le Misanthrope *n'était pas si ancien, juin 1666. Une réaction du public contre un auteur qui a tant de succès peut tenir du caprice, et en quelque sorte du dépit amoureux, beaucoup plus que de la raison.*

D'autre part, lorsque Le Tartuffe *parut, comment n'aurait-il pas chassé* L'Avare? *Entendons-nous : il ne s'agit pas de classer ces deux pièces suivant un ordre de mérite, mais de constater qu'entre une comédie qui ne soulève pas les passions,* L'Avare, *et* Le Tartuffe *si combattu, qui bénéficiait d'une telle attente et d'une réputation maléfique, le public ne pouvait pas hésiter. Molière ne pouvait pas hésiter non plus devant l'occasion de jouer enfin l'œuvre si longtemps retenue. Et une fois* Le Tartuffe *apparu, il était trop tard pour remonter le courant de défaveur qui s'était établi contre* L'Avare.

La pièce fut publiée en 1669.

Quant à la source de L'Avare, *l'une est essentielle et indiscutable,* L'Aululaire *de Plaute. L'abbé de Marolles a imprimé assez peu de temps auparavant (1658) la première traduction française de Plaute, avec le texte latin en regard.* L'Aululaire *y figure sous le titre* L'Avaricieux, *mais avec le supplément par lequel un humaniste, Urceus Codrus, a complété la pièce antique qui, comme on sait, nous est parvenue mutilée. Molière nous paraît avoir utilisé cette édition-là, qui lui fournissait le nom de son héros, Harpagon. A Plaute, Molière a demandé l'essentiel de la personnalité de son avare : Harpagon est un nom d'injure à l'intention des maîtres rapaces ; cela n'a pas été noté à notre connaissance, ce qui surprend. Il lui a demandé beaucoup de la personnalité de l'avare Euclio ; l'idée d'un magot caché puis volé ; l'idée du* sans dot, *très fruste encore chez Plaute ; le monologue de l'avare volé ; le quiproquo entre l'avare qui croit qu'on lui parle du vol de sa marmite d'or et l'amant qui parle du rapt de la fille.*

On a cité aussi La Belle Plaideuse *de Boisrobert* (*1655*). *Molière l'a certainement lue : la rencontre entre le père usurier et le fils emprunteur est dans* La Belle Plaideuse *et aussi l'idée, à propos d'un autre usurier et non du père, de fournir en marchandises invendables une partie de la somme prêtée. D'autres dettes de Molière ? un acte de* La Belle Plaideuse *se passe à la foire où Harpagon fera conduire sa maîtresse ; les chevaux d'Harpagon sont à bout de souffle, ceux que vend l'avare dans* La Belle Plaideuse *sont des rosses. C'est à peu près tout et cela ne tire guère à conséquence.*

A été citée encore une comédie que son auteur, Chappuzeau, a intitulée d'abord L'Avare dupé ou L'Homme de paille, *puis* La Dame d'intrigue. *On y trouve certes un ballot précieux, qui est dérobé à l'avare et lui est ensuite rendu à condition qu'il donne sa fille au soupirant. On y voit aussi une « dame d'intrigue », Ruffine, qui réussit à se faire aimer de l'avare, à pénétrer chez lui et qui collabore au vol du magot. Mais l'avare Crispin est bien différent d'Harpagon : il commande pour faire souper sa maîtresse un dindon et deux poulets et la servante observe :*

Dès qu'on est amoureux, on cesse d'être avare :
Il n'est entré poulet ici depuis dix ans.

Que Molière se soit souvenu de La Dame d'intrigue *me paraît mal établi ; plus mal établi encore qu'il ait eu besoin de lire* Le Docteur amoureux *de Le Vert pour imaginer un amant qui se déguise en domestique afin d'approcher sa maîtresse.*

On a pensé aussi que Molière avait pu s'inspirer pour divers lazzis de la commedia dell'arte. *Un comédien italien du XVIII*[e] *siècle, Riccoboni, en a établi un relevé : par exemple, une somme prêtée par le Docteur usurier à Pantalon est comptée partie en argent, partie en vieilles hardes ou choses extravagantes, la barbe d'Aristote ou la ceinture de Vulcain. Ou encore Scapin donne à Flaminia le diamant que porte au doigt Pantalon, en l'assurant que le vieux Pantalon lui en fait cadeau et Pantalon n'ose pas dire le contraire. Ou encore le Docteur et Pantalon sont rivaux ; ils en viennent aux mains, Scapin s'interpose, les interroge séparément, fait croire à chacun que l'autre lui cède sa maîtresse. Mais si Molière a imité les Italiens à bien des occasions, il n'est pas exclu que les Italiens aient aussi fait leur profit de lazzis qu'ils avaient trouvés chez Molière. Pour* L'Avare, *en l'état actuel de nos connaissances, on ne sait pas dans quel sens s'est exercée l'imitation, si imitation il y eu.*

Disons que L'Avare *a été construit à partir de* L'Aululaire *avec toute une expérience théâtrale. Avec une expérience humaine aussi : la déconfiture de* L'Illustre-Théâtre *a valu à Molière la prison pour dettes, et des procès interminables : en 1666 encore, il était condamné à régler une dette contractée en 1646. On peut bien penser que pendant qu'il se débattait avec le marchand de bois, le chandelier, le charpentier, le propriétaire du jeu de paume et même avec son propre portier — et il devait avoir bien d'autres créanciers que nous ne connaissons pas —, Molière avait désespérément cherché de l'argent frais, pour éteindre les plus criardes de ses dettes. Il devait y avoir gagné une expérience directe des usuriers ; l'idée de verser une partie de la somme prêtée en nature sous forme d'un luth garni de ses cordes ou peu s'en faut et d'un crocodile empaillé vient de* La Belle Plaideuse, *croit-on. C'est bien possible ; mais qui sait si à Molière n'ont pas été quelque jour présentés de pareils contrats léonins ? Qui dira aussi quels avares il a pu côtoyer au cours de son existence ? Nul doute que nous échappent, pour toujours, bien des éléments qui venant de la vie ont été transposés dans* L'Avare *et lui donnent sa profondeur humaine.*

Au centre de la pièce, en effet, Harpagon est l'une des plus puissantes et des plus pénétrantes créations de Molière. Tous les détails comptent pour donner un portrait d'un étonnant relief. Un homme d'âge, cinquante ans au moins, cela met, au XVIIe siècle, dans la catégorie des barbons. Son costume le vieillit encore, et annonce le caractère : habit noir pauvre, « prisé vingt livres » (mettons 20 000 anciens francs). Les détails vestimentaires même ont leur signification. Au XVIIe siècle, on attache normalement les hauts-de-chausses avec des lacets terminés par des ferrets, les aiguillettes, mais l'usage s'était établi de remplacer les lacets par des rubans, ou de les dissimuler par des flots de rubans : Harpagon est resté fidèle aux ferrets, c'est plus économique. Au lieu d'un rabat de lingerie brodée ou de dentelles, comme son fils, comme tout le monde, il porte une manière de collerette, la fraise qui le fait ressembler aux contemporains du roi Henri IV. Ajoutons des lunettes, et c'est, pour les gens du XVIIe siècle, le comble de la décrépitude.

La maladie le vieillit encore : une « fluxion » provoque une quinte de toux ; c'est « la grosse toux » avec « mille tintouins » dont l'oreille cornait à Molière, selon Élomire hypocondre. *De sa maladie, Molière, qui n'avait plus que quatre ans à vivre, a fait un trait de son personnage.*

Rongé par une maladie du corps, qui pourrait bien être la tuberculose qu'on diagnostique et qu'on soigne alors très mal, Harpagon l'est aussi par une maladie de l'âme qui a pris la double forme de la lésine, c'est-à-dire d'une économie sordide et ingénieuse, et de l'avidité, de l'âpreté à s'enrichir par l'usure. Harpagon est à la fois ladre et usurier. Ladre, il rogne sur les dépenses normales de la maison, sur la chandelle, la nourriture des domestiques, leurs livrées, l'avoine des chevaux, sur l'entretien de son fils obligé d'emprunter à un taux usuraire. L'amour ne l'humanise pas : il reste ladre dans la rétribution de l'entremetteuse comme dans les cadeaux indispensables à sa fiancée.

Usurier, il a des rabatteurs, qui dirigent sur lui les emprunteurs, et qui l'informent de leurs capacités de paiement. Harpagon pourra ainsi les pressurer avec une rigueur méthodique. On peut croire un instant qu'il se contentera de 5,5 % d'intérêt, ce qui serait plus que raisonnable. Point du tout : il est, dit-il, obligé d'emprunter lui-même cet argent, d'où intérêt supplémentaire qui déjà fait monter le taux à 25 %. Troisième temps de l'opération, une partie de la somme sera fournie en nature, en marchandises sans valeur. Sans doute, les rachètera-t-il sous main, à vil prix. Le débiteur aura emprunté à 40 % environ : c'est un écorchement.

La déformation professionnelle de l'usurier est profonde. Il lui suffit de voir son fils décemment vêtu pour évaluer ses rubans et dire quel intérêt, à tel taux, on tirerait de cette somme. Calcul automatique et instantané ; difficile pourtant à une époque où le système monétaire était complexe. L'usurier s'est transformé en une machine à calculer.

L'attention portée aux calculs d'intérêts, le démontage de l'implacable engrenage de l'usure, les énumérations et appréciations de vieilleries, tapisserie démodée, mousquets hors d'usage, crocodile empaillé, tout cela compose l'atmosphère renfermée, poussiéreuse, sordide, que saura bien reconstituer aussi un autre connaisseur en matière de brocante et d'argent, Balzac : même climat de réalisme, nourri par des expériences humaines semblables, dans une société qui, du XVIIe *au* XIXe *siècle, n'avait guère changé de structures sociales et économiques.*

Atmosphère poussiéreuse, atmosphère corrosive aussi. L'avarice oppose occasionnellement le père usurier au fils emprunteur ; surtout, elle a détruit définitivement les sentiments les plus normaux. Elle a détruit l'amour filial : Cléante, pour fournir aux prêteurs une garantie, fait valoir la caducité de son père : « Il s'obligera, [il s'engagera] si vous voulez, que son père mourra avant qu'il soit huit mois. » Elle a détruit l'amour paternel : « Vous mettez en terre et vos enfants, et les enfants de vos enfants, dit Frosine. — Tant mieux », répond l'Avare. Elle a détruit l'amour : Mariane épousera le moins appétissant des barbons pour se tirer de la misère et en tirer sa mère. A cet acte, dont on ne sait s'il est vilenie ou héroïsme, l'entremetteuse l'encourage, en même temps qu'elle la console: « Vous ne l'épousez qu'aux conditions de vous laisser veuve bientôt; et ce doit être là un des articles du contrat. Il serait bien impertinent de ne pas mourir dans trois mois. » Comme on a prisé des hardes et calculé des intérêts, on évalue des durées de survie : on accorde à Harpagon huit mois, ou trois mois ; lui-même s'accorde l'éternité. La pièce est ainsi jalonnée de mots féroces. Cela pue à la fois l'argent et le cadavre.

Arrive le dénouement, hâtif, par le vieux procédé de la croix de ma mère. Il amène reconnaissances et mariages. S'agissant d'Harpagon, il ne saurait rien changer. Jusqu'au bout, il calcule, exigeant qu'on lui fasse pour la noce un habit neuf. Après quoi, il s'en va, lui aussi, à ses amours. Il retrouvera sa chère cassette : à chacun son bonheur, authentique ou dérisoire. On notera que la pièce se termine véritablement par ces retrouvailles d'un homme et d'une cassette, et que le dernier mot est cassette. On se tromperait gravement en pensant que cette cassette n'est qu'un accessoire. Cette petite cassette grise, qui contient une somme difficile à évaluer, quelque trente millions d'anciens francs peut-être, est le personnage central. Enterrée dans le jardin, dérobée, restituée, tout a tourné autour d'elle ; on peut songer à la chanson « il court, il court, le furet du bois, Mesdames » ; on peut songer à la poursuite du Chapeau de paille d'Italie dans Labiche : cela ne rend compte que de la fonction de la cassette dans l'intrigue. Il faut se dire que surtout elle symbolise toute la déchéance d'une âme; elle est l'âme, elle est le cœur d'Harpagon ; elle est son vice, et sa malédiction.

La vieillesse est un naufrage, a-t-on dit. Qui voudrait aller au fond des choses pourrait se demander si Harpagon n'essaie pas de se raccrocher à l'argent, si l'avarice n'est pas l'affreuse compensation que s'est donnée un homme à qui la vie échappe ; on pourrait trouver dans son avarice quelque chose de pitoyable et de pathétique en même temps. Molière n'est pas allé jusque-là : à son *avare, il n'accorde ni pitié ni circonstances atténuantes. Il a brimé des êtres jeunes, ce que Molière ne pardonne pas.*

Qui plus est, on peut bien craindre qu'à travers le personnage d'Harpagon ne s'exprime une vue impitoyable de l'homme. Molière a fait la même découverte que La Rochefoucauld : l'homme est mené par l'amour-propre, « c'est-à-dire l'amour de soi et de toutes choses pour soi ». A cette vue pessimiste, Molière va-t-il s'arrêter ? On pourrait le craindre.

Découvrir que chez certains êtres une machine à calculer et un coffre-fort peuvent remplacer une cervelle et un cœur et procurer un étrange bonheur, cela mène loin dans la connaissance des êtres, mais n'a pas de quoi réjouir et ne ferait pas une comédie. Heureusement, L'Avare *comporte d'autres éléments : des lazzis, ainsi Harpagon se prenant lui-même par le bras pour s'arrêter, des mots à la fois comiques et pénétrants, ainsi le « sans dot », apportent le rire. Surtout les délicatesses de l'amour fraternel, les tendresses de l'amour donnent de l'humanité à une pièce qui pourrait être tout entière grinçante. Il y a, chez Molière, une irrépressible joie de vivre. Rarement, il en a eu autant besoin.*

L'AVARE

Comédie

ACTEURS

HARPAGON [1], père de Cléante et d'Élise, et amoureux de Mariane.
CLÉANTE, fils d'Harpagon, amant de Mariane.
ÉLISE, fille d'Harpagon, amante de Valère.
VALÈRE, fils d'Anselme, et amant d'Élise.
MARIANE, amante de Cléante, et aimée d'Harpagon.
ANSELME, père de Valère et de Mariane.
FROSINE, femme d'intrigue.
MAITRE SIMON, courtier.
MAITRE JACQUES, cuisinier et cocher d'Harpagon.
LA FLÈCHE [2], valet de Cléante.
DAME CLAUDE, servante d'Harpagon.
BRINDAVOINE } laquais d'Harpagon.
LA MERLUCHE }
LE COMMISSAIRE ET SON CLERC.

La scène est à Paris [3].

ACTE PREMIER

SCÈNE PREMIÈRE

VALÈRE, ÉLISE

VALÈRE : Hé quoi? charmante Élise, vous devenez mélancolique, après les obligeantes assurances que vous avez eu la bonté de me donner de votre foi? Je vous vois soupirer, hélas! au milieu de ma joie! Est-ce du regret, dites-moi, de m'avoir fait heureux, et vous repentez-vous de cet engagement [1] où mes feux ont pu vous contraindre?

ÉLISE : Non, Valère, je ne puis pas me repentir de tout ce que je fais pour vous. Je m'y sens entraînée par une trop douce puissance, et je n'ai pas même la force de souhaiter que les choses ne fussent pas. Mais, à vous dire vrai, le succès [2] me donne de l'inquiétude ; et je crains fort de vous aimer un peu plus que je ne devrais.

VALÈRE : Hé! que pouvez-vous craindre, Élise, dans les bontés que vous avez pour moi?

ÉLISE : Hélas! cent choses à la fois : l'emportement d'un père, les reproches d'une famille, les censures du monde ; mais plus que tout, Valère, le changement de votre cœur, et cette froideur criminelle dont ceux de votre sexe payent le plus souvent les témoignages trop ardents d'une innocente amour.

VALÈRE : Ah! ne me faites pas ce tort, de juger de moi par les autres. Soupçonnez-moi de tout, Élise, plutôt que de manquer à ce que je vous dois : je vous aime trop pour cela, et mon amour pour vous durera autant que ma vie.

ÉLISE : Ah! Valère, chacun tient les mêmes discours.

Tous les hommes sont semblables par les paroles ; et ce n'est que les actions qui les découvrent différents [1].

VALÈRE : Puisque les seules actions font connaître ce que nous sommes, attendez donc au moins à juger de mon cœur par elles, et ne me cherchez point des crimes dans les injustes craintes d'une fâcheuse prévoyance. Ne m'assassinez point, je vous prie, par les sensibles coups d'un soupçon outrageux, et donnez-moi le temps de vous convaincre, par mille et mille preuves, de l'honnêteté de mes feux.

ÉLISE : Hélas! qu'avec facilité on se laisse persuader par les personnes que l'on aime! Oui, Valère, je tiens votre cœur incapable de m'abuser. Je crois que vous m'aimez d'un véritable amour, et que vous me serez fidèle ; je n'en veux point du tout douter, et je retranche mon chagrin aux appréhensions du blâme qu'on pourra me donner [2].

VALÈRE : Mais pourquoi cette inquiétude?

ÉLISE : Je n'aurais rien à craindre, si tout le monde vous voyait des yeux dont je vous vois, et je trouve en votre personne de quoi avoir raison aux choses [3] que je fais pour vous. Mon cœur, pour sa défense, a tout votre mérite, appuyé du secours d'une reconnaissance où le Ciel m'engage envers vous. Je me représente à toute heure ce péril étonnant qui commença de nous offrir aux regards l'un de l'autre ; cette générosité surprenante qui vous fit risquer votre vie, pour dérober la mienne à la fureur des ondes ; ces soins pleins de tendresse que vous me fîtes éclater après m'avoir tirée de l'eau, et les hommages assidus de cet ardent amour que ni le temps ni les difficultés n'ont rebuté, et qui, vous faisant négliger et parents et patrie, arrête vos pas en ces lieux, y tient en ma faveur votre fortune déguisée, et vous a réduit, pour me voir, à vous revêtir de l'emploi de domestique [4] de mon père. Tout cela fait chez moi sans doute un merveilleux effet ; et c'en est assez à mes yeux pour me justifier l'engagement où j'ai pu consentir ; mais ce n'est pas assez peut-être pour le justifier aux autres, et je ne suis pas sûre qu'on entre dans mes sentiments.

VALÈRE : De tout ce que vous avez dit, ce n'est que par mon seul amour que je prétends auprès de vous mériter quelque chose ; et quant aux scrupules que vous avez, votre père lui-même ne prend que trop de soin de vous justifier à tout le monde ; et l'excès de son avarice, et la manière austère dont il vit avec ses enfants pourraient autoriser des choses plus étranges. Pardonnez-moi, charmante Élise, si j'en parle ainsi devant vous. Vous savez que sur ce chapitre on n'en peut pas dire de bien. Mais enfin, si je puis, comme je l'espère, retrouver mes parents, nous n'aurons pas beaucoup de peine à nous le rendre favorable. J'en attends des nouvelles avec impatience, et j'en irai chercher moi-même, si elles tardent à venir.

ÉLISE : Ah! Valère, ne bougez d'ici, je vous prie ; et songez seulement à vous bien mettre dans l'esprit de mon père.

VALÈRE : Vous voyez comme je m'y prends, et les adroites complaisances qu'il m'a fallu mettre en usage pour m'introduire à son service ; sous quel masque de sympathie et de rapports de sentiments je me déguise pour lui plaire, et quel personnage je joue tous les jours avec lui, afin d'acquérir sa tendresse. J'y fais des progrès admirables ; et j'éprouve que pour gagner les hommes, il n'est point de meilleure voie que de se parer à leurs yeux de leurs inclinations, que de donner dans leurs maximes, encenser leurs défauts, et applaudir à ce qu'ils font. On n'a que faire d'avoir peur de trop charger [1] la complaisance ; et la manière dont on les joue a beau être visible, les plus fins toujours sont de grandes dupes du côté de la flatterie ; et il n'y a rien de si impertinent et de si ridicule qu'on ne fasse avaler lorsqu'on l'assaisonne en louange. La sincérité souffre un peu au métier que je fais ; mais quand on a besoin des hommes, il faut bien s'ajuster à eux ; et puisqu'on ne saurait les gagner que par-là, ce n'est pas la faute de ceux qui flattent, mais de ceux qui veulent être flattés.

ÉLISE : Mais que ne tâchez-vous aussi à gagner l'appui de mon frère, en cas que la servante [2] s'avisât de révéler notre secret ?

VALÈRE : On ne peut pas ménager l'un et l'autre ; et l'esprit du père et celui du fils sont des choses si opposées, qu'il est difficile d'accommoder ces deux confidences ensemble. Mais vous, de votre part, agissez auprès de votre frère, et servez-vous de l'amitié qui est entre vous deux pour le jeter dans nos intérêts. Il vient, je me retire. Prenez ce temps pour lui parler ; et ne lui découvrez de notre affaire que ce que vous jugerez à propos.

ÉLISE : Je ne sais si j'aurai la force de lui faire cette confidence.

SCÈNE II

CLÉANTE, ÉLISE

CLÉANTE : Je suis bien aise de vous trouver seule, ma sœur ; et je brûlais de vous parler, pour m'ouvrir à vous d'un secret.

ÉLISE : Me voilà prête à vous ouïr, mon frère. Qu'avez-vous à me dire ?

CLÉANTE : Bien des choses, ma sœur, enveloppées dans un mot : j'aime.

ÉLISE : Vous aimez?

CLÉANTE : Oui, j'aime. Mais avant que d'aller plus loin, je sais que je dépends d'un père, et que le nom de fils me soumet à ses volontés ; que nous ne devons point engager notre foi sans le consentement de ceux dont nous tenons le jour ; que le Ciel les a faits les maîtres de nos vœux, et qu'il nous est enjoint de n'en disposer que par leur conduite [1], que n'étant prévenus [2] d'aucune folle ardeur, ils sont en état de se tromper bien moins que nous, et de voir beaucoup mieux ce qui nous est propre ; qu'il en faut plutôt croire les lumières de leur prudence que l'aveuglement de notre passion ; et que l'emportement de la jeunesse nous entraîne le plus souvent dans des précipices fâcheux. Je vous dis tout cela, ma sœur, afin que vous ne vous donniez pas la peine de me le dire ; car enfin mon amour ne veut rien écouter, et je vous prie de ne me point faire de remontrances.

ÉLISE : Vous êtes-vous engagé, mon frère, avec celle que vous aimez ?

CLÉANTE : Non, mais j'y suis résolu ; et je vous conjure encore une fois de ne me point apporter de raisons pour m'en dissuader.

ÉLISE : Suis-je, mon frère, une si étrange personne ?

CLÉANTE : Non, ma sœur ; mais vous n'aimez pas : vous ignorez la douce violence qu'un tendre amour fait sur nos cœurs, et j'appréhende votre sagesse.

ÉLISE : Hélas ! mon frère, ne parlons point de ma sagesse. Il n'est personne qui n'en manque, du moins une fois en sa vie ! et si je vous ouvre mon cœur, peut-être serai-je à vos yeux bien moins sage que vous.

CLÉANTE : Ah ! plût au Ciel que votre âme, comme la mienne...

ÉLISE : Finissons auparavant votre affaire, et me dites qui est celle que vous aimez.

CLÉANTE : Une jeune personne qui loge depuis peu en ces quartiers, et qui semble être faite pour donner de l'amour à tous ceux qui la voient. La nature, ma sœur, n'a rien formé de plus aimable ; et je me sentis transporté dès le moment que je la vis. Elle se nomme Mariane, et vit sous la conduite d'une bonne femme [1] de mère, qui est presque toujours malade, et pour qui cette aimable fille a des sentiments d'amitié qui ne sont pas imaginables. Elle la sert, la plaint, et la console avec une tendresse qui vous toucherait l'âme. Elle se prend d'un air le plus charmant du monde aux choses qu'elle fait, et l'on voit briller mille grâces en toutes ses actions : une douceur pleine d'attraits, une bonté tout engageante, une honnêteté adorable, une... Ah ! ma sœur, je voudrais que vous l'eussiez vue.

ÉLISE : J'en vois beaucoup, mon frère, dans les choses que vous me dites ; et pour comprendre ce qu'elle est, il me suffit que vous l'aimez.

CLÉANTE : J'ai découvert sous main qu'elles ne sont pas fort accommodées [2], et que leur discrète conduite a de la peine à étendre à tous leurs besoins le bien qu'elles peuvent avoir. Figurez-vous, ma sœur, quelle joie ce peut être que de relever la fortune d'une personne que l'on aime ; que de donner adroitement quelques petits secours aux modestes nécessités d'une vertueuse famille ; et concevez quel déplaisir ce m'est de voir que, par l'avarice d'un père, je sois dans l'impuissance de goûter cette joie, et de faire éclater à cette belle aucun témoignage de mon amour.

ÉLISE : Oui, je conçois assez, mon frère, quel doit être votre chagrin.

CLÉANTE : Ah! ma sœur, il est plus grand qu'on ne peut croire. Car enfin peut-on rien voir de plus cruel que cette rigoureuse épargne qu'on exerce sur nous, que cette sécheresse étrange où l'on nous fait languir? Et que nous servira d'avoir du bien, s'il ne nous vient que dans le temps que nous ne serons plus dans le bel âge d'en jouir, et si pour m'entretenir même, il faut que maintenant je m'engage [1] de tous côtés, si je suis réduit avec vous à chercher tous les jours le secours des marchands, pour avoir moyen de porter des habits raisonnables? Enfin j'ai voulu vous parler, pour m'aider à sonder mon père sur les sentiments où je suis ; et si je l'y trouve contraire, j'ai résolu d'aller en d'autres lieux, avec cette aimable personne, jouir de la fortune que le Ciel voudra nous offrir. Je fais chercher partout pour ce dessein de l'argent à emprunter ; et si vos affaires, ma sœur, sont semblables aux miennes, et qu'il faille que notre père s'oppose à nos désirs, nous le quitterons là tous deux et nous affranchirons de cette tyrannie où nous tient depuis si longtemps son avarice insupportable.

ÉLISE : Il est bien vrai que, tous les jours, il nous donne de plus en plus sujet de regretter la mort de notre mère, et que...

CLÉANTE : J'entends sa voix. Éloignons-nous un peu, pour nous achever notre confidence ; et nous joindrons après nos forces pour venir attaquer la dureté de son humeur.

SCÈNE III

HARPAGON, LA FLÈCHE

HARPAGON : Hors d'ici tout à l'heure, et qu'on ne réplique pas. Allons, que l'on détale de chez moi, maître juré filou, vrai gibier de potence [1].

LA FLÈCHE : Je n'ai jamais rien vu de si méchant que ce maudit vieillard et je pense, sauf correction [2], qu'il a le diable au corps.

HARPAGON : Tu murmures entre tes dents.

LA FLÈCHE : Pourquoi me chassez-vous ?

HARPAGON : C'est bien à toi, pendard, à me demander des raisons ; sors vite, que je ne t'assomme.

LA FLÈCHE : Qu'est-ce que je vous ai fait ?

HARPAGON : Tu m'as fait que je veux que tu sortes.

LA FLÈCHE : Mon maître, votre fils, m'a donné ordre de l'attendre.

HARPAGON : Va-t'en l'attendre dans la rue, et ne sois point dans ma maison planté tout droit comme un piquet, à observer ce qui se passe, et faire ton profit de tout. Je ne veux point avoir sans cesse devant moi un espion de mes affaires, un traître, dont les yeux maudits assiègent toutes mes actions, dévorent ce que je possède, et furètent de tous côtés pour voir s'il n'y a rien à voler.

LA FLÈCHE : Comment diantre voulez-vous qu'on fasse pour vous voler ? Êtes-vous un homme volable, quand vous renfermez toutes choses, et faites sentinelle jour et nuit ?

HARPAGON : Je veux renfermer ce que bon me semble, et faire sentinelle comme il me plaît. Ne voilà pas de mes mouchards, qui prennent garde à ce qu'on fait ? Je tremble qu'il n'ait soupçonné quelque chose de mon argent. Ne serais-tu point homme à aller faire courir le bruit que j'ai chez moi de l'argent caché ?

LA FLÈCHE : Vous avez de l'argent caché ?

HARPAGON : Non, coquin, je ne dis pas cela. (*A part.*)

J'enrage. Je demande si malicieusement tu n'irais point faire courir le bruit que j'en ai.

LA FLÈCHE : Hé! que nous importe que vous en ayez ou que vous n'en ayez pas, si c'est pour nous la même chose?

HARPAGON : Tu fais le raisonneur. Je te baillerai de ce raisonnement-ci par les oreilles. (*Il lève la main pour lui donner un soufflet.*) Sors d'ici, encore une fois.

LA FLÈCHE : Hé bien! je sors.

HARPAGON : Attends. Ne m'emportes-tu rien?

LA FLÈCHE : Que vous emporterais-je?

HARPAGON : Viens çà, que je voie. Montre-moi tes mains.

LA FLÈCHE : Les voilà.

HARPAGON : Les autres [1].

LA FLÈCHE : Les autres?

HARPAGON : Oui.

LA FLÈCHE : Les voilà.

HARPAGON : N'as-tu rien mis ici dedans?

LA FLÈCHE : Voyez vous-même.

HARPAGON. *Il tâte le bas de ses chausses :* Ces grands hauts-de-chausses sont propres à devenir les receleurs des choses qu'on dérobe ; et je voudrais qu'on en eût fait pendre quelqu'un.

LA FLÈCHE : Ah! qu'un homme comme cela mériterait bien ce qu'il craint! et que j'aurais de joie à le voler!

HARPAGON : Euh?

LA FLÈCHE : Quoi?

HARPAGON : Qu'est-ce que tu parles de voler?

LA FLÈCHE : Je dis que vous fouillez bien partout, pour voir si je vous ai volé.

HARPAGON : C'est ce que je veux faire.

Il fouille dans les poches de La Flèche.

LA FLÈCHE : La peste soit de l'avarice et des avaricieux!

HARPAGON : Comment? que dis-tu?

LA FLÈCHE : Ce que je dis?

HARPAGON : Oui : qu'est-ce que tu dis d'avarice et d'avaricieux?

LA FLÈCHE : Je dis que la peste soit de l'avarice et des avaricieux.

HARPAGON : De qui veux-tu parler ?

LA FLÈCHE : Des avaricieux.

HARPAGON : Et qui sont-ils ces avaricieux ?

LA FLÈCHE : Des vilains [1] et des ladres [2].

HARPAGON : Mais qui est-ce que tu entends par-là ?

LA FLÈCHE : De quoi vous mettez-vous en peine ?

HARPAGON : Je me mets en peine de ce qu'il faut.

LA FLÈCHE : Est-ce que vous croyez que je veux parler de vous ?

HARPAGON : Je crois ce que je crois ; mais je veux que tu me dises à qui tu parles quand tu dis cela.

LA FLÈCHE : Je parle... je parle à mon bonnet.

HARPAGON : Et moi, je pourrais bien parler à ta barrette [3].

LA FLÈCHE : M'empêcherez-vous de maudire les avaricieux ?

HARPAGON : Non ; mais je t'empêcherai de jaser, et d'être insolent. Tais-toi.

LA FLÈCHE : Je ne nomme personne.

HARPAGON : Je te rosserai, si tu parles.

LA FLÈCHE : Qui se sent morveux, qu'il se mouche.

HARPAGON : Te tairas-tu ?

LA FLÈCHE : Oui, malgré moi.

HARPAGON : Ha ! ha !

LA FLÈCHE, *lui montrant une des poches de son justaucorps :* Tenez, voilà encore une poche ; êtes-vous satisfait ?

HARPAGON : Allons, rends-le-moi sans te fouiller.

LA FLÈCHE : Quoi ?

HARPAGON : Ce que tu m'as pris.

LA FLÈCHE : Je ne vous ai rien pris du tout.

HARPAGON : Assurément ?

LA FLÈCHE : Assurément.

HARPAGON : Adieu, va-t'en à tous les diables.

LA FLÈCHE : Me voilà fort bien congédié.

HARPAGON : Je te le mets sur ta conscience, au moins. Voilà un pendard de valet qui m'incommode fort, et je ne me plais point à voir ce chien de boiteux-là [4].

SCÈNE IV

ÉLISE, CLÉANTE, HARPAGON

HARPAGON : Certes ce n'est pas une petite peine que de garder chez soi une grande somme d'argent ; et bienheureux qui a tout son fait [1] bien placé, et ne conserve seulement que ce qu'il faut pour sa dépense. On n'est pas peu embarrassé à inventer dans toute une maison une cache fidèle ; car pour moi, les coffres-forts me sont suspects, et je ne veux jamais m'y fier : je les tiens justement une franche amorce à voleurs, et c'est toujours la première chose que l'on va attaquer. Cependant je ne sais si j'aurai bien fait d'avoir enterré dans mon jardin dix mille écus qu'on me rendit [2] hier. Dix mille écus en or chez soi est une somme assez...

Ici le frère et la sœur paraissent s'entretenant bas.

Ô Ciel! je me serai trahi moi-même : la chaleur m'aura emporté, et je crois que j'ai parlé haut en raisonnant tout seul. Qu'est-ce ?

CLÉANTE : Rien, mon père.

HARPAGON : Y a-t-il longtemps que vous êtes là ?

ÉLISE : Nous ne venons que d'arriver.

HARPAGON : Vous avez entendu...

CLÉANTE : Quoi, mon père ?

HARPAGON : Là...

ÉLISE : Quoi ?

HARPAGON : Ce que je viens de dire.

CLÉANTE : Non.

HARPAGON : Si fait, si fait.

ÉLISE : Pardonnez-moi.

HARPAGON : Je vois bien que vous en avez ouï quelques mots. C'est que je m'entretenais en moi-même de la peine qu'il y a aujourd'hui à trouver de l'argent, et je disais qu'il est bienheureux qui peut avoir dix mille écus chez soi.

CLÉANTE : Nous feignions [3] à vous aborder, de peur de vous interrompre.

HARPAGON : Je suis bien aise de vous dire cela, afin que vous n'alliez pas prendre les choses de travers et vous imaginer que je dise que c'est moi qui ai dix mille écus.

CLÉANTE : Nous n'entrons point dans vos affaires.

HARPAGON : Plût à Dieu que je les eusse, dix mille écus!

CLÉANTE : Je ne crois pas...

HARPAGON : Ce serait une bonne affaire pour moi.

ÉLISE : Ce sont des choses...

HARPAGON : J'en aurais bon besoin.

CLÉANTE : Je pense que...

HARPAGON : Cela m'accommoderait fort.

ÉLISE : Vous êtes...

HARPAGON : Et je ne me plaindrais pas, comme je fais, que le temps est misérable.

CLÉANTE : Mon Dieu! mon père, vous n'avez pas lieu de vous plaindre, et l'on sait que vous avez assez de bien.

HARPAGON : Comment? j'ai assez de bien! Ceux qui le disent en ont menti. Il n'y a rien de plus faux ; et ce sont des coquins qui font courir tous ces bruits-là.

ÉLISE : Ne vous mettez point en colère.

HARPAGON : Cela est étrange, que mes propres enfants me trahissent et deviennent mes ennemis!

CLÉANTE : Est-ce être votre ennemi que de dire que vous avez du bien!

HARPAGON : Oui, de pareils discours et les dépenses que vous faites seront cause qu'un de ces jours on me viendra chez moi couper la gorge, dans la pensée que je suis tout cousu de pistoles.

CLÉANTE : Quelle grande dépense est-ce que je fais?

HARPAGON : Quelle? Est-il rien de plus scandaleux que ce somptueux équipage que vous promenez par la ville? Je querellais hier votre sœur ; mais c'est encore pis. Voilà qui crie vengeance au Ciel ; et à vous prendre depuis les pieds jusqu'à la tête, il y aurait là de quoi faire une bonne constitution [1]. Je vous l'ai dit vingt fois, mon fils, toutes vos manières me déplaisent fort : vous donnez furieusement dans le marquis ; et pour aller ainsi vêtu, il faut bien que vous me dérobiez.

CLÉANTE : Hé! comment vous dérober?

HARPAGON : Que sais-je? Où pouvez-vous donc prendre de quoi entretenir l'état que vous portez?

CLÉANTE : Moi, mon père? C'est que je joue ; et comme je suis fort heureux, je mets sur moi tout l'argent que je gagne.

HARPAGON : C'est fort mal fait. Si vous êtes heureux au jeu, vous en devriez profiter, et mettre à honnête intérêt l'argent que vous gagnez afin de le trouver un jour. Je voudrais bien savoir, sans parler du reste, à quoi servent tous ces rubans dont vous voilà lardé depuis les pieds jusqu'à la tête, et si une demi-douzaine d'aiguillettes [1] ne suffit pas pour attacher un haut-de-chausses? Il est bien nécessaire d'employer de l'argent à des perruques, lorsque l'on peut porter des cheveux de son cru, qui ne coûtent rien. Je vais gager qu'en perruques et rubans, il y a du moins vingt pistoles [2] ; et vingt pistoles rapportent par année dix-huit livres six sols huit deniers, à ne les placer qu'au denier douze [3].

CLÉANTE : Vous avez raison.

HARPAGON : Laissons cela, et parlons d'autre affaire. Euh? Je crois qu'ils se font signe l'un à l'autre de me voler ma bourse. Que veulent dire ces gestes-là?

ÉLISE : Nous marchandons [4], mon frère et moi, à qui parlera le premier ; et nous avons tous deux quelque chose à vous dire.

HARPAGON : Et moi, j'ai quelque chose aussi à vous dire à tous deux.

CLÉANTE : C'est de mariage, mon père, que nous désirons vous parler.

HARPAGON : Et c'est de mariage aussi que je veux vous entretenir.

ÉLISE : Ah! mon père!

HARPAGON : Pourquoi ce cri? Est-ce le mot, ma fille, ou la chose, qui vous fait peur?

CLÉANTE : Le mariage peut nous faire peur à tous deux, de la façon que vous pouvez l'entendre ; et nous craignons que nos sentiments ne soient pas d'accord avec votre choix.

HARPAGON : Un peu de patience. Ne vous alarmez point. Je sais ce qu'il faut à tous deux ; et vous n'aurez ni l'un ni l'autre aucun lieu de vous plaindre de tout ce que je prétends faire. Et pour commencer par un bout : avez-vous vu, dites-moi, une jeune personne appelée Mariane, qui ne loge pas loin d'ici?

CLÉANTE : Oui, mon père.

HARPAGON : Et vous?

ÉLISE : J'en ai ouï parler.

HARPAGON : Comment, mon fils, trouvez-vous cette fille?

CLÉANTE : Une fort charmante personne.

HARPAGON : Sa physionomie?

CLÉANTE : Tout honnête, et pleine d'esprit.

HARPAGON : Son air et sa manière?

CLÉANTE : Admirables, sans doute.

HARPAGON : Ne croyez-vous pas qu'une fille comme cela mériterait assez que l'on songeât à elle?

CLÉANTE : Oui, mon père.

HARPAGON : Que ce serait un parti souhaitable?

CLÉANTE : Très souhaitable.

HARPAGON : Qu'elle a toute la mine de faire un bon ménage?

CLÉANTE : Sans doute.

HARPAGON : Et qu'un mari aurait satisfaction avec elle?

CLÉANTE : Assurément.

HARPAGON : Il y a une petite difficulté : c'est que j'ai peur qu'il n'y ait pas avec elle tout le bien qu'on pourrait prétendre.

CLÉANTE : Ah! mon père, le bien n'est pas considérable, lorsqu'il est question d'épouser une honnête personne.

HARPAGON : Pardonnez-moi, pardonnez-moi. Mais ce qu'il y a à dire, c'est que si l'on n'y trouve pas tout le bien qu'on souhaite, on peut tâcher de regagner cela sur autre chose.

CLÉANTE : Cela s'entend.

HARPAGON : Enfin je suis bien aise de vous voir dans mes sentiments ; car son maintien honnête et sa douceur m'ont gagné l'âme, et je suis résolu de l'épouser, pourvu que j'y trouve quelque bien.

CLÉANTE : Euh ?

HARPAGON : Comment ?

CLÉANTE : Vous êtes résolu, dites-vous... ?

HARPAGON : D'épouser Mariane.

CLÉANTE : Qui, vous ? vous ?

HARPAGON : Oui, moi, moi, moi. Que veut dire cela ?

CLÉANTE : Il m'a pris tout à coup un éblouissement, et je me retire d'ici.

HARPAGON : Cela ne sera rien. Allez vite boire dans la cuisine un grand verre d'eau claire. Voilà de mes damoiseaux flouets [1], qui n'ont non plus de vigueur que des poules. C'est là, ma fille, ce que j'ai résolu pour moi. Quant à ton frère, je lui destine une certaine veuve dont ce matin on m'est venu parler ; et pour toi, je te donne au seigneur Anselme.

ÉLISE : Au seigneur Anselme ?

HARPAGON : Oui, un homme mûr, prudent et sage, qui n'a pas plus de cinquante ans, et dont on vante les grands biens.

ÉLISE. *Elle fait une révérence :* Je ne veux point me marier, mon père, s'il vous plaît.

HARPAGON. *Il contrefait la révérence :* Et moi, ma petite fille ma mie, je veux que vous vous mariiez, s'il vous plaît.

ÉLISE : Je vous demande pardon, mon père.

HARPAGON : Je vous demande pardon, ma fille.

ÉLISE : Je suis très humble servante au seigneur Anselme ; mais avec votre permission, je ne l'épouserai point.

HARPAGON : Je suis votre très humble valet ; mais, avec votre permission, vous l'épouserez dès ce soir.

ÉLISE : Dès ce soir ?

HARPAGON : Dès ce soir.

ÉLISE : Cela ne sera pas, mon père.

HARPAGON : Cela sera, ma fille.

ÉLISE : Non.

HARPAGON : Si.
ÉLISE : Non, vous dis-je.
HARPAGON : Si, vous dis-je.
ÉLISE : C'est une chose où vous ne me réduirez point.
HARPAGON : C'est une chose où je te réduirai.
ÉLISE : Je me tuerai plutôt que d'épouser un tel mari.
HARPAGON : Tu ne te tueras point, et tu l'épouseras. Mais voyez quelle audace! A-t-on jamais vu une fille parler de la sorte à son père?
ÉLISE : Mais a-t-on jamais vu un père marier sa fille de la sorte?
HARPAGON : C'est un parti où il n'y a rien à redire ; et je gage que tout le monde approuvera mon choix.
ÉLISE : Et moi, je gage qu'il ne saurait être approuvé d'aucune personne raisonnable.
HARPAGON : Voilà Valère : veux-tu qu'entre nous deux nous le fassions juge de cette affaire?
ÉLISE : J'y consens.
HARPAGON : Te rendras-tu à son jugement?
ÉLISE : Oui, j'en passerai par ce qu'il dira.
HARPAGON : Voilà qui est fait.

SCÈNE V

VALÈRE, HARPAGON, ÉLISE

HARPAGON : Ici, Valère. Nous t'avons élu pour nous dire qui a raison, de ma fille ou de moi.
VALÈRE : C'est vous, Monsieur, sans contredit.
HARPAGON : Sais-tu bien de quoi nous parlons?
VALÈRE : Non, mais vous ne sauriez avoir tort, et vous êtes toute raison.
HARPAGON : Je veux ce soir lui donner pour époux un homme aussi riche que sage ; et la coquine me dit

au nez qu'elle se moque de le prendre. Que dis-tu de cela ?

VALÈRE : Ce que j'en dis?

HARPAGON : Oui.

VALÈRE : Eh, eh.

HARPAGON : Quoi?

VALÈRE : Je dis que dans le fond je suis de votre sentiment ; et vous ne pouvez pas que vous n'ayez raison [1]. Mais aussi n'a-t-elle pas tort tout à fait, et...

HARPAGON : Comment? le seigneur Anselme est un parti considérable, c'est un gentilhomme qui est noble, doux, posé, sage, et fort accommodé, et auquel il ne reste aucun enfant de son premier mariage. Saurait-elle mieux rencontrer?

VALÈRE : Cela est vrai. Mais elle pourrait vous dire que c'est un peu précipiter les choses ; et qu'il faudrait au moins quelque temps pour voir si son inclination pourra s'accommoder avec...

HARPAGON : C'est une occasion qu'il faut prendre vite aux cheveux. Je trouve ici un avantage qu'ailleurs je ne trouverais pas, et il s'engage à la prendre sans dot [2].

VALÈRE : Sans dot?

HARPAGON : Oui.

VALÈRE : Ah! je ne dis plus rien. Voyez-vous? voilà une raison tout à fait convaincante ; il se faut rendre à cela.

HARPAGON : C'est pour moi une épargne considérable.

VALÈRE : Assurément, cela ne reçoit point de contradiction. Il est vrai que votre fille vous peut représenter que le mariage est une plus grande affaire qu'on ne peut croire ; qu'il y va d'être heureux ou malheureux toute sa vie ; et qu'un engagement qui doit durer jusqu'à la mort ne se doit jamais faire qu'avec de grandes précautions.

HARPAGON : Sans dot.

VALÈRE : Vous avez raison : voilà qui décide tout, cela s'entend. Il y a des gens qui pourraient vous dire qu'en de telles occasions l'inclination d'une fille est une chose sans doute où l'on doit avoir de l'égard ; et que cette grande inégalité d'âge, d'humeur et de sentiments, rend un mariage sujet à des accidents très fâcheux.

HARPAGON : Sans dot.

VALÈRE : Ah! il n'y a pas de réplique à cela : on le sait bien ; qui diantre peut aller là contre? Ce n'est pas qu'il n'y ait quantité de pères qui aimeraient mieux ménager la satisfaction de leurs filles que l'argent qu'ils pourraient donner ; qui ne les voudraient point sacrifier à l'intérêt, et chercheraient plus que toute autre chose à mettre dans un mariage cette douce conformité qui sans cesse y maintient l'honneur, la tranquillité et la joie, et que...

HARPAGON : Sans dot.

VALÈRE : Il est vrai : cela ferme la bouche à tout, *sans dot*. Le moyen de résister à une raison comme celle-là ?

HARPAGON : *Il regarde vers le jardin :* Ouais! il me semble que j'entends un chien qui aboie. N'est-ce point qu'on en voudrait à mon argent? Ne bougez, je reviens tout à l'heure.

ÉLISE : Vous moquez-vous, Valère, de lui parler comme vous faites?

VALÈRE : C'est pour ne point l'aigrir, et pour en venir mieux à bout. Heurter de front ses sentiments est le moyen de tout gâter ; et il y a de certains esprits qu'il ne faut prendre qu'en biaisant, des tempéraments ennemis de toute résistance, des naturels rétifs, que la vérité fait cabrer, qui toujours se roidissent contre le droit chemin de la raison, et qu'on ne mène qu'en tournant où l'on veut les conduire. Faites semblant de consentir à ce qu'il veut, vous en viendrez mieux à vos fins, et...

ÉLISE : Mais ce mariage, Valère?

VALÈRE : On cherchera des biais pour le rompre.

ÉLISE : Mais quelle invention trouver, s'il se doit conclure ce soir?

VALÈRE : Il faut demander un délai, et feindre quelque maladie.

ÉLISE : Mais on découvrira la feinte, si l'on appelle des médecins.

VALÈRE : Vous moquez-vous ? Y connaissent-ils quelque chose ? Allez, allez, vous pourrez avec eux avoir quel mal il vous plaira, ils vous trouveront des raisons pour vous dire d'où cela vient.

HARPAGON : Ce n'est rien, Dieu merci.

VALÈRE : Enfin notre dernier recours, c'est que la fuite nous peut mettre à couvert de tout ; et si votre amour, belle Élise, est capable d'une fermeté... (*Il aperçoit Harpagon.*) Oui, il faut qu'une fille obéisse à son père. Il ne faut point qu'elle regarde comme un mari est fait, et lorsque la grande raison de *sans dot* s'y rencontre, elle doit être prête à prendre tout ce qu'on lui donne.

HARPAGON : Bon. Voilà bien parlé, cela.

VALÈRE : Monsieur, je vous demande pardon si je m'emporte un peu et prends la hardiesse de lui parler comme je fais.

HARPAGON : Comment ? j'en suis ravi, et je veux que tu prennes sur elle un pouvoir absolu. Oui, tu as beau fuir. Je lui donne l'autorité que le Ciel me donne sur toi, et j'entends que tu fasses tout ce qu'il te dira.

VALÈRE : Après cela, résistez à mes remontrances. Monsieur, je vais la suivre, pour lui continuer les leçons que je lui faisais.

HARPAGON : Oui, tu m'obligeras. Certes...

VALÈRE : Il est bon de lui tenir un peu la bride haute.

HARPAGON : Cela est vrai. Il faut...

VALÈRE : Ne vous mettez pas en peine. Je crois que j'en viendrai à bout.

HARPAGON : Fais, fais. Je m'en vais faire un petit tour en ville, et reviens tout à l'heure.

VALÈRE : Oui, l'argent est plus précieux que toutes les choses du monde, et vous devez rendre grâces au Ciel de l'honnête homme de père qu'il vous a donné. Il sait ce que c'est que de vivre. Lorsqu'on s'offre de prendre une fille sans dot, on ne doit point regarder plus avant. Tout est renfermé là-dedans, et *sans dot* tient lieu de beauté, de jeunesse, de naissance, d'honneur, de sagesse et de probité.

HARPAGON : Ah! le brave garçon! Voilà parlé comme un oracle. Heureux qui peut avoir un domestique de la sorte!

ACTE II

SCÈNE PREMIÈRE

CLÉANTE, LA FLÈCHE

CLÉANTE : Ah! traître que tu es, où t'es-tu donc allé fourrer? Ne t'avais-je pas donné ordre...

LA FLÈCHE : Oui, Monsieur, et je m'étais rendu ici pour vous attendre de pied ferme ; mais Monsieur votre père, le plus malgracieux des hommes, m'a chassé dehors malgré moi, et j'ai couru risque d'être battu.

CLÉANTE : Comment va notre affaire? Les choses pressent plus que jamais ; et depuis que je ne t'ai vu, j'ai découvert que mon père est mon rival.

LA FLÈCHE : Votre père amoureux?

CLÉANTE : Oui ; et j'ai eu toutes les peines du monde à lui cacher le trouble où cette nouvelle m'a mis.

LA FLÈCHE : Lui se mêler d'aimer! De quoi diable s'avise-t-il? Se moque-t-il du monde? Et l'amour a-t-il été fait pour des gens bâtis comme lui?

CLÉANTE : Il a fallu, pour mes péchés, que cette passion lui soit venue en tête.

LA FLÈCHE : Mais par quelle raison lui faire un mystère de votre amour?

CLÉANTE : Pour lui donner moins de soupçon, et me conserver au besoin des ouvertures [1] plus aisées pour détourner ce mariage. Quelle réponse t'a-t-on faite?

LA FLÈCHE : Ma foi! Monsieur, ceux qui empruntent sont bien malheureux ; et il faut essuyer d'étranges choses lorsqu'on en est réduit à passer, comme vous, par les mains des fesse-mathieux [2].

CLÉANTE : L'affaire ne se fera point ?

LA FLÈCHE : Pardonnez-moi. Notre maître Simon, le courtier qu'on nous a donné, homme agissant et plein de zèle, dit qu'il a fait rage pour vous ; et il assure que votre seule physionomie lui a gagné le cœur.

CLÉANTE : J'aurai les quinze mille francs que je demande ?

LA FLÈCHE : Oui ; mais à quelques petites conditions, qu'il faudra que vous acceptiez, si vous avez dessein que les choses se fassent.

CLÉANTE : T'a-t-il fait parler à celui qui doit prêter l'argent ?

LA FLÈCHE : Ah ! vraiment, cela ne va pas de la sorte. Il apporte encore plus de soin à se cacher que vous, et ce sont des mystères bien plus grands que vous ne pensez. On ne veut point du tout dire son nom, et l'on doit aujourd'hui l'aboucher avec vous, dans une maison empruntée, pour être instruit, par votre bouche, de votre bien et de votre famille ; et je ne doute point que le seul nom de votre père ne rende les choses faciles.

CLÉANTE : Et principalement notre mère étant morte, dont on ne peut m'ôter le bien.

LA FLÈCHE : Voici quelques articles qu'il a dictés lui-même à notre entremetteur, pour vous être montrés, avant que de rien faire :

Supposé que le prêteur voie toutes ses sûretés, et que l'emprunteur soit majeur, et d'une famille où le bien soit ample, solide, assuré, clair, et net de tout embarras, on fera une bonne et exacte obligation par-devant un notaire, le plus honnête homme qu'il se pourra, et qui, pour cet effet, sera choisi par le prêteur, auquel il importe le plus que l'acte soit dûment dressé.

CLÉANTE : Il n'y a rien à dire à cela.

LA FLÈCHE : *Le prêteur, pour ne charger sa conscience d'aucun scrupule, prétend ne donner son argent qu'au denier dix-huit.*

CLÉANTE : Au denier dix-huit? Parbleu! voilà qui est honnête [1]. Il n'y a pas lieu de se plaindre.

LA FLÈCHE : Cela est vrai.

Mais comme ledit prêteur n'a pas chez lui la somme dont il est question, et que pour faire plaisir à l'emprunteur, il est contraint lui-même de l'emprunter d'un autre, sur le pied du denier cinq [2], il conviendra que ledit premier emprunteur paye cet intérêt, sans préjudice du reste, attendu que ce n'est que pour l'obliger que ledit prêteur s'engage à cet emprunt.

CLÉANTE : Comment diable! quel Juif, quel Arabe [3] est-ce là? C'est plus qu'au denier quatre [4].

LA FLÈCHE : Il est vrai ; c'est ce que j'ai dit. Vous avez à voir là-dessus.

CLÉANTE : Que veux-tu que je voie? J'ai besoin d'argent ; et il faut bien que je consente à tout.

LA FLÈCHE : C'est la réponse que j'ai faite.

CLÉANTE : Il y a encore quelque chose?

LA FLÈCHE : Ce n'est plus qu'un petit article.

Des quinze mille francs qu'on demande, le prêteur ne pourra compter en argent que douze mille livres, et pour les mille écus restants, il faudra que l'emprunteur prenne les hardes, nippes, et bijoux dont s'ensuit le mémoire, et que ledit prêteur a mis, de bonne foi, au plus modique prix qu'il lui a été possible [5].

CLÉANTE : Que veut dire cela?

LA FLÈCHE : Écoutez le mémoire.

Premièrement, un lit de quatre pieds, à bandes de points de Hongrie [6], appliquées fort proprement sur un drap de couleur d'olive, avec six chaises et la courtepointe de même; le tout bien conditionné, et doublé d'un petit taffetas changeant rouge et bleu.

Plus, un pavillon à queue, d'une bonne serge d'Aumale rose-sèche, avec le mollet [7] et les franges de soie.

CLÉANTE : Que veut-il que je fasse de cela?
LA FLÈCHE : Attendez.

Plus, une tenture de tapisserie des amours de Gombaut et de Macée [1].
Plus, une grande table de bois de noyer, à douze colonnes ou piliers tournés, qui se tire par les deux bouts, et garnie par le dessous de ses six escabelles.

CLÉANTE : Qu'ai-je affaire, morbleu...?
LA FLÈCHE : Donnez-vous patience.

Plus, trois gros mousquets tout garnis de nacre de perles, avec les trois fourchettes [2] *assortissantes.*
Plus, un fourneau de brique, avec deux cornues, et trois récipients, fort utiles à ceux qui sont curieux de distiller.

CLÉANTE : J'enrage.
LA FLÈCHE : Doucement.

Plus, un luth de Bologne, garni de toutes ses cordes, ou peu s'en faut.
Plus, un trou-madame [3], *et un damier, avec un jeu de l'oie renouvelé des Grecs, fort propres à passer le temps lorsque l'on n'a que faire.*
Plus, une peau de lézard, de trois pieds et demi, remplie de foin, curiosité agréable pour pendre au plancher d'une chambre.
Le tout, ci-dessus mentionné, valant loyalement plus de quatre mille cinq cents livres, et rabaissé à la valeur de mille écus, par la discrétion du prêteur.

CLÉANTE : Que la peste l'étouffe avec sa discrétion, le traître, le bourreau qu'il est! A-t-on jamais parlé d'une usure semblable? Et n'est-il pas content du furieux intérêt qu'il exige, sans vouloir encore m'obliger à prendre, pour trois mille livres, les vieux rogatons qu'il ramasse? Je n'aurai pas deux cents écus de tout cela; et cependant il faut bien me résoudre à consentir à ce qu'il veut, car il est en état de me faire tout accepter, et il me tient, le scélérat, le poignard sur la gorge.

LA FLÈCHE : Je vous vois, Monsieur, ne vous en déplaise, dans le grand chemin justement que tenait Panurge pour se ruiner, prenant argent d'avance, achetant cher, vendant à bon marché, et mangeant son blé en herbe [1].

CLÉANTE : Que veux-tu que j'y fasse ? Voilà où les jeunes gens sont réduits par la maudite avarice des pères ; et on s'étonne après cela que les fils souhaitent qu'ils meurent.

LA FLÈCHE : Il faut avouer que le vôtre animerait contre sa vilenie le plus posé homme du monde. Je n'ai pas, Dieu merci, les inclinations fort patibulaires [2] ; et parmi mes confrères que je vois se mêler de beaucoup de petits commerces, je sais tirer adroitement mon épingle du jeu, et me démêler prudemment de toutes les galanteries [3] qui sentent tant soit peu l'échelle ; mais, à vous dire vrai, il me donnerait, par ses procédés, des tentations de le voler ; et je croirais, en le volant, faire une action méritoire.

CLÉANTE : Donne-moi un peu ce mémoire, que je le voie encore.

SCÈNE II

MAITRE SIMON, HARPAGON, CLÉANTE,
LA FLÈCHE

MAITRE SIMON : Oui, Monsieur, c'est un jeune homme qui a besoin d'argent. Ses affaires le pressent d'en trouver, et il en passera par tout ce que vous en prescrirez.

HARPAGON : Mais, croyez-vous, maître Simon, qu'il n'y ait rien à péricliter [4] ? et savez-vous le nom, les biens et la famille de celui pour qui vous parlez ?

MAITRE SIMON : Non, je ne puis pas bien vous en instruire à fond, et ce n'est que par aventure que l'on m'a adressé à lui ; mais vous serez de toutes choses éclairci par lui-même ; et son homme m'a assuré que vous serez content, quand vous le connaîtrez. Tout ce que je saurais vous dire, c'est que sa famille est fort riche, qu'il n'a plus de mère déjà, et qu'il s'obligera [1], si vous voulez, que son père mourra avant qu'il soit huit mois.

HARPAGON : C'est quelque chose que cela. La charité, maître Simon, nous oblige à faire plaisir aux personnes, lorsque nous le pouvons.

MAITRE SIMON : Cela s'entend.

LA FLÈCHE : Que veut dire ceci ? Notre maître Simon qui parle à votre père.

CLÉANTE : Lui aurait-on appris qui je suis ? et serais-tu pour nous trahir ?

MAITRE SIMON : Ah! ah! vous êtes bien pressés! Qui vous a dit que c'était céans ? Ce n'est pas moi, Monsieur, au moins, qui leur ai découvert votre nom et votre logis ; mais, à mon avis, il n'y a pas grand mal à cela. Ce sont des personnes discrètes, et vous pouvez ici vous expliquer ensemble.

HARPAGON : Comment ?

MAITRE SIMON : Monsieur est la personne qui veut vous emprunter les quinze mille livres dont je vous ai parlé.

HARPAGON : Comment, pendard ? c'est toi qui t'abandonnes à ces coupables extrémités ?

CLÉANTE : Comment, mon père ? c'est vous qui vous portez à ces honteuses actions [2] ?

HARPAGON : C'est toi qui te veux ruiner par des emprunts si condamnables ?

CLÉANTE : C'est vous qui cherchez à vous enrichir par des usures si criminelles ?

HARPAGON : Oses-tu bien, après cela, paraître devant moi !

CLÉANTE : Osez-vous bien, après cela, vous présenter aux yeux du monde ?

HARPAGON : N'as-tu point de honte, dis-moi, d'en venir à ces débauches-là ? de te précipiter dans des dépenses effroyables ? et de faire une honteuse dissipation du bien que tes parents t'ont amassé avec tant de sueurs?

CLÉANTE : Ne rougissez-vous point de déshonorer votre condition par les commerces que vous faites? de sacrifier gloire et réputation au désir insatiable d'entasser écu sur écu, et de renchérir, en fait d'intérêts, sur les plus infâmes subtilités qu'aient jamais inventées les plus célèbres usuriers?

HARPAGON : Ôte-toi de mes yeux, coquin! ôte-toi de mes yeux!

CLÉANTE : Qui est plus criminel, à votre avis, ou celui qui achète un argent dont il a besoin, ou bien celui qui vole un argent dont il n'a que faire?

HARPAGON : Retire-toi, te dis-je, et ne m'échauffe pas les oreilles. Je ne suis pas fâché de cette aventure ; et ce m'est un avis de tenir l'œil, plus que jamais, sur toutes ses actions.

SCÈNE III

FROSINE, HARPAGON

FROSINE : Monsieur...

HARPAGON : Attendez un moment ; je vais revenir vous parler. Il est à propos que je fasse un petit tour à mon argent.

SCÈNE IV

LA FLÈCHE, FROSINE

LA FLÈCHE : L'aventure est tout à fait drôle. Il faut bien qu'il ait quelque part un ample magasin de hardes ; car nous n'avons rien reconnu au mémoire que nous avons.

FROSINE : Hé! c'est toi, mon pauvre La Flèche? D'où vient cette rencontre?

LA FLÈCHE : Ah! ah! c'est toi, Frosine. Que viens-tu faire ici?

FROSINE : Ce que je fais partout ailleurs : m'entremettre d'affaires, me rendre serviable aux gens, et profiter du mieux qu'il m'est possible des petits talents que je puis avoir. Tu sais que dans ce monde il faut vivre d'adresse, et qu'aux personnes comme moi le Ciel n'a donné d'autres rentes que l'intrigue et que l'industrie.

LA FLÈCHE : As-tu quelque négoce avec le patron du logis ?

FROSINE : Oui, je traite pour lui quelque petite affaire, dont j'espère une récompense.

LA FLÈCHE : De lui ? Ah, ma foi ! tu seras bien fine si tu en tires quelque chose ; et je te donne avis que l'argent céans est fort cher.

FROSINE : Il y a de certains services qui touchent merveilleusement.

LA FLÈCHE : Je suis votre valet [1], et tu ne connais pas encore le seigneur Harpagon. Le seigneur Harpagon est de tous les humains l'humain le moins humain, le mortel de tous les mortels le plus dur et le plus serré. Il n'est point de service qui pousse sa reconnaissance jusqu'à lui faire ouvrir les mains. De la louange, de l'estime, de la bienveillance en paroles et de l'amitié tant qu'il vous plaira ; mais de l'argent, point d'affaires. Il n'est rien de plus sec et de plus aride que ses bonnes grâces et ses caresses ; et *donner* est un mot pour qui il a tant d'aversion, qu'il ne dit jamais : *Je vous donne*, mais : *Je vous prête le bonjour.*

FROSINE : Mon Dieu ! je sais l'art de traire les hommes, j'ai le secret de m'ouvrir leur tendresse, de chatouiller leurs cœurs, de trouver les endroits par où ils sont sensibles.

LA FLÈCHE : Bagatelles ici. Je te défie d'attendrir, du côté de l'argent, l'homme dont il est question. Il est turc là-dessus, mais d'une turquerie à désespérer tout le monde ; et l'on pourrait crever, qu'il n'en branlerait pas. En un mot, il aime l'argent, plus que réputation, qu'honneur et que vertu ; et la vue d'un demandeur lui donne des convulsions. C'est le frapper par son endroit mortel, c'est lui percer le cœur, c'est lui arracher les entrailles ; et si... Mais il revient ; je me retire.

SCÈNE V

HARPAGON, FROSINE

HARPAGON : Tout va comme il faut. Hé bien! qu'est-ce, Frosine?

FROSINE : Ah! mon Dieu! que vous vous portez bien! et que vous avez là un vrai visage de santé!

HARPAGON : Qui, moi?

FROSINE : Jamais je ne vous vis un teint si frais et si gaillard.

HARPAGON : Tout de bon?

FROSINE : Comment? vous n'avez de votre vie été si jeune que vous êtes ; et je vois des gens de vingt-cinq ans qui sont plus vieux que vous.

HARPAGON : Cependant, Frosine, j'en ai soixante bien comptés.

FROSINE : Hé bien! qu'est-ce que cela, soixante ans? Voilà bien de quoi! C'est la fleur de l'âge cela, et vous entrez maintenant dans la belle saison de l'homme [1].

HARPAGON : Il est vrai ; mais vingt années de moins pourtant ne me feraient point de mal, que je crois.

FROSINE : Vous moquez-vous? Vous n'avez pas besoin de cela, et vous êtes d'une pâte à vivre jusques à cent ans.

HARPAGON : Tu le crois!

FROSINE : Assurément. Vous en avez toutes les marques. Tenez-vous un peu. Oh! que voilà bien là, entre vos deux yeux, un signe de longue vie!

HARPAGON : Tu te connais à cela?

FROSINE : Sans doute. Montrez-moi votre main. Ah! mon Dieu! quelle ligne de vie!

HARPAGON : Comment?

FROSINE : Ne voyez-vous pas jusqu'où va cette ligne-là?

HARPAGON : Hé bien! qu'est-ce que cela veut dire?

FROSINE : Par ma foi! je disais cent ans ; mais vous passerez les six-vingts.

HARPAGON : Est-il possible?

FROSINE : Il faudra vous assommer, vous dis-je ; et vous mettrez en terre et vos enfants, et les enfants de vos enfants.

HARPAGON : Tant mieux. Comment va notre affaire ?

FROSINE : Faut-il le demander ? et me voit-on mêler de rien dont je ne vienne à bout ? J'ai surtout pour les mariages un talent merveilleux ; il n'est point de parti au monde que je ne trouve en peu de temps le moyen d'accoupler ; et je crois, si je me l'étais mis en tête, que je marierais le Grand Turc avec la République de Venise [1]. Il n'y avait pas sans doute de si grandes difficultés à cette affaire-ci. Comme j'ai commerce chez elles, je les ai à fond l'une et l'autre entretenues de vous, et j'ai dit à la mère le dessein que vous aviez conçu pour Mariane, à la voir passer dans la rue, et prendre l'air à sa fenêtre.

HARPAGON : Qui a fait réponse...

FROSINE : Elle a reçu la proposition avec joie ; et quand je lui ai témoigné que vous souhaitiez fort que sa fille assistât ce soir au contrat de mariage qui se doit faire de la vôtre, elle y a consenti sans peine, et me l'a confiée pour cela.

HARPAGON : C'est que je suis obligé, Frosine, de donner à souper au seigneur Anselme ; et je serais bien aise qu'elle soit du régale [2].

FROSINE : Vous avez raison. Elle doit après dîner rendre visite à votre fille, d'où elle fait son compte d'aller faire un tour à la foire [3], pour venir ensuite au souper.

HARPAGON : Hé bien ! elles iront ensemble dans mon carrosse, que je leur prêterai.

FROSINE : Voilà justement son affaire.

HARPAGON : Mais, Frosine, as-tu entretenu la mère touchant le bien qu'elle peut donner à sa fille ? Lui as-tu dit qu'il fallait qu'elle s'aidât [4] un peu, qu'elle fît quelque effort, qu'elle se saignât pour une occasion comme celle-ci ? Car encore n'épouse-t-on point une fille, sans qu'elle apporte quelque chose.

FROSINE : Comment ? c'est une fille qui vous apportera douze mille livres de rente.

HARPAGON : Douze mille livres de rente!

FROSINE : Oui. Premièrement, elle est nourrie et élevée dans une grande épargne de bouche ; c'est une fille accoutumée à vivre de salade, de lait, de fromage et de pommes, et à laquelle par conséquent il ne faudra ni table bien servie, ni consommés exquis, ni orges mondés [1] perpétuels, ni les autres délicatesses qu'il faudrait pour une autre femme ; et cela ne va pas à si peu de chose, qu'il ne monte bien, tous les ans, à trois mille francs pour le moins. Outre cela, elle n'est curieuse que d'une propreté fort simple, et n'aime point les superbes habits, ni les riches bijoux, ni les meubles somptueux, où donnent ses pareilles avec tant de chaleur ; et cet article-là vaut plus de quatre mille livres par an. De plus, elle a une aversion horrible pour le jeu, ce qui n'est pas commun aux femmes d'aujourd'hui ; et j'en sais une de nos quartiers qui a perdu, à trente-et-quarante, vingt mille francs cette année. Mais n'en prenons rien que le quart. Cinq mille francs au jeu par an, et quatre mille francs en habits et bijoux, cela fait neuf mille livres ; et mille écus que nous mettons pour la nourriture, ne voilà-t-il pas par année vos douze mille francs bien comptés?

HARPAGON : Oui, cela n'est pas mal ; mais ce compte-là n'est rien de réel.

FROSINE : Pardonnez-moi. N'est-ce pas quelque chose de réel, que de vous apporter en mariage une grande sobriété, l'héritage d'un grand amour de simplicité de parure, et l'acquisition d'un grand fonds de haine pour le jeu?

HARPAGON : C'est une raillerie, que de vouloir me constituer son dot de toutes les dépenses qu'elle ne fera point. Je n'irai pas donner quittance de ce que je ne reçois pas ; et il faut bien que je touche quelque chose.

FROSINE : Mon Dieu! vous toucherez assez ; et elles m'ont parlé d'un certain pays où elles ont du bien dont vous serez le maître.

HARPAGON : Il faudra voir cela. Mais, Frosine, il y a encore une chose qui m'inquiète. La fille est jeune, comme tu vois ; et les jeunes gens d'ordinaire n'aiment que leurs semblables, ne cherchent que leur compagnie. J'ai peur qu'un homme de mon âge ne soit pas de son goût ; et que cela ne vienne à produire chez moi certains petits désordres qui ne m'accommoderaient pas.

FROSINE : Ah! que vous la connaissez mal! C'est encore une particularité que j'avais à vous dire. Elle a une aversion épouvantable pour tous les jeunes gens, et n'a de l'amour que pour les vieillards.

HARPAGON : Elle ?

FROSINE : Oui, elle. Je voudrais que vous l'eussiez entendue parler là-dessus. Elle ne peut souffrir du tout la vue d'un jeune homme ; mais elle n'est point plus ravie, dit-elle, que lorsqu'elle peut voir un beau vieillard avec une barbe majestueuse. Les plus vieux sont pour elle les plus charmants, et je vous avertis de n'aller pas vous faire plus jeune que vous êtes. Elle veut tout au moins qu'on soit sexagénaire ; et il n'y a pas quatre mois encore, qu'étant prête d'être mariée, elle rompit tout net le mariage, sur ce que son amant fit voir qu'il n'avait que cinquante-six ans, et qu'il ne prit point de lunettes [1] pour signer le contrat.

HARPAGON : Sur cela seulement ?

FROSINE : Oui. Elle dit que ce n'est pas contentement pour elle que cinquante-six ans ; et surtout, elle est pour les nez qui portent des lunettes.

HARPAGON : Certes, tu me dis là une chose toute nouvelle.

FROSINE : Cela va plus loin qu'on ne vous peut dire. On lui voit dans sa chambre quelques tableaux et quelques estampes ; mais que pensez-vous que ce soit ? Des Adonis ? des Céphales ? des Pâris ? et des Apollons [2] ? Non : de beaux portraits de Saturne, du roi Priam, du vieux Nestor, et du bon père Anchise sur les épaules de son fils [3].

HARPAGON : Cela est admirable! Voilà ce que je n'aurais jamais pensé ; et je suis bien aise d'apprendre qu'elle est de cette humeur. En effet, si j'avais été femme, je n'aurais point aimé les jeunes hommes.

FROSINE : Je le crois bien. Voilà de belles drogues que des jeunes gens, pour les aimer! Ce sont de beaux morveux, de beaux godelureaux [1], pour donner envie de leur peau ; et je voudrais bien savoir quel ragoût il y a à eux.

HARPAGON : Pour moi, je n'y en comprends point ; et je ne sais pas comment il y a des femmes qui les aiment tant.

FROSINE : Il faut être folle fieffée. Trouver la jeunesse aimable! est-ce avoir le sens commun? Sont-ce des hommes que de jeunes blondins? et peut-on s'attacher à ces animaux-là?

HARPAGON : C'est ce que je dis tous les jours : avec leur ton de poule laitée [2], et leurs trois petits brins de barbe relevés en barbe de chat, leurs perruques d'étoupes, leurs hauts-de-chausses tout tombants, et leurs estomacs débraillés [3].

FROSINE : Eh! cela est bien bâti, auprès d'une personne comme vous. Voilà un homme cela. Il y a là de quoi satisfaire à la vue ; et c'est ainsi qu'il faut être fait, et vêtu, pour donner de l'amour.

HARPAGON : Tu me trouves bien?

FROSINE : Comment? vous êtes à ravir, et votre figure est à peindre. Tournez-vous un peu, s'il vous plaît. Il ne se peut pas mieux. Que je vous voie marcher. Voilà un corps taillé, libre, et dégagé comme il faut, et qui ne marque aucune incommodité [4].

HARPAGON : Je n'en ai pas de grandes, Dieu merci. Il n'y a que ma fluxion, qui me prend de temps en temps.

FROSINE : Cela n'est rien. Votre fluxion [5] ne vous sied point mal, et vous avez grâce à tousser.

HARPAGON : Dis-moi un peu : Mariane ne m'a-t-elle point encore vu? N'a-t-elle point pris garde à moi en passant?

FROSINE : Non ; mais nous nous sommes fort entretenues de vous. Je lui ai fait un portrait de votre personne ; et je n'ai pas manqué de lui vanter votre mérite, et l'avantage que ce lui serait d'avoir un mari comme vous.

HARPAGON : Tu as bien fait, et je t'en remercie.

FROSINE : J'aurais, Monsieur, une petite prière à vous faire. (*Il prend un air sévère.*) J'ai un procès que je suis sur le point de perdre, faute d'un peu d'argent ; et vous pourriez facilement me procurer le gain de ce procès, si vous aviez quelque bonté pour moi. (*Il reprend un air gai.*) Vous ne sauriez croire le plaisir qu'elle aura de vous voir. Ah! que vous lui plairez! et que votre fraise à l'antique [1] fera sur son esprit un effet admirable! Mais surtout elle sera charmée de votre haut-de-chausses, attaché au pourpoint avec des aiguillettes [2], c'est pour la rendre folle de vous ; et un amant aiguilleté sera pour elle un ragoût merveilleux.

HARPAGON : Certes, tu me ravis de me dire cela.

FROSINE. *Il reprend son visage sévère :* En vérité, Monsieur, ce procès m'est d'une conséquence tout à fait grande. Je suis ruinée, si je le perds ; et quelque petite assistance me rétablirait mes affaires. (*Il reprend un air gai.*) Je voudrais que vous eussiez vu le ravissement où elle était à m'entendre parler de vous. La joie éclatait dans ses yeux, au récit de vos qualités ; et je l'ai mise enfin dans une impatience extrême de voir ce mariage entièrement conclu.

HARPAGON : Tu m'as fait grand plaisir, Frosine ; et je t'en ai, je te l'avoue, toutes les obligations du monde.

FROSINE. *Il reprend son air sérieux :* Je vous prie, Monsieur, de me donner le petit secours que je vous demande. Cela me remettra sur pied, et je vous en serai éternellement obligée.

HARPAGON : Adieu. Je vais achever mes dépêches.

FROSINE : Je vous assure, Monsieur, que vous ne sauriez jamais me soulager dans un plus grand besoin.

HARPAGON : Je mettrai ordre que mon carrosse soit tout prêt pour vous mener à la foire.

FROSINE : Je ne vous importunerais pas, si je ne m'y voyais forcée par la nécessité [3].

HARPAGON : Et j'aurai soin qu'on soupe de bonne heure, pour ne vous point faire malades.

FROSINE : Ne me refusez pas la grâce dont je vous sollicite. Vous ne sauriez croire, Monsieur, le plaisir que...

HARPAGON : Je m'en vais. Voilà qu'on m'appelle. Jusqu'à tantôt.

FROSINE : Que la fièvre te serre, chien de vilain à tous les diables ! Le ladre a été ferme à toutes mes attaques ; mais il ne me faut pas pourtant quitter la négociation ; et j'ai l'autre côté [1], en tout cas, d'où je suis assurée de tirer bonne récompense.

ACTE III

SCÈNE PREMIÈRE

HARPAGON, CLÉANTE, ÉLISE,
VALÈRE, DAME CLAUDE, MAITRE JACQUES,
BRINDAVOINE, LA MERLUCHE

HARPAGON : Allons, venez çà tous, que je vous distribue mes ordres pour tantôt et règle à chacun son emploi. Approchez, dame Claude. Commençons par vous. (*Elle tient un balai.*) Bon, vous voilà les armes à la main. Je vous commets au soin de nettoyer partout ; et surtout prenez garde de ne point frotter les meubles trop fort, de peur de les user. Outre cela, je vous constitue, pendant le souper, au gouvernement des bouteilles ; et s'il s'en écarte quelqu'une et qu'il se casse quelque chose, je m'en prendrai à vous, et le rabattrai sur vos gages.

MAITRE JACQUES : Châtiment politique.

HARPAGON : Allez. Vous, Brindavoine, et vous, La Merluche, je vous établis dans la charge de rincer les verres, et de donner à boire [1], mais seulement lorsque l'on aura soif, et non pas selon la coutume de certains impertinents de laquais, qui viennent provoquer les gens, et les faire aviser de boire lorsqu'on n'y songe pas. Attendez qu'on vous en demande plus d'une fois, et vous ressouvenez de porter toujours beaucoup d'eau.

MAITRE JACQUES : Oui, le vin pur monte à la tête.

LA MERLUCHE : Quitterons-nous nos siquenilles [2], Monsieur ?

HARPAGON : Oui, quand vous verrez venir les personnes ; et gardez bien de gâter vos habits.

BRINDAVOINE : Vous savez bien, Monsieur, qu'un des devants de mon pourpoint est couvert d'une grande tache de l'huile de la lampe.

LA MERLUCHE : Et moi, Monsieur, que j'ai mon haut-de-chausses tout troué par-derrière, et qu'on me voit, révérence parler...

HARPAGON : Paix. Rangez cela adroitement du côté de la muraille, et présentez toujours le devant au monde. (*Harpagon met son chapeau au-devant de son pourpoint, pour montrer à Brindavoine comment il doit faire pour cacher la tache d'huile.*) Et vous, tenez toujours votre chapeau ainsi, lorsque vous servirez. Pour vous, ma fille, vous aurez l'œil sur ce que l'on desservira, et prendrez garde qu'il ne s'en fasse aucun dégât. Cela sied bien aux filles. Mais cependant préparez-vous à bien recevoir ma maîtresse [1], qui vous doit venir visiter et vous mener avec elle à la foire. Entendez-vous ce que je vous dis?

ÉLISE : Oui, mon père.

HARPAGON : Et vous, mon fils le damoiseau, à qui j'ai la bonté de pardonner l'histoire de tantôt, ne vous allez pas aviser non plus de lui faire mauvais visage.

CLÉANTE : Moi, mon père, mauvais visage? Et par quelle raison?

HARPAGON : Mon Dieu! nous savons le train des enfants dont les pères se remarient, et de quel œil ils ont coutume de regarder ce qu'on appelle belle-mère. Mais si vous souhaitez que je perde le souvenir de votre dernière fredaine, je vous recommande surtout de régaler d'un bon visage cette personne-là, et de lui faire enfin tout le meilleur accueil qu'il vous sera possible.

CLÉANTE : A vous dire le vrai, mon père, je ne puis pas vous promettre d'être bien aise qu'elle devienne ma belle-mère : je mentirais, si je vous le disais ; mais pour ce qui est de la bien recevoir, et de lui faire bon visage, je vous promets de vous obéir ponctuellement sur ce chapitre.

HARPAGON : Prenez-y garde au moins.

CLÉANTE : Vous verrez que vous n'aurez pas sujet de vous en plaindre.

HARPAGON : Vous ferez sagement. Valère, aide-moi à ceci. Ho çà, maître Jacques, approchez-vous, je vous ai gardé pour le dernier.

MAITRE JACQUES : Est-ce à votre cocher, Monsieur, ou bien à votre cuisinier, que vous voulez parler? car je suis l'un et l'autre.

HARPAGON : C'est à tous les deux.

MAITRE JACQUES : Mais à qui des deux le premier?

HARPAGON : Au cuisinier.

MAITRE JACQUES : Attendez donc, s'il vous plaît.

Il ôte sa casaque de cocher, et paraît vêtu en cuisinier.

HARPAGON : Quelle diantre de cérémonie est-ce là?

MAITRE JACQUES : Vous n'avez qu'à parler.

HARPAGON : Je me suis engagé, maître Jacques, à donner ce soir à souper.

MAITRE JACQUES : Grande merveille!

HARPAGON : Dis-moi un peu, nous feras-tu bonne chère?

MAITRE JACQUES : Oui, si vous me donnez bien de l'argent.

HARPAGON : Que diable, toujours de l'argent! Il semble qu'ils n'aient autre chose à dire : « De l'argent, de l'argent, de l'argent. » Ah! ils n'ont que ce mot à la bouche : « De l'argent. » Toujours parler d'argent. Voilà leur épée de chevet [1], de l'argent.

VALÈRE : Je n'ai jamais vu de réponse plus impertinente que celle-là. Voilà une belle merveille que de faire bonne chère avec bien de l'argent : c'est une chose la plus aisée du monde, et il n'y a si pauvre esprit qui n'en fît bien autant; mais pour agir en habile homme, il faut parler de faire bonne chère avec peu d'argent.

MAITRE JACQUES : Bonne chère avec peu d'argent!

VALÈRE : Oui.

MAITRE JACQUES : Par ma foi, Monsieur l'intendant,

vous nous obligerez de nous faire voir ce secret, et de prendre mon office de cuisinier : aussi bien vous mêlez-vous céans d'être le factoton [1].

HARPAGON : Taisez-vous. Qu'est-ce qu'il nous faudra ?

MAITRE JACQUES : Voilà Monsieur votre intendant, qui vous fera bonne chère pour peu d'argent.

HARPAGON : Haye! je veux que tu me répondes.

MAITRE JACQUES : Combien serez-vous de gens à table ?

HARPAGON : Nous serons huit ou dix ; mais il ne faut prendre que huit ; quand il y a à manger pour huit, il y en a bien pour dix.

VALÈRE : Cela s'entend.

MAITRE JACQUES : Hé bien! il faudra quatre grands potages, et cinq assiettes [2]. Potages... Entrées... [3].

HARPAGON : Que diable! voilà pour traiter toute une ville entière.

MAITRE JACQUES : Rôt...

HARPAGON [4], *en lui mettant la main sur la bouche :* Ah! traître, tu manges tout mon bien.

MAITRE JACQUES : Entremets...

HARPAGON : Encore ?

VALÈRE : Est-ce que vous avez envie de faire crever tout le monde ? et Monsieur a-t-il invité des gens pour les assassiner à force de mangeaille ? Allez-vous-en lire un peu les préceptes de la santé, et demander aux médecins s'il y a rien de plus préjudiciable à l'homme que de manger avec excès.

HARPAGON : Il a raison.

VALÈRE : Apprenez, maître Jacques, vous et vos pareils, que c'est un coupe-gorge qu'une table remplie de trop de viandes ; que pour se bien montrer ami de ceux que l'on invite, il faut que la frugalité règne dans les repas qu'on donne ; et que, suivant le dire d'un ancien, *il faut manger pour vivre, et non pas vivre pour manger* [5].

HARPAGON : Ah! que cela est bien dit! Approche, que je t'embrasse pour ce mot. Voilà la plus belle sentence que j'aie entendue de ma vie. *Il faut vivre pour manger, et non pas manger pour vi...* Non, ce n'est pas cela. Comment est-ce que tu dis?

VALÈRE : *Qu'il faut manger pour vivre, et non pas vivre pour manger.*

HARPAGON : Oui. Entends-tu? Qui est le grand homme qui a dit cela?

VALÈRE : Je ne me souviens pas maintenant de son nom.

HARPAGON : Souviens-toi de m'écrire ces mots : je les veux faire graver en lettres d'or sur la cheminée de ma salle.

VALÈRE : Je n'y manquerai pas. Et pour votre souper, vous n'avez qu'à me laisser faire : je réglerai tout cela comme il faut.

HARPAGON : Fais donc.

MAITRE JACQUES : Tant mieux : j'en aurai moins de peine.

HARPAGON : Il faudra de ces choses dont on ne mange guère, et qui rassasient d'abord : quelque bon haricot [1] bien gras, avec quelque pâté en pot [2] bien garni de marrons.

VALÈRE : Reposez-vous sur moi.

HARPAGON : Maintenant, maître Jacques, il faut nettoyer mon carrosse.

MAITRE JACQUES : Attendez. Ceci s'adresse au cocher. (*Il remet sa casaque.*) Vous dites...

HARPAGON : Qu'il faut nettoyer mon carrosse, et tenir mes chevaux tous prêts pour conduire à la foire...

MAITRE JACQUES : Vos chevaux, Monsieur? Ma foi, ils ne sont point du tout en état de marcher. Je ne vous dirai point qu'ils sont sur la litière, les pauvres bêtes n'en ont point, et ce serait fort mal parler; mais vous leur faites observer des jeûnes si austères, que ce ne sont plus rien que des idées ou des fantômes, des façons de chevaux.

HARPAGON : Les voilà bien malades : ils ne font rien.

MAITRE JACQUES : Et pour ne faire rien, Monsieur, est-ce qu'il ne faut rien manger? Il leur vaudrait bien mieux, les pauvres animaux, de travailler beaucoup, de manger de même. Cela me fend le cœur, de les voir ainsi exténués ; car enfin j'ai une tendresse pour mes chevaux, qu'il me semble que c'est moi-même quand je les vois pâtir ; je m'ôte tous les jours pour eux les choses de la bouche ; et c'est être, Monsieur, d'un naturel trop dur, que de n'avoir nulle pitié de son prochain.

HARPAGON : Le travail ne sera pas grand, d'aller jusqu'à la foire.

MAITRE JACQUES : Non, Monsieur, je n'ai pas le courage de les mener, et je ferais conscience de leur donner des coups de fouet, en l'état où ils sont. Comment voudriez-vous qu'ils traînassent un carrosse, qu'ils ne peuvent pas se traîner eux-mêmes ?

VALÈRE : Monsieur, j'obligerai le voisin le Picard à se charger de les conduire ; aussi bien nous fera-t-il ici besoin pour apprêter le souper.

MAITRE JACQUES : Soit, j'aime mieux encore qu'ils meurent sous la main d'un autre que sous la mienne.

VALÈRE : Maître Jacques fait bien le raisonnable.

MAITRE JACQUES : Monsieur l'intendant fait bien le nécessaire.

HARPAGON : Paix !

MAITRE JACQUES : Monsieur, je ne saurais souffrir les flatteurs ; et je vois que ce qu'il en fait, que ses contrôles perpétuels sur le pain et le vin, le bois, le sel, et la chandelle, ne sont rien que pour vous gratter [1] et vous faire sa cour. J'enrage de cela, et je suis fâché tous les jours d'entendre ce qu'on dit de vous ; car enfin je me sens pour vous de la tendresse, en dépit que j'en aie ; et après mes chevaux, vous êtes la personne que j'aime le plus.

HARPAGON : Pourrais-je savoir de vous, maître Jacques, ce que l'on dit de moi ?

MAITRE JACQUES : Oui, Monsieur, si j'étais assuré que cela ne vous fâchât point.

HARPAGON : Non, en aucune façon.

MAITRE JACQUES : Pardonnez-moi, je sais fort bien que je vous mettrais en colère.

HARPAGON : Point du tout, au contraire, c'est me

faire plaisir, et je suis bien aise d'apprendre comme on parle de moi.

MAITRE JACQUES : Monsieur, puisque vous le voulez, je vous dirai franchement qu'on se moque partout de vous ; qu'on nous jette de tous côtés cent brocards à votre sujet ; et que l'on n'est point plus ravi que de vous tenir au cul et aux chausses [1], et de faire sans cesse des contes de votre lésine. L'un dit que vous faites imprimer des almanachs particuliers, où vous faites doubler les quatre-temps et les vigiles, afin de profiter des jeûnes où vous obligez votre monde. L'autre, que vous avez toujours une querelle toute prête à faire à vos valets dans le temps des étrennes, ou de leur sortie d'avec vous, pour vous trouver une raison de ne leur donner rien. Celui-là conte qu'une fois vous fîtes assigner le chat [2] d'un de vos voisins, pour vous avoir mangé un reste d'un gigot de mouton. Celui-ci, que l'on vous surprit une nuit, en venant dérober vous-même l'avoine de vos chevaux ; et que votre cocher, qui était celui d'avant moi, vous donna dans l'obscurité je ne sais combien de coups de bâton, dont vous ne voulûtes rien dire [3]. Enfin voulez-vous que je vous dise? On ne saurait aller nulle part où l'on ne vous entende accommoder de toutes pièces ; vous êtes la fable et la risée de tout le monde ; et jamais on ne parle de vous, que sous les noms d'avare, de ladre, de vilain et de fesse-mathieu.

HARPAGON, *en le battant :* Vous êtes un sot, un maraud, un coquin, et un impudent.

MAITRE JACQUES : Hé bien! ne l'avais-je pas deviné? Vous ne m'avez pas voulu croire : je vous l'avais bien dit que je vous fâcherais de vous dire la vérité.

HARPAGON : Apprenez à parler.

SCÈNE II

MAITRE JACQUES, VALÈRE

VALÈRE : A ce que je puis voir, maître Jacques, on paye mal votre franchise.

MAITRE JACQUES : Morbleu! Monsieur le nouveau venu, qui faites l'homme d'importance, ce n'est pas votre affaire. Riez de vos coups de bâton quand on vous en donnera, et ne venez point rire des miens.

VALÈRE : Ah! Monsieur maître Jacques, ne vous fâchez pas, je vous prie.

MAITRE JACQUES : Il file doux. Je veux faire le brave et s'il est assez sot pour me craindre, le frotter quelque peu. Savez-vous bien, Monsieur le rieur, que je ne ris pas, moi? et que si vous m'échauffez la tête, je vous ferai rire d'une autre sorte?

Maître Jacques pousse Valère jusques au bout du théâtre, en le menaçant.

VALÈRE : Eh! doucement.

MAITRE JACQUES : Comment, doucement? Il ne me plaît pas, moi.

VALÈRE : De grâce.

MAITRE JACQUES : Vous êtes un impertinent.

VALÈRE : Monsieur maître Jacques...

MAITRE JACQUES : Il n'y a point de Monsieur maître Jacques pour un double [1]. Si je prends un bâton, je vous rosserai d'importance.

VALÈRE : Comment, un bâton?

Valère le fait reculer autant qu'il l'a fait.

MAITRE JACQUES : Eh! je ne parle pas de cela.

VALÈRE : Savez-vous bien, Monsieur le fat, que je suis homme à vous rosser vous-même?

MAITRE JACQUES : Je n'en doute pas.

VALÈRE : Que vous n'êtes, pour tout potage, qu'un faquin de cuisinier?

MAITRE JACQUES : Je le sais bien.

VALÈRE : Et que vous ne me connaissez pas encore.

MAITRE JACQUES : Pardonnez-moi.

VALÈRE : Vous me rosserez, dites-vous?

MAITRE JACQUES : Je le disais en raillant.

VALÈRE : Et moi, je ne prends point de goût à votre raillerie. (*Il lui donne des coups de bâton.*) Apprenez que vous êtes un mauvais railleur.

MAITRE JACQUES : Peste soit la sincérité! c'est un mauvais métier. Désormais, j'y renonce, et je ne veux plus dire vrai. Passe encore pour mon maître ; il a quelque droit de me battre ; mais pour ce Monsieur l'intendant, je m'en vengerai si je puis.

SCÈNE III

FROSINE, MARIANE, MAITRE JACQUES

FROSINE : Savez-vous, maître Jacques, si votre maître est au logis?

MAITRE JACQUES : Oui vraiment il y est, je ne le sais que trop.

FROSINE : Dites-lui, je vous prie, que nous sommes ici.

SCÈNE IV

MARIANE, FROSINE

MARIANE : Ah! que je suis, Frosine, dans un étrange état! et s'il faut dire ce que je sens, que j'appréhende cette vue!

FROSINE : Mais pourquoi, et quelle est votre inquiétude?

MARIANE : Hélas! me le demandez-vous? et ne vous figurez-vous point les alarmes d'une personne toute prête à voir le supplice où l'on veut l'attacher?

FROSINE : Je vois bien que, pour mourir agréablement, Harpagon n'est pas le supplice que vous voudriez embrasser ; et je connais à votre mine que le jeune blondin dont vous m'avez parlé vous revient un peu dans l'esprit.

MARIANE : Oui, c'est une chose, Frosine, dont je ne veux pas me défendre ; et les visites respectueuses qu'il a rendues chez nous ont fait, je vous l'avoue, quelque effet dans mon âme.

FROSINE : Mais avez-vous su quel il est?

MARIANE : Non, je ne sais point quel il est ; mais je sais qu'il est fait d'un air à se faire aimer ; que si l'on pouvait mettre les choses à mon choix, je le prendrais plutôt qu'un autre ; et qu'il ne contribue pas peu à me faire trouver un tourment effroyable dans l'époux qu'on veut me donner.

FROSINE : Mon Dieu! tous ces blondins sont agréables, et débitent fort bien leur fait; mais la plupart sont gueux comme des rats ; et il vaut mieux pour vous de prendre un vieux mari qui vous donne beaucoup de bien. Je vous avoue que les sens ne trouvent pas si bien leur compte du côté que je dis, et qu'il y a quelques petits dégoûts à essuyer avec un tel époux ; mais cela n'est pas pour durer, et sa mort, croyez-moi, vous mettra bientôt en état d'en prendre un plus aimable, qui réparera toutes choses.

MARIANE : Mon Dieu! Frosine, c'est une étrange affaire, lorsque, pour être heureuse, il faut souhaiter ou attendre le trépas de quelqu'un, et la mort ne suit pas tous les projets que nous faisons.

FROSINE : Vous moquez-vous? Vous ne l'épousez qu'aux conditions de vous laisser veuve bientôt ; et ce doit être là un des articles du contrat. Il serait bien impertinent de ne pas mourir dans trois mois. Le voici en propre personne.

MARIANE : Ah! Frosine, quelle figure!

SCÈNE V

HARPAGON, FROSINE, MARIANE

HARPAGON : Ne vous offensez pas, ma belle, si je viens à vous avec des lunettes. Je sais que vos appas frappent assez les yeux, sont assez visibles d'eux-mêmes, et qu'il n'est pas besoin de lunettes pour les apercevoir ; mais enfin c'est avec des lunettes qu'on observe les astres ; et je maintiens et garantis que vous êtes un astre, mais un astre le plus bel astre qui soit dans le pays des astres. Frosine, elle ne répond mot, et ne témoigne, ce me semble, aucune joie de me voir.

FROSINE : C'est qu'elle est encore toute surprise ; et puis les filles ont toujours honte à témoigner d'abord ce qu'elles ont dans l'âme.

HARPAGON : Tu as raison. Voilà, belle mignonne, ma fille qui vient vous saluer.

SCÈNE VI

ÉLISE, HARPAGON, MARIANE, FROSINE

MARIANE : Je m'acquitte bien tard, Madame, d'une telle visite.

ÉLISE : Vous avez fait, Madame, ce que je devais faire, et c'était à moi de vous prévenir [1].

HARPAGON : Vous voyez qu'elle est grande ; mais mauvaise herbe croît toujours.

MARIANE, *bas à Frosine :* Oh! l'homme déplaisant!

HARPAGON : Que dit la belle?

FROSINE : Qu'elle vous trouve admirable.

HARPAGON : C'est trop d'honneur que vous me faites, adorable mignonne.

MARIANE, *à part :* Quel animal!

HARPAGON : Je vous suis trop obligé de ces sentiments.

MARIANE, *à part :* Je n'y puis plus tenir.

HARPAGON : Voici mon fils aussi qui vous vient faire la révérence.

MARIANE, *à part, à Frosine :* Ah! Frosine, quelle rencontre! C'est justement celui dont je t'ai parlé.

FROSINE, *à Mariane :* L'aventure est merveilleuse.

HARPAGON : Je vois que vous vous étonnez de me voir de si grands enfants, mais je serai bientôt défait et de l'un et de l'autre.

SCÈNE VII

CLÉANTE, HARPAGON, ÉLISE, MARIANE, FROSINE

CLÉANTE : Madame, à vous dire le vrai, c'est ici une aventure où sans doute je ne m'attendais pas ; et mon père ne m'a pas peu surpris lorsqu'il m'a dit tantôt le dessein qu'il avait formé.

MARIANE : Je puis dire la même chose. C'est une rencontre imprévue qui m'a surprise autant que vous ; et je n'étais point préparée à une pareille aventure.

CLÉANTE : Il est vrai que mon père, Madame, ne peut pas faire un plus beau choix, et que ce m'est une sensible joie que l'honneur de vous voir ; mais avec tout cela, je ne vous assurerai point que je me réjouis du dessein où vous pourriez être de devenir ma belle-mère. Le compliment, je vous l'avoue, est trop difficile pour moi ; et c'est un titre, s'il vous plaît, que je ne vous souhaite point. Ce discours paraîtra brutal aux yeux de quelques-uns ; mais je suis assuré que vous serez personne à le prendre comme il faudra ; que c'est un mariage, Madame, où vous vous imaginez bien que je dois avoir de la répugnance ; que vous n'ignorez pas sachant ce que je suis, comme il choque mes intérêts ; et que vous voulez bien enfin que je vous dise, avec la permission de mon père, que si les choses dépendaient de moi, cet hymen ne se ferait point.

HARPAGON : Voilà un compliment bien impertinent : quelle belle confession à lui faire !

MARIANE : Et moi, pour vous répondre, j'ai à vous dire que les choses sont fort égales ; et que si vous auriez de la répugnance à me voir votre belle-mère, je n'en aurais pas moins sans doute à vous voir mon beau-fils. Ne croyez pas, je vous prie, que ce soit moi qui cherche à vous donner cette inquiétude. Je serais fort fâchée de vous causer du déplaisir ; et si je ne m'y vois forcée par une puissance absolue, je vous donne ma parole que je ne consentirai point au mariage qui vous chagrine.

HARPAGON : Elle a raison ; à sot compliment il faut une réponse de même. Je vous demande pardon, ma belle, de l'impertinence de mon fils. C'est un jeune sot, qui ne sait pas encore la conséquence des paroles qu'il dit.

MARIANE : Je vous promets que ce qu'il m'a dit ne m'a point du tout offensée ; au contraire, il m'a fait plaisir de m'expliquer ainsi ses véritables sentiments. J'aime de lui un aveu de la sorte ; et, s'il avait parlé d'autre façon, je l'en estimerais bien moins.

HARPAGON : C'est beaucoup de bonté à vous de vouloir ainsi excuser ses fautes. Le temps le rendra plus sage, et vous verrez qu'il changera de sentiments.

CLÉANTE : Non, mon père, je ne suis point capable d'en changer, et je prie instamment Madame de le croire.

HARPAGON : Mais voyez quelle extravagance ! il continue encore plus fort.

CLÉANTE : Voulez-vous que je trahisse mon cœur ?

HARPAGON : Encore ? Avez-vous envie de changer de discours ?

CLÉANTE : Hé bien ! puisque vous voulez que je parle d'autre façon, souffrez, Madame, que je me mette ici à la place de mon père, et que je vous avoue que je n'ai rien vu dans le monde de si charmant que vous ; que je ne conçois rien d'égal au bonheur de vous plaire, et que le titre de votre époux est une gloire, une félicité que je préférerais aux destinées des plus grands princes de la terre. Oui, Madame, le bonheur de vous posséder est à mes regards la plus belle de toutes les fortunes ; c'est où j'attache toute mon ambition ; il n'y a rien que je ne sois capable de faire pour une conquête si précieuse, et les obstacles les plus puissants...

HARPAGON : Doucement, mon fils, s'il vous plaît.

CLÉANTE : C'est un compliment que je fais pour vous à Madame.

HARPAGON : Mon Dieu ! j'ai une langue pour m'expliquer moi-même, et je n'ai pas besoin d'un procureur comme vous. Allons, donnez des sièges.

FROSINE : Non ; il vaut mieux que de ce pas nous

allions à la foire, afin d'en revenir plus tôt, et d'avoir tout le temps ensuite de vous entretenir.

HARPAGON : Qu'on mette donc les chevaux au carrosse. Je vous prie de m'excuser, ma belle, si je n'ai pas songé à vous donner un peu de collation avant que de partir.

CLÉANTE : J'y ai pourvu, mon père, et j'ai fait apporter ici quelques bassins d'oranges de la Chine, de citrons doux [1] et de confitures, que j'ai envoyé querir de votre part.

HARPAGON, *bas à Valère :* Valère!

VALÈRE, *à Harpagon :* Il a perdu le sens.

CLÉANTE : Est-ce que vous trouvez, mon père, que ce ne soit pas assez? Madame aura la bonté d'excuser cela, s'il lui plaît.

MARIANE : C'est une chose qui n'était pas nécessaire.

CLÉANTE : Avez-vous jamais vu, Madame, un diamant plus vif que celui que vous voyez que mon père a au doigt?

MARIANE : Il est vrai qu'il brille beaucoup.

CLÉANTE. *Il l'ôte du doigt de son père et le donne à Mariane :* Il faut que vous le voyiez de près.

MARIANE : Il est fort beau sans doute, et jette quantité de feux.

CLÉANTE. *Il se met au-devant de Mariane, qui le veut rendre :* Nenni, Madame : il est en de trop belles mains. C'est un présent que mon père vous a fait.

HARPAGON : Moi?

CLÉANTE : N'est-il pas vrai, mon père, que vous voulez que Madame le garde pour l'amour de vous?

HARPAGON, *à part, à son fils :* Comment?

CLÉANTE : Belle demande! Il me fait signe de vous le faire accepter.

MARIANE : Je ne veux point...

CLÉANTE : Vous moquez-vous? Il n'a garde de le reprendre.

HARPAGON, *à part :* J'enrage!

MARIANE : Ce serait...

CLÉANTE, *en empêchant toujours Mariane de rendre la bague :* Non, vous dis-je, c'est l'offenser.

MARIANE : De grâce...

CLÉANTE : Point du tout.

HARPAGON, *à part :* Peste soit...

CLÉANTE : Le voilà qui se scandalise de votre refus.

HARPAGON, *bas, à son fils :* Ah! traître!

CLÉANTE : Vous voyez qu'il se désespère.

HARPAGON, *bas, à son fils, en le menaçant :* Bourreau que tu es!

CLÉANTE : Mon père, ce n'est pas ma faute. Je fais ce que je puis pour l'obliger à la garder ; mais elle est obstinée.

HARPAGON, *bas, à son fils, avec emportement :* Pendard!

CLÉANTE : Vous êtes cause, Madame, que mon père me querelle.

HARPAGON, *bas, à son fils, avec les mêmes grimaces :* Le coquin!

CLÉANTE : Vous le ferez tomber malade. De grâce, Madame, ne résistez point davantage.

FROSINE : Mon Dieu! que de façons! Gardez la bague, puisque Monsieur le veut.

MARIANE : Pour ne vous point mettre en colère, je la garde maintenant ; et je prendrai un autre temps pour vous la rendre.

SCÈNE VIII

HARPAGON, MARIANE, FROSINE, CLÉANTE, BRINDAVOINE, ÉLISE

BRINDAVOINE : Monsieur, il y a là un homme qui veut vous parler.

HARPAGON : Dis-lui que je suis empêché, et qu'il revienne une autre fois.

BRINDAVOINE : Il dit qu'il vous apporte de l'argent [1].

HARPAGON : Je vous demande pardon. Je reviens tout à l'heure.

SCÈNE IX

HARPAGON, MARIANE, CLÉANTE, ÉLISE, FROSINE, LA MERLUCHE

LA MERLUCHE. *Il vient en courant, et fait tomber Harpagon :* Monsieur...

HARPAGON : Ah! je suis mort.

CLÉANTE : Qu'est-ce, mon père? vous êtes-vous fait mal?

HARPAGON : Le traître assurément a reçu de l'argent de mes débiteurs, pour me faire rompre le cou.

VALÈRE : Cela ne sera rien.

LA MERLUCHE : Monsieur, je vous demande pardon, je croyais bien faire d'accourir vite.

HARPAGON : Que viens-tu faire ici, bourreau?

LA MERLUCHE : Vous dire que vos deux chevaux sont déferrés.

HARPAGON : Qu'on les mène promptement chez le maréchal.

CLÉANTE : En attendant qu'ils soient ferrés, je vais faire pour vous, mon père, les honneurs de votre logis, et conduire Madame dans le jardin, où je ferai porter la collation.

HARPAGON : Valère, aie un peu l'œil à tout cela ; et prends soin, je te prie, de m'en sauver le plus que tu pourras, pour le renvoyer au marchand.

VALÈRE : C'est assez.

HARPAGON : Ô fils impertinent, as-tu envie de me ruiner?

ACTE IV

SCÈNE PREMIÈRE

CLÉANTE, MARIANE, ÉLISE, FROSINE

CLÉANTE : Rentrons ici, nous serons beaucoup mieux. Il n'y a plus autour de nous personne de suspect, et nous pouvons parler librement.

ÉLISE : Oui, Madame, mon frère m'a fait confidence de la passion qu'il a pour vous. Je sais les chagrins et les déplaisirs que sont capables de causer de pareilles traverses ; et c'est, je vous assure, avec une tendresse extrême que je m'intéresse à votre aventure.

MARIANE : C'est une douce consolation que de voir dans ses intérêts une personne comme vous ; et je vous conjure, Madame, de me garder toujours cette généreuse amitié, si capable de m'adoucir les cruautés de la fortune.

FROSINE : Vous êtes, par ma foi, de malheureuses gens l'un et l'autre, de ne m'avoir point, avant tout ceci, avertie de votre affaire. Je vous aurais sans doute détourné [1] cette inquiétude, et n'aurais point amené les choses où l'on voit qu'elles sont.

CLÉANTE : Que veux-tu ? C'est ma mauvaise destinée qui l'a voulu ainsi. Mais, belle Mariane, quelles résolutions sont les vôtres ?

MARIANE : Hélas! suis-je en pouvoir de faire des résolutions ? Et dans la dépendance où je me vois, puis-je former que des souhaits ?

CLÉANTE : Point d'autre appui pour moi dans votre cœur que de simples souhaits ? point de pitié officieuse [2] ?

point de secourable bonté ? point d'affection agissante ?

MARIANE : Que saurais-je vous dire ? Mettez-vous en ma place, et voyez ce que je puis faire. Avisez, ordonnez vous-même : je m'en remets à vous, et je vous crois trop raisonnable pour vouloir exiger de moi que ce qui peut m'être permis par l'honneur et la bienséance.

CLÉANTE : Hélas ! où me réduisez-vous, que de me renvoyer à ce que voudront me permettre les fâcheux sentiments d'un rigoureux honneur et d'une scrupuleuse bienséance.

MARIANE : Mais que voulez-vous que je fasse ? Quand je pourrais passer sur quantité d'égards où notre sexe est obligé, j'ai de la considération pour ma mère. Elle m'a toujours élevée avec une tendresse extrême, et je ne saurais me résoudre à lui donner du déplaisir. Faites, agissez auprès d'elle, employez tous vos soins à gagner son esprit ; vous pouvez faire et dire tout ce que vous voudrez, je vous en donne la licence, et s'il ne tient qu'à me déclarer en votre faveur, je veux bien consentir à lui faire un aveu moi-même de tout ce que je sens pour vous.

CLÉANTE : Frosine, ma pauvre Frosine, voudrais-tu nous servir ?

FROSINE : Par ma foi ! faut-il demander ? je le voudrais de tout mon cœur. Vous savez que de mon naturel je suis assez humaine ; le Ciel ne m'a point fait l'âme de bronze, et je n'ai que trop de tendresse à rendre de petits services, quand je vois des gens qui s'entr'aiment en tout bien et en tout honneur. Que pourrions-nous faire à ceci ?

CLÉANTE : Songe un peu, je te prie.

MARIANE : Ouvre-nous des lumières.

ÉLISE : Trouve quelque invention pour rompre ce que tu as fait.

FROSINE : Ceci est assez difficile. Pour votre mère, elle n'est pas tout à fait déraisonnable, et peut-être pourrait-on la gagner, et la résoudre à transporter au fils le don qu'elle veut faire au père. Mais le mal que j'y trouve, c'est que votre père est votre père.

CLÉANTE : Cela s'entend.

FROSINE : Je veux dire qu'il conservera du dépit, si l'on montre qu'on le refuse ; et qu'il ne sera point d'humeur ensuite à donner son consentement à votre mariage. Il faudrait, pour bien faire, que le refus vînt de lui-même, et tâcher par quelque moyen de le dégoûter de votre personne.

CLÉANTE : Tu as raison.

FROSINE : Oui, j'ai raison, je le sais bien. C'est là ce qu'il faudrait ; mais le diantre est d'en pouvoir trouver les moyens. Attendez : si nous avions quelque femme un peu sur l'âge, qui fût de mon talent, et jouât assez bien pour contrefaire une dame de qualité, par le moyen d'un train fait à la hâte, et d'un bizarre nom de marquise, ou de vicomtesse, que nous supposerions de la basse Bretagne, j'aurais assez d'adresse pour faire accroire à votre père que ce serait une personne riche, outre ses maisons, de cent mille écus en argent comptant ; qu'elle serait éperdument amoureuse de lui, et souhaiterait de se voir sa femme, jusqu'à lui donner tout son bien par contrat de mariage ; et je ne doute point qu'il ne prêtât l'oreille à la proposition ; car enfin il vous aime fort, je le sais ; mais il aime un peu plus l'argent ; et quand, ébloui de ce leurre, il aurait une fois consenti à ce qui vous touche, il importerait peu ensuite qu'il se désabusât, en venant à vouloir voir clair aux effets [1] de notre marquise.

CLÉANTE : Tout cela est fort bien pensé.

FROSINE : Laissez-moi faire. Je viens de me ressouvenir d'une de mes amies, qui sera notre fait.

CLÉANTE : Sois assurée, Frosine, de ma reconnaissance, si tu viens à bout de la chose. Mais, charmante Mariane, commençons, je vous prie, par gagner votre mère ; c'est toujours beaucoup faire que de rompre ce mariage. Faites-y de votre part, je vous en conjure, tous les efforts qu'il vous sera possible ; servez-vous de tout le pouvoir que vous donne sur elle cette amitié qu'elle a pour vous ; déployez sans réserve les grâces éloquentes, les charmes tout-puissants que le Ciel a placés dans vos yeux et dans votre bouche ; et n'oubliez rien, s'il vous plaît, de ces tendres paroles, de ces douces prières, et de ces caresses touchantes à qui je suis persuadé qu'on ne saurait rien refuser.

MARIANE : J'y ferai tout ce que je puis, et n'oublierai aucune chose.

SCÈNE II

HARPAGON, CLÉANTE, MARIANE, ÉLISE, FROSINE

HARPAGON : Ouais! mon fils baise la main de sa prétendue belle-mère, et sa prétendue belle-mère ne s'en défend pas fort. Y aurait-il quelque mystère là-dessous?

ÉLISE : Voilà mon père.

HARPAGON : Le carrosse est tout prêt. Vous pouvez partir quand il vous plaira.

CLÉANTE : Puisque vous n'y allez pas, mon père, je m'en vais les conduire.

HARPAGON : Non, demeurez. Elles iront bien toutes seules ; et j'ai besoin de vous.

SCÈNE III

HARPAGON, CLÉANTE

HARPAGON : Ô çà, intérêt de belle-mère à part, que te semble à toi de cette personne?

CLÉANTE : Ce qui m'en semble?

HARPAGON : Oui, de son air, de sa taille, de sa beauté, de son esprit?

CLÉANTE : La, la.

HARPAGON : Mais encore?

CLÉANTE : A vous en parler franchement, je ne l'ai pas trouvée ici ce que je l'avais crue. Son air est de franche coquette ; sa taille est assez gauche, sa beauté très médiocre, et son esprit des plus communs. Ne croyez pas que ce soit, mon père, pour vous en dégoûter ; car belle-mère pour belle-mère, j'aime autant celle-là qu'une autre.

HARPAGON : Tu lui disais tantôt pourtant...

CLÉANTE : Je lui ai dit quelques douceurs en votre nom, mais c'était pour vous plaire.

HARPAGON : Si bien donc que tu n'aurais pas d'inclination pour elle ?

CLÉANTE : Moi ? point du tout.

HARPAGON : J'en suis fâché, car cela rompt une pensée qui m'était venue dans l'esprit. J'ai fait, en la voyant ici, réflexion sur mon âge ; et j'ai songé qu'on pourra trouver à redire de me voir marier à une si jeune personne. Cette considération m'en faisait quitter le dessein ; et comme je l'ai fait demander, et que je suis pour elle engagé de parole, je te l'aurais donnée, sans l'aversion que tu témoignes.

CLÉANTE : A moi ?

HARPAGON : A toi.

CLÉANTE : En mariage ?

HARPAGON : En mariage.

CLÉANTE : Écoutez : il est vrai qu'elle n'est pas fort à mon goût ; mais pour vous faire plaisir, mon père, je me résoudrai à l'épouser, si vous voulez.

HARPAGON : Moi ? Je suis plus raisonnable que tu ne penses : je ne veux point forcer ton inclination.

CLÉANTE : Pardonnez-moi, je me ferai cet effort pour l'amour de vous.

HARPAGON : Non, non ; un mariage ne saurait être heureux où l'inclination n'est pas.

CLÉANTE : C'est une chose, mon père, qui peut-être viendra ensuite ; et l'on dit que l'amour est souvent un fruit du mariage.

HARPAGON : Non : du côté de l'homme, on ne doit point risquer l'affaire, et ce sont des suites fâcheuses, où je n'ai garde de me commettre. Si tu avais senti quelque inclination pour elle, à la bonne heure : je te l'aurais fait épouser, au lieu de moi ; mais cela n'étant pas, je suivrai mon premier dessein, et je l'épouserai moi-même.

CLÉANTE : Hé bien ! mon père, puisque les choses sont ainsi, il faut vous découvrir mon cœur, il faut vous révéler notre secret. La vérité est que je l'aime, depuis un jour que je la vis dans une promenade ; que mon dessein était tantôt de vous la demander pour femme ; et que rien ne m'a retenu que la déclaration de vos sentiments, et la crainte de vous déplaire.

HARPAGON : Lui avez-vous [1] rendu visite ?

CLÉANTE : Oui, mon père.

HARPAGON : Beaucoup de fois ?

CLÉANTE : Assez, pour le temps qu'il y a.

HARPAGON : Vous a-t-on bien reçu ?

CLÉANTE : Fort bien, mais sans savoir qui j'étais ; et c'est ce qui a fait tantôt la surprise de Mariane.

HARPAGON : Lui avez-vous déclaré votre passion, et le dessein où vous étiez de l'épouser ?

CLÉANTE : Sans doute ; et même j'en avais fait à sa mère quelque peu d'ouverture.

HARPAGON : A-t-elle écouté, pour sa fille, votre proposition ?

CLÉANTE : Oui, fort civilement.

HARPAGON : Et la fille correspond-elle fort à votre amour ?

CLÉANTE : Si j'en dois croire les apparences, je me persuade, mon père, qu'elle a quelque bonté pour moi.

HARPAGON : Je suis bien aise d'avoir appris un tel secret ; et voilà justement ce que je demandais. Oh sus ! mon fils, savez-vous ce qu'il y a ? c'est qu'il faut songer, s'il vous plaît, à vous défaire de votre amour ; à cesser toutes vos poursuites auprès d'une personne que je prétends pour moi ; et à vous marier dans peu avec celle qu'on vous destine.

CLÉANTE : Oui, mon père, c'est ainsi que vous me jouez ! Hé bien ! puisque les choses en sont venues là, je vous déclare, moi, que je ne quitterai point la passion que j'ai pour Mariane, qu'il n'y a point d'extrémité où je ne m'abandonne pour vous disputer sa conquête, et que si vous avez pour vous le consentement d'une mère, j'aurai d'autres secours peut-être qui combattront pour moi.

HARPAGON : Comment, pendard ? tu as l'audace d'aller sur mes brisées ?

CLÉANTE : C'est vous qui allez sur les miennes ; et je suis le premier en date.

HARPAGON : Ne suis-je pas ton père ? et ne me dois-tu pas respect !

CLÉANTE : Ce ne sont point ici des choses où les enfants soient obligés de déférer aux pères ; et l'amour ne connaît personne.

HARPAGON : Je te ferai bien me connaître, avec de bons coups de bâton.

CLÉANTE : Toutes vos menaces ne feront rien.

HARPAGON : Tu renonceras à Mariane.

CLÉANTE : Point du tout.

HARPAGON : Donnez-moi un bâton tout à l'heure.

SCÈNE IV

MAITRE JACQUES, HARPAGON, CLÉANTE

MAITRE JACQUES : Eh, eh, eh, Messieurs, qu'est-ce ci ? à quoi songez-vous ?

CLÉANTE : Je me moque de cela.

MAITRE JACQUES : Ah ! Monsieur, doucement.

HARPAGON : Me parler avec cette impudence !

MAITRE JACQUES : Ah ! Monsieur, de grâce.

CLÉANTE : Je n'en démordrai point.

MAITRE JACQUES : Hé quoi ? à votre père ?

HARPAGON : Laisse-moi faire.

MAITRE JACQUES : Hé quoi ? à votre fils ? Encore passe pour moi.

HARPAGON : Je te veux faire toi-même, maître Jacques, juge de cette affaire, pour montrer comme j'ai raison.

MAITRE JACQUES : J'y consens. Éloignez-vous un peu.

HARPAGON : J'aime une fille, que je veux épouser ; et le pendard a l'insolence de l'aimer avec moi, et d'y prétendre malgré mes ordres.

MAITRE JACQUES : Ah ! il a tort.

HARPAGON : N'est-ce pas une chose épouvantable,

qu'un fils qui veut entrer en concurrence avec son père ? et ne doit-il pas, par respect, s'abstenir de toucher à mes inclinations ?

MAITRE JACQUES : Vous avez raison. Laissez-moi lui parler, et demeurez là.

Il vient trouver Cléante à l'autre bout du théâtre.

CLÉANTE : Hé bien! oui, puisqu'il veut te choisir pour juge, je n'y recule point ; il ne m'importe qui ce soit ; et je veux bien aussi me rapporter à toi, maître Jacques, de notre différend.

MAITRE JACQUES : C'est beaucoup d'honneur que vous me faites.

CLÉANTE : Je suis épris d'une jeune personne qui répond à mes vœux, et reçoit tendrement les offres de ma foi ; et mon père s'avise de venir troubler notre amour par la demande qu'il en fait faire.

MAITRE JACQUES : Il a tort assurément.

CLÉANTE : N'a-t-il point de honte, à son âge, de songer à se marier ? lui sied-il bien d'être encore amoureux ? et ne devrait-il pas laisser cette occupation aux jeunes gens ?

MAITRE JACQUES : Vous avez raison, il se moque. Laissez-moi lui dire deux mots. (*Il revient à Harpagon.*) Hé bien! votre fils n'est pas si étrange que vous le dites, et il se met à la raison. Il dit qu'il sait le respect qu'il vous doit, qu'il ne s'est emporté que dans la première chaleur, et qu'il ne fera point refus de se soumettre à ce qu'il vous plaira, pourvu que vous vouliez le traiter mieux que vous ne faites, et lui donner quelque personne en mariage dont il ait lieu d'être content.

HARPAGON : Ah! dis-lui, maître Jacques, que moyennant cela, il pourra espérer toutes choses de moi ; et que, hors Mariane, je lui laisse la liberté de choisir celle qu'il voudra.

MAITRE JACQUES . *Il va au fils :* Laissez-moi faire. Hé bien! votre père n'est pas si déraisonnable que vous le faites ; et il m'a témoigné que ce sont vos emportements qui l'ont mis en colère ; qu'il n'en veut seulement qu'à votre manière d'agir, et qu'il sera fort disposé à vous accorder ce que vous souhaitez, pourvu que vous vouliez vous y prendre par la douceur, et lui rendre les déférences, les respects, et les soumissions qu'un fils doit à son père.

CLÉANTE : Ah! maître Jacques, tu lui peux assurer que, s'il m'accorde Mariane, il me verra toujours le plus soumis de tous les hommes ; et que jamais je ne ferai aucune chose que par ses volontés.

MAITRE JACQUES : Cela est fait. Il consent à ce que vous dites.

HARPAGON : Voilà qui va le mieux du monde.

MAITRE JACQUES : Tout est conclu. Il est content de vos promesses.

CLÉANTE : Le Ciel en soit loué!

MAITRE JACQUES : Messieurs, vous n'avez qu'à parler ensemble : vous voilà d'accord maintenant ; et vous alliez vous quereller, faute de vous entendre.

CLÉANTE : Mon pauvre maître Jacques, je te serai obligé toute ma vie.

MAITRE JACQUES : Il n'y a pas de quoi, Monsieur.

HARPAGON : Tu m'as fait plaisir, maître Jacques, et cela mérite une récompense. Va, je m'en souviendrai, je t'assure.

Il tire son mouchoir de sa poche, ce qui fait croire à Maître Jacques qu'il va lui donner quelque chose.

MAITRE JACQUES : Je vous baise les mains [1].

SCÈNE V

CLÉANTE, HARPAGON

CLÉANTE : Je vous demande pardon, mon père, de l'emportement que j'ai fait paraître.

HARPAGON : Cela n'est rien.

CLÉANTE : Je vous assure que j'en ai tous les regrets du monde.

HARPAGON : Et moi, j'ai toutes les joies du monde de te voir raisonnable.

CLÉANTE : Quelle bonté à vous d'oublier si vite ma faute !

HARPAGON : On oublie aisément les fautes des enfants, lorsqu'ils rentrent dans leur devoir.

CLÉANTE : Quoi ? ne garder aucun ressentiment de toutes mes extravagances ?

HARPAGON : C'est une chose où tu m'obliges par la soumission et le respect où tu te ranges.

CLÉANTE : Je vous promets, mon père, que, jusques au tombeau, je conserverai dans mon cœur le souvenir de vos bontés.

HARPAGON : Et moi, je te promets qu'il n'y aura aucune chose que de moi tu n'obtiennes.

CLÉANTE : Ah ! mon père, je ne vous demande plus rien ; et c'est m'avoir assez donné que de me donner Mariane.

HARPAGON : Comment ?

CLÉANTE : Je dis, mon père, que je suis trop content de vous, et que je trouve toutes choses dans la bonté que vous avez de m'accorder Mariane.

HARPAGON : Qui est-ce qui parle de t'accorder Mariane ?

CLÉANTE : Vous, mon père.

HARPAGON : Moi !

CLÉANTE : Sans doute.

HARPAGON : Comment ? C'est toi qui as promis d'y renoncer.

CLÉANTE : Moi, y renoncer ?

HARPAGON : Oui.

CLÉANTE : Point du tout.

HARPAGON : Tu ne t'es pas départi d'y prétendre ?

CLÉANTE : Au contraire, j'y suis porté plus que jamais.

HARPAGON : Quoi ? pendard, derechef ?

CLÉANTE : Rien ne me peut changer.

HARPAGON : Laisse-moi faire, traître.

CLÉANTE : Faites tout ce qu'il vous plaira.

HARPAGON : Je te défends de me jamais voir.

CLÉANTE : A la bonne heure.
HARPAGON : Je t'abandonne.
CLÉANTE : Abandonnez.
HARPAGON : Je te renonce pour mon fils.
CLÉANTE : Soit.
HARPAGON : Je te déshérite.
CLÉANTE : Tout ce que vous voudrez.
HARPAGON : Et je te donne ma malédiction.
CLÉANTE : Je n'ai que faire de vos dons.

SCÈNE VI

LA FLÈCHE, CLÉANTE

LA FLÈCHE, *sortant du jardin, avec une cassette* : Ah! Monsieur, que je vous trouve à propos! suivez-moi vite.

CLÉANTE : Qu'y a-t-il?

LA FLÈCHE : Suivez-moi, vous dis-je : nous sommes bien.

CLÉANTE : Comment?

LA FLÈCHE : Voici votre affaire.

CLÉANTE : Quoi?

LA FLÈCHE : J'ai guigné ceci tout le jour.

CLÉANTE : Qu'est-ce que c'est?

LA FLÈCHE : Le trésor de votre père, que j'ai attrapé.

CLÉANTE : Comment as-tu fait?

LA FLÈCHE : Vous saurez tout. Sauvons-nous, je l'entends crier.

SCÈNE VII

HARPAGON

Il crie au voleur dès le jardin, et vient sans chapeau [1].

Au voleur! au voleur! à l'assassin! au meurtrier! Justice, juste Ciel! je suis perdu, je suis assassiné, on m'a coupé la gorge, on m'a dérobé mon argent. Qui peut-ce être? Qu'est-il devenu? Où est-il? Où se cache-t-il? Que ferai-je pour le trouver? Où courir? Où ne pas courir? N'est-il point là? N'est-il point ici? Qui est-ce? Arrête. Rends-moi mon argent, coquin... *(Il se prend lui-même le bras.)* Ah! c'est moi. Mon esprit est troublé, et j'ignore où je suis, qui je suis, et ce que je fais. Hélas! mon pauvre argent, mon pauvre argent, mon cher ami! on m'a privé de toi ; et puisque tu m'es enlevé, j'ai perdu mon support, ma consolation, ma joie ; tout est fini pour moi, et je n'ai plus que faire au monde : sans toi, il m'est impossible de vivre. C'en est fait, je n'en puis plus; je me meurs, je suis mort, je suis enterré. N'y a-t-il personne qui veuille me ressusciter, en me rendant mon cher argent, ou en m'apprenant qui l'a pris? Euh? que dites-vous? Ce n'est personne. Il faut, qui que ce soit qui ait fait le coup, qu'avec beaucoup de soin on ait épié l'heure ; et l'on a choisi justement le temps que je parlais à mon traître de fils. Sortons, Je veux aller querir la justice, et faire donner la question à toute la maison : à servantes, à valets, à fils, à fille, et à moi aussi. Que de gens assemblés! Je ne jette mes regards sur personne qui ne me donne des soupçons, et tout me semble mon voleur. Eh! de quoi est-ce qu'on parle là? De celui qui m'a dérobé? Quel bruit fait-on là-haut? Est-ce mon voleur qui y est? De grâce, si l'on sait des nouvelles de mon voleur, je supplie que l'on m'en dise. N'est-il point caché là parmi vous? Ils me regardent tous, et se mettent à rire. Vous verrez qu'ils ont part sans doute au vol que l'on m'a fait. Allons vite, des commissaires, des archers, des prévôts, des juges, des gênes [1], des potences et des bourreaux. Je veux faire pendre tout le monde ; et si je ne retrouve mon argent, je me pendrai moi-même après.

ACTE V

SCÈNE PREMIÈRE

HARPAGON, LE COMMISSAIRE [1], SON CLERC

LE COMMISSAIRE : Laissez-moi faire, je sais mon métier, Dieu merci. Ce n'est pas d'aujourd'hui que je me mêle de découvrir des vols ; et je voudrais avoir autant de sacs de mille francs que j'ai fait pendre de personnes.

HARPAGON : Tous les magistrats sont intéressés à prendre cette affaire en main ; et si l'on ne me fait retrouver mon argent, je demanderai justice de la justice.

LE COMMISSAIRE : Il faut faire toutes les poursuites requises. Vous dites qu'il y avait dans cette cassette... ?

HARPAGON : Dix mille écus bien comptés.

LE COMMISSAIRE : Dix mille écus!

HARPAGON : Dix mille écus.

LE COMMISSAIRE : Le vol est considérable.

HARPAGON : Il n'y a point de supplice assez grand pour l'énormité de ce crime ; et s'il demeure impuni, les choses les plus sacrées ne sont plus en sûreté.

LE COMMISSAIRE : En quelles espèces était cette somme ?

HARPAGON : En bons louis d'or et pistoles bien trébuchantes [2].

LE COMMISSAIRE : Qui soupçonnez-vous de ce vol?

HARPAGON : Tout le monde ; et je veux que vous arrêtiez prisonniers la ville et les faubourgs.

LE COMMISSAIRE : Il faut, si vous m'en croyez, n'effaroucher personne, et tâcher doucement d'attraper quelques preuves, afin de procéder après par la rigueur au recouvrement des deniers qui vous ont été pris.

SCÈNE II

MAITRE JACQUES, HARPAGON,
LE COMMISSAIRE, SON CLERC

MAITRE JACQUES, *au bout du théâtre, en se retournant du côté dont il sort :* Je m'en vais revenir. Qu'on me l'égorge tout à l'heure ; qu'on me lui fasse griller les pieds, qu'on me le mette dans l'eau bouillante, et qu'on me le pende au plancher.

HARPAGON : Qui ? celui qui m'a dérobé ?

MAITRE JACQUES : Je parle d'un cochon de lait que votre intendant me vient d'envoyer, et je veux vous l'accommoder à ma fantaisie.

HARPAGON : Il n'est pas question de cela ; et voilà Monsieur, à qui il faut parler d'autre chose.

LE COMMISSAIRE : Ne vous épouvantez point. Je suis homme à ne vous point scandaliser [1], et les choses iront dans la douceur.

MAITRE JACQUES : Monsieur est de votre souper ?

LE COMMISSAIRE : Il faut ici, mon cher ami, ne rien cacher à votre maître.

MAITRE JACQUES : Ma foi ! Monsieur, je montrerai tout ce que je sais faire, et je vous traiterai du mieux qu'il me sera possible.

HARPAGON : Ce n'est pas là l'affaire.

MAITRE JACQUES : Si je ne vous fais pas aussi bonne chère que je voudrais, c'est la faute de Monsieur notre intendant, qui m'a rogné les ailes avec les ciseaux de son économie.

HARPAGON : Traître, il s'agit d'autre chose que de souper ; et je veux que tu me dises des nouvelles de l'argent qu'on m'a pris.

MAITRE JACQUES : On vous a pris de l'argent ?

HARPAGON : Oui, coquin ; et je m'en vais te pendre, si tu ne me le rends.

LE COMMISSAIRE : Mon Dieu! ne le maltraitez point. Je vois à sa mine qu'il est honnête homme, et que sans se faire mettre en prison, il vous découvrira ce que vous voulez savoir. Oui, mon ami, si vous nous confessez la chose, il ne vous sera fait aucun mal, et vous serez récompensé comme il faut par votre maître. On lui a pris aujourd'hui son argent, et il n'est pas que vous ne sachiez quelques nouvelles de cette affaire.

MAITRE JACQUES, *à part :* Voici justement ce qu'il me faut pour me venger de notre intendant : depuis qu'il est entré céans, il est le favori, on n'écoute que ses conseils, et j'ai aussi sur le cœur les coups de bâton de tantôt.

HARPAGON : Qu'as-tu à ruminer?

LE COMMISSAIRE : Laissez-le faire : il se prépare à vous contenter, et je vous ai bien dit qu'il était honnête homme.

MAITRE JACQUES : Monsieur, si vous voulez que je vous dise les choses, je crois que c'est Monsieur votre cher intendant qui a fait le coup.

HARPAGON : Valère?

MAITRE JACQUES : Oui.

HARPAGON : Lui, qui me paraît si fidèle?

MAITRE JACQUES : Lui-même. Je crois que c'est lui qui vous a dérobé.

HARPAGON : Et sur quoi le crois-tu?

MAITRE JACQUES : Sur quoi?

HARPAGON : Oui.

MAITRE JACQUES : Je le crois... sur ce que je le crois.

LE COMMISSAIRE : Mais il est nécessaire de dire les indices que vous avez.

HARPAGON : L'as-tu vu rôder autour du lieu où j'avais mis mon argent?

MAITRE JACQUES : Oui, vraiment. Où était-il votre argent?

HARPAGON : Dans le jardin.

MAITRE JACQUES : Justement : je l'ai vu rôder dans le jardin. Et dans quoi est-ce que cet argent était?

HARPAGON : Dans une cassette.

MAITRE JACQUES : Voilà l'affaire : je lui ai vu une cassette.

HARPAGON : Et cette cassette, comment est-elle faite? Je verrai bien si c'est la mienne.

MAITRE JACQUES : Comment elle est faite?

HARPAGON : Oui.

MAITRE JACQUES : Elle est faite... elle est faite comme une cassette.

LE COMMISSAIRE : Cela s'entend. Mais dépeignez-la un peu, pour voir.

MAITRE JACQUES : C'est une grande cassette.

HARPAGON : Celle qu'on m'a volée est petite.

MAITRE JACQUES : Eh! oui, elle est petite, si on le veut prendre par-là ; mais je l'appelle grande pour ce qu'elle contient.

LE COMMISSAIRE : Et de quelle couleur est-elle?

MAITRE JACQUES : De quelle couleur?

LE COMMISSAIRE : Oui.

MAITRE JACQUES : Elle est de couleur... là, d'une certaine couleur... Ne sauriez-vous m'aider à dire?

HARPAGON : Euh?

MAITRE JACQUES : N'est-elle pas rouge?

HARPAGON : Non, grise.

MAITRE JACQUES : Eh! oui, gris-rouge : c'est ce que je voulais dire.

HARPAGON : Il n'y a point de doute : c'est elle assurément. Écrivez, Monsieur, écrivez sa déposition. Ciel! à qui désormais se fier? Il ne faut plus jurer de rien ; et je crois après cela que je suis homme à me voler moi-même.

MAITRE JACQUES : Monsieur, le voici qui revient. Ne lui allez pas dire au moins que c'est moi qui vous ai découvert cela.

SCÈNE III

VALÈRE, HARPAGON, LE COMMISSAIRE, SON CLERC, MAITRE JACQUES

HARPAGON : Approche : viens confesser l'action la plus noire, l'attentat le plus horrible qui jamais ait été commis.

VALÈRE : Que voulez-vous, Monsieur ?

HARPAGON : Comment, traître, tu ne rougis pas de ton crime [1] ?

VALÈRE : De quel crime voulez-vous donc parler ?

HARPAGON : De quel crime je veux parler, infâme ! comme si tu ne savais pas ce que je veux dire. C'est en vain que tu prétendrais de le déguiser : l'affaire est découverte, et l'on vient de m'apprendre tout. Comment abuser ainsi de ma bonté, et s'introduire exprès chez moi pour me trahir ? pour me jouer un tour de cette nature ?

VALÈRE : Monsieur, puisqu'on vous a découvert tout, je ne veux point chercher de détours et vous nier la chose.

MAITRE JACQUES : Oh ! oh ! aurais-je deviné sans y penser ?

VALÈRE : C'était mon dessein de vous en parler, et je voulais attendre pour cela des conjonctures favorables ; mais puisqu'il est ainsi, je vous conjure de ne vous point fâcher, et de vouloir entendre mes raisons.

HARPAGON : Et quelles belles raisons peux-tu me donner, voleur infâme ?

VALÈRE : Ah ! Monsieur, je n'ai pas mérité ces noms. Il est vrai que j'ai commis une offense envers vous ; mais, après tout, ma faute est pardonnable.

HARPAGON : Comment, pardonnable ? Un guet-apens ? un assassinat de la sorte ?

VALÈRE : De grâce, ne vous mettez point en colère. Quand vous m'aurez ouï, vous verrez que le mal n'est pas si grand que vous le faites.

HARPAGON : Le mal n'est pas si grand que je le fais. Quoi? mon sang, mes entrailles, pendard?

VALÈRE : Votre sang, Monsieur, n'est pas tombé dans de mauvaises mains. Je suis d'une condition à ne lui point faire de tort, et il n'y a rien en tout ceci que je ne puisse bien réparer.

HARPAGON : C'est bien mon intention, et que tu me restitues ce que tu m'as ravi.

VALÈRE : Votre honneur, Monsieur, sera pleinement satisfait.

HARPAGON : Il n'est pas question d'honneur là-dedans. Mais, dis-moi, qui t'a porté à cette action?

VALÈRE : Hélas! me le demandez-vous?

HARPAGON : Oui, vraiment, je te le demande.

VALÈRE : Un dieu qui porte les excuses de tout ce qu'il fait faire : l'Amour.

HARPAGON : L'Amour?

VALÈRE : Oui.

HARPAGON : Bel amour, bel amour, ma foi! l'amour de mes louis d'or.

VALÈRE : Non, Monsieur, ce ne sont point vos richesses qui m'ont tenté; ce n'est pas cela qui m'a ébloui, et je proteste de ne prétendre rien à tous vos biens, pourvu que vous me laissiez celui que j'ai.

HARPAGON : Non ferai, de par tous les diables! je ne te le laisserai pas. Mais voyez quelle insolence de vouloir retenir le vol qu'il m'a fait!

VALÈRE : Appelez-vous cela un vol?

HARPAGON : Si je l'appelle un vol? Un trésor comme celui-là!

VALÈRE : C'est un trésor, il est vrai, et le plus précieux que vous ayez sans doute; mais ce ne sera pas le perdre que de me le laisser. Je vous le demande à genoux, ce trésor plein de charmes; et pour bien faire, il faut que vous me l'accordiez.

HARPAGON : Je n'en ferai rien. Qu'est-ce à dire cela?

VALÈRE : Nous nous sommes promis une foi mutuelle, et avons fait serment de ne nous point abandonner.

HARPAGON : Le serment est admirable, et la promesse plaisante !

VALÈRE : Oui, nous nous sommes engagés d'être l'un à l'autre à jamais.

HARPAGON : Je vous en empêcherai bien, je vous assure.

VALÈRE : Rien que la mort ne nous peut séparer.

HARPAGON : C'est être bien endiablé après mon argent.

VALÈRE : Je vous ai déjà dit, Monsieur, que ce n'était point l'intérêt qui m'avait poussé à faire ce que j'ai fait. Mon cœur n'a point agi par les ressorts que vous pensez, et un motif plus noble m'a inspiré cette résolution.

HARPAGON : Vous verrez que c'est par charité chrétienne qu'il veut avoir mon bien ; mais j'y donnerai bon ordre ; et la justice, pendard effronté, me va faire raison de tout.

VALÈRE : Vous en userez comme vous voudrez, et me voilà prêt à souffrir toutes les violences qu'il vous plaira ; mais je vous prie de croire, au moins, que, s'il y a du mal, ce n'est que moi qu'il en faut accuser, et que votre fille en tout ceci n'est aucunement coupable.

HARPAGON : Je le crois bien, vraiment ; il serait fort étrange que ma fille eût trempé dans ce crime. Mais je veux ravoir mon affaire, et que tu me confesses en quel endroit tu me l'as enlevée.

VALÈRE : Moi ? je ne l'ai point enlevée, et elle est encore chez vous.

HARPAGON : Ô ma chère cassette ! Elle n'est point sortie de ma maison ?

VALÈRE : Non, Monsieur.

HARPAGON : Hé ! dis-moi donc un peu : tu n'y as point touché ?

VALÈRE : Moi, y toucher ? Ah ! vous lui faites tort, aussi bien qu'à moi ; et c'est d'une ardeur toute pure et respectueuse que j'ai brûlé pour elle.

HARPAGON : Brûlé pour ma cassette !

VALÈRE : J'aimerais mieux mourir que de lui avoir

fait paraître aucune pensée offensante : elle est trop sage et trop honnête pour cela.

HARPAGON : Ma cassette trop honnête!

VALÈRE : Tous mes désirs se sont bornés à jouir de sa vue ; et rien de criminel n'a profané la passion que ses beaux yeux m'ont inspirée.

HARPAGON : Les beaux yeux de ma cassette! Il parle d'elle comme un amant d'une maîtresse.

VALÈRE : Dame Claude, Monsieur, sait la vérité de cette aventure, et elle vous peut rendre témoignage...

HARPAGON : Quoi? ma servante est complice de l'affaire?

VALÈRE : Oui, Monsieur, elle a été témoin de notre engagement ; et c'est après avoir connu l'honnêteté de ma flamme, qu'elle m'a aidé à persuader votre fille de me donner sa foi, et recevoir la mienne.

HARPAGON : Eh? Est-ce que la peur de la justice le fait extravaguer? Que nous brouilles-tu ici de ma fille?

VALÈRE : Je dis, Monsieur, que j'ai eu toutes les peines du monde à faire consentir sa pudeur à ce que voulait mon amour.

HARPAGON : La pudeur de qui?

VALÈRE : De votre fille ; et c'est seulement depuis hier qu'elle a pu se résoudre à nous signer mutuellement une promesse de mariage.

HARPAGON : Ma fille t'a signé une promesse de mariage!

VALÈRE : Oui, Monsieur, comme de ma part je lui en ai signé une.

HARPAGON : Ô Ciel! autre disgrâce!

MAITRE JACQUES : Écrivez, Monsieur, écrivez.

HARPAGON : Rengrégement de mal [1]! surcroît de désespoir ! Allons, Monsieur, faites le dû de votre charge, et dressez-lui-moi son procès, comme larron, et comme suborneur.

VALÈRE : Ce sont des noms qui ne me sont point dus ; et quand on saura qui je suis...

SCÈNE IV

ÉLISE, MARIANE, FROSINE, HARPAGON, VALÈRE, MAITRE JACQUES, LE COMMISSAIRE, SON CLERC

HARPAGON : Ah! fille scélérate! fille indigne d'un père comme moi! c'est ainsi que tu pratiques les leçons que je t'ai données? Tu te laisses prendre d'amour pour un voleur infâme, et tu lui engages ta foi sans mon consentement? Mais vous serez trompés l'un et l'autre. Quatre bonnes murailles me répondront de ta conduite; et une bonne potence me fera raison de ton audace.

VALÈRE : Ce ne sera point votre passion qui jugera l'affaire ; et l'on m'écoutera, au moins, avant que de me condamner.

HARPAGON : Je me suis abusé de dire une potence, et tu seras roué tout vif.

ÉLISE, *à genoux devant son père* : Ah! mon père, prenez des sentiments un peu plus humains, je vous prie, et n'allez point pousser les choses dans les dernières violences du pouvoir paternel. Ne vous laissez point entraîner aux premiers mouvements de votre passion, et donnez-vous le temps de considérer ce que vous voulez faire. Prenez la peine de mieux voir celui dont vous vous offensez [1] : il est tout autre que vos yeux ne le jugent ; et vous trouverez moins étrange que je me sois donnée à lui, lorsque vous saurez que sans lui vous ne m'auriez plus il y a longtemps. Oui, mon père, c'est celui qui me sauva de ce grand péril que vous savez que je courus dans l'eau, et à qui vous devez la vie de cette même fille dont...

HARPAGON : Tout cela n'est rien ; et il valait bien mieux pour moi qu'il te laissât noyer que de faire ce qu'il a fait.

ÉLISE : Mon père, je vous conjure, par l'amour paternel, de me...

HARPAGON : Non, non, je ne veux rien entendre ; et il faut que la justice fasse son devoir.

MAITRE JACQUES : Tu me payeras mes coups de bâton.

FROSINE : Voici un étrange embarras.

SCÈNE V

ANSELME, HARPAGON, ÉLISE, MARIANE,
FROSINE, VALÈRE, MAITRE JACQUES,
LE COMMISSAIRE, SON CLERC

ANSELME : Qu'est-ce, seigneur Harpagon? je vous vois tout ému.

HARPAGON : Ah! seigneur Anselme, vous me voyez le plus infortuné de tous les hommes ; et voici bien du trouble et du désordre au contrat que vous venez faire! On m'assassine dans le bien, on m'assassine dans l'honneur ; et voilà un traître, un scélérat, qui a violé tous les droits les plus saints, qui s'est coulé chez moi sous le titre de domestique, pour me dérober mon argent et pour me suborner ma fille.

VALÈRE : Qui songe à votre argent, dont vous me faites un galimatias?

HARPAGON : Oui, ils se sont donné l'un et l'autre une promesse de mariage. Cet affront vous regarde [1], seigneur Anselme, et c'est vous qui devez vous rendre partie contre lui, et faire toutes les poursuites de la justice, pour vous venger de son insolence.

ANSELME : Ce n'est pas mon dessein de me faire épouser par force, et de rien prétendre à un cœur qui se serait donné ; mais pour vos intérêts, je suis prêt à les embrasser ainsi que les miens propres.

HARPAGON : Voilà Monsieur qui est un honnête commissaire, qui n'oubliera rien, à ce qu'il m'a dit, de la fonction de son office. Chargez-le comme il faut, Monsieur, et rendez les choses bien criminelles.

VALÈRE : Je ne vois pas quel crime on me peut faire de la passion que j'ai pour votre fille ; et le supplice où vous croyez que je puisse être condamné pour notre engagement, lorsqu'on saura ce que je suis...

HARPAGON : Je me moque de tous ces contes ; et le monde aujourd'hui n'est plein que de ces larrons de noblesse, que de ces imposteurs, qui tirent avantage de leur obscurité, et s'habillent insolemment du premier nom illustre qu'ils s'avisent de prendre.

VALÈRE : Sachez que j'ai le cœur trop bon pour me parer de quelque chose qui ne soit point à moi, et que tout Naples peut rendre témoignage de ma naissance.

ANSELME : Tout beau! prenez garde à ce que vous allez dire. Vous risquez ici plus que vous ne pensez ; et vous parlez devant un homme à qui tout Naples est connu, et qui peut aisément voir clair dans l'histoire que vous ferez.

VALÈRE, *en mettant fièrement son chapeau :* Je ne suis point homme à rien craindre, et si Naples vous est connu, vous savez qui était Dom Thomas d'Alburcy.

ANSELME : Sans doute, je le sais ; et peu de gens l'ont connu mieux que moi.

HARPAGON : Je ne me soucie ni de Dom Thomas ni de Dom Martin [1].

ANSELME : De grâce, laissez-le parler, nous verrons ce qu'il en veut dire.

VALÈRE : Je veux dire que c'est lui qui m'a donné le jour.

ANSELME : Lui?

VALÈRE : Oui.

ANSELME : Allez, vous vous moquez. Cherchez quelque autre histoire, qui vous puisse mieux réussir, et ne prétendez pas vous sauver sous cette imposture.

VALÈRE : Songez à mieux parler. Ce n'est point une imposture ; et je n'avance rien qu'il ne me soit aisé de justifier.

ANSELME : Quoi? vous osez vous dire fils de Dom Thomas d'Alburcy?

VALÈRE : Oui, je l'ose ; et je suis prêt de soutenir cette vérité contre qui que ce soit.

ANSELME : L'audace est merveilleuse. Apprenez, pour vous confondre, qu'il y a seize ans pour le moins que l'homme dont vous nous parlez périt sur mer avec ses enfants et sa femme, en voulant dérober leur vie aux cruelles persécutions qui ont accompagné les désordres de Naples [1], et qui en firent exiler plusieurs nobles familles.

VALÈRE : Oui, mais apprenez, pour vous confondre, vous, que son fils, âgé de sept ans, avec un domestique, fut sauvé de ce naufrage par un vaisseau espagnol, et que ce fils sauvé est celui qui vous parle ; apprenez que le capitaine de ce vaisseau, touché de ma fortune, prit amitié pour moi ; qu'il me fit élever comme son propre fils, et que les armes furent mon emploi dès que je m'en trouvai capable ; que j'ai su depuis peu que mon père n'était point mort, comme je l'avais toujours cru ; que passant ici pour l'aller chercher, une aventure, par le Ciel concertée, me fit voir la charmante Élise ; que cette vue me rendit esclave de ses beautés ; et que la violence de mon amour, et les sévérités de son père, me firent prendre la résolution de m'introduire dans son logis, et d'envoyer un autre à la quête de mes parents.

ANSELME : Mais quels témoignages encore, autres que vos paroles, nous peuvent assurer que ce ne soit point une fable que vous ayez bâtie sur une vérité ?

VALÈRE : Le capitaine espagnol ; un cachet de rubis qui était à mon père ; un bracelet d'agate que ma mère m'avait mis au bras ; le vieux Pedro, ce domestique qui se sauva avec moi du naufrage.

MARIANE : Hélas ! à vos paroles je puis ici répondre, moi, que vous n'imposez [2] point ; et tout ce que vous dites me fait clairement connaître que vous êtes mon frère.

VALÈRE : Vous ma sœur ?

MARIANE : Oui. Mon cœur s'est ému dès le moment que vous avez ouvert la bouche ; et notre mère, que vous allez ravir, m'a mille fois entretenue des disgrâces de notre famille. Le Ciel ne nous fit point aussi périr dans ce triste naufrage ; mais il ne nous sauva la vie que par la perte de notre liberté ; et ce furent des corsaires qui nous recueillirent, ma mère et moi, sur un débris de notre vaisseau. Après dix ans d'esclavage, une heureuse fortune nous rendit notre liberté, et nous retournâmes dans Naples, où nous trouvâmes tout notre bien vendu, sans y pouvoir trouver des nouvelles de notre père. Nous passâmes à Gênes, où ma mère alla ramasser quelques malheureux restes d'une succession qu'on avait déchirée ; et de là, fuyant la barbare injustice de ses parents, elle vint en ces lieux, où elle n'a presque vécu que d'une vie languissante.

ANSELME : Ô Ciel ! quels sont les traits de ta puissance ! et que tu fais bien voir qu'il n'appartient qu'à toi de faire des miracles ! Embrassez-moi, mes enfants, et mêlez tous deux vos transports à ceux de votre père.

VALÈRE : Vous êtes notre père ?

MARIANE : C'est vous que ma mère a tant pleuré ?

ANSELME : Oui, ma fille, oui, mon fils, je suis Dom Thomas d'Alburcy, que le Ciel garantit des ondes avec tout l'argent qu'il portait, et qui vous ayant tous crus morts durant plus de seize ans, se préparait, après de longs voyages, à chercher dans l'hymen d'une douce et sage personne la consolation de quelque nouvelle famille. Le peu de sûreté que j'ai vu pour ma vie à retourner à Naples m'a fait y renoncer pour toujours ; et ayant su trouver moyen d'y faire vendre ce que j'avais, je me suis habitué [1] ici, où, sous le nom d'Anselme, j'ai voulu m'éloigner les chagrins de cet autre nom qui m'a causé tant de traverses.

HARPAGON : C'est là votre fils ?

ANSELME : Oui.

HARPAGON : Je vous prends à partie, pour me payer dix mille écus qu'il m'a volés.

ANSELME : Lui, vous avoir volé ?

HARPAGON : Lui-même.

VALÈRE : Qui vous dit cela ?

HARPAGON : Maître Jacques.

VALÈRE : C'est toi qui le dis ?

MAITRE JACQUES : Vous voyez que je ne dis rien.

HARPAGON : Oui, voilà Monsieur le Commissaire qui a reçu sa déposition.

VALÈRE : Pouvez-vous me croire capable d'une action si lâche ?

HARPAGON : Capable ou non capable, je veux ravoir mon argent.

SCÈNE VI

CLÉANTE, VALÈRE, MARIANE, ÉLISE,
FROSINE, HARPAGON, ANSELME, MAITRE JACQUES,
LA FLÈCHE, LE COMMISSAIRE, SON CLERC

CLÉANTE : Ne vous tourmentez point, mon père, et n'accusez personne. J'ai découvert des nouvelles de votre affaire, et je viens ici pour vous dire que, si vous voulez vous résoudre à me laisser épouser Mariane, votre argent vous sera rendu.

HARPAGON : Où est-il ?

CLÉANTE : Ne vous en mettez point en peine : il est en lieu dont je réponds, et tout ne dépend que de moi. C'est à vous de me dire à quoi vous vous déterminez ; et vous pouvez choisir, ou de me donner Mariane, ou de perdre votre cassette.

HARPAGON : N'en a-t-on rien ôté ?

CLÉANTE : Rien du tout. Voyez si c'est votre dessein de souscrire à ce mariage, et de joindre votre consentement à celui de sa mère, qui lui laisse la liberté de faire un choix entre nous deux.

MARIANE : Mais vous ne savez pas que ce n'est pas assez que ce consentement, et que le Ciel, avec un frère que vous voyez, vient de me rendre un père dont vous avez à m'obtenir.

ANSELME : Le Ciel, mes enfants, ne me redonne point à vous pour être contraire à vos vœux. Seigneur Harpagon, vous jugez bien que le choix d'une jeune personne tombera sur le fils plutôt que sur le père. Allons, ne vous faites point dire ce qu'il n'est pas nécessaire d'entendre, et consentez ainsi que moi à ce double hyménée.

HARPAGON : Il faut, pour me donner conseil, que je voie ma cassette.

CLÉANTE : Vous la verrez saine et entière.

HARPAGON : Je n'ai point d'argent à donner en mariage à mes enfants.

ANSELME : Hé bien! j'en ai pour eux ; que cela ne vous inquiète point.

HARPAGON : Vous obligerez-vous à faire tous les frais de ces deux mariages?

ANSELME : Oui, je m'y oblige ; êtes-vous satisfait?

HARPAGON : Oui, pourvu que pour les noces vous me fassiez faire un habit.

ANSELME : D'accord. Allons jouir de l'allégresse que cet heureux jour nous présente.

LE COMMISSAIRE : Holà! Messieurs, holà! tout doucement, s'il vous plaît : qui me payera mes écritures?

HARPAGON : Nous n'avons que faire de vos écritures.

LE COMMISSAIRE : Oui! mais je ne prétends pas, moi, les avoir faites pour rien.

HARPAGON : Pour votre paiement, voilà un homme [1] que je vous donne à pendre.

MAITRE JACQUES : Hélas! comment faut-il donc faire? On me donne des coups de bâton pour dire vrai, et on me veut pendre pour mentir.

ANSELME : Seigneur Harpagon, il faut lui pardonner cette imposture.

HARPAGON : Vous paierez donc le Commissaire?

ANSELME : Soit. Allons vite faire part de notre joie à votre mère.

HARPAGON : Et moi, voir ma chère cassette.

Dossier

CHRONOLOGIE

11 janvier 1622 : Baptême à Saint-Eustache de Jean Pouguelin (sic). — Les parents tapissiers depuis plusieurs générations. — Dans la famille on appelle l'enfant Jean-Baptiste.

11 mai 1632 : la mère du petit Poquelin meurt.

14 décembre 1637 : Poquelin père, qui a acheté en 1631 un office de tapissier et valet de chambre du roi, obtient la survivance pour son fils.

Les études de Molière : 1° Études primaires dans une école paroissiale sans doute. 2° Études secondaires chez les Jésuites du collège de Clermont. — Il y aurait été condisciple de Conti : impossible, Conti a sept ans de moins. — Condisciple de François Bernier et de Chapelle ; Chapelle ayant comme précepteur Gassendi, Molière aurait bénéficié de son enseignement. Discutable mais non impossible. 3° Études de droit. Molière obtient ses licences à Orléans ; se fait avocat ; au bout de quelques mois il abandonne.

L'Illustre-Théâtre.

Molière aurait beaucoup fréquenté le théâtre avec l'un de ses grands-pères. Tout en étant inscrit au barreau, il aurait fait partie des troupes de deux charlatans vendeurs de médicaments, Bary et l'Orviétan.

Il connaît les Béjart, des comédiens, et surtout sans doute Madeleine Béjart, très bonne comédienne. — *30 juin 1643 :* contrat de société entre Beys, Pinel, Joseph Béjart, Madeleine Béjart, Geneviève Béjart et J.-B. Poquelin. Installation de la troupe au jeu de paume des Métayers, faubourg Saint-Germain (actuellement 10-12, rue Mazarine).

28 juin 1644 : J.-B. Poquelin signe du pseudonyme de Molière. Choix de ce pseudonyme inexpliqué.
Difficultés financières ; de plus les comédiens sont l'objet d'une guerre sans merci de la part du curé réformateur de la paroisse Saint-Sulpice, Olier. La troupe, endettée, va s'installer sur la rive droite, au port Saint-Paul (actuellement quai des Célestins). Mauvaises affaires. Molière emprisonné pour dettes, deux fois pendant quelques jours.

L'expérience des tournées ; treize ans : Molière est peut-être dans la troupe de Dufresne. Son passage attesté à Nantes, Poitiers, Toulouse, Narbonne, Pézenas, Grenoble, Lyon. *Septembre 1653*, la troupe est autorisée à prendre le titre de troupe du prince de Conti. Son secteur : Languedoc, vallée du Rhône, des pointes à Bordeaux, Dijon. *Mars 1656*, Conti se convertit ; *1657* il interdit aux comédiens de se prévaloir de son nom.

L'installation à Paris : Après un passage à Rouen, la troupe débute à Paris (octobre 1658). *24 octobre :* début devant le roi avec *Nicomède* et un petit divertissement de Molière : *Le Docteur amoureux*, perdu. Installation salle du Petit-Bourbon, en alternance avec les Italiens.

2 novembre 1658 : première représentation de *L'Étourdi*, créé à Lyon en 1655.
Échec dans les pièces cornéliennes : *Héraclius, Rodogune, Cinna, Le Cid, Pompée.* — Grand succès avec le *Dépit amoureux* (deuxième pièce de Molière).
La troupe est composée de dix acteurs : dont deux sœurs Béjart, deux frères Béjart, du Parc et la du Parc. Troupe jeune et dynamique.

18 novembre 1658 : Les Précieuses ridicules (troisième pièce de Molière). Vif succès. Molière commence à faire beaucoup parler de lui.

28 mai 1660 : Sganarelle ou le Cocu imaginaire (quatrième pièce).

Octobre 1660 : période difficile. La salle du Petit-Bourbon est démolie.

20 janvier 1661 : Ouverture de la salle du Palais-Royal où Molière jouera jusqu'à sa mort.

4 février 1661 : première de *Dom Garcie de Navarre* (cinquième pièce).

24 juin 1661 : première de *L'École des maris* (sixième pièce).

17 août 1661 : première des *Fâcheux* à Vaux-le-Vicomte (septième pièce) chez le surintendant des Finances.

23 janvier 1662 : contrat de mariage de Molière et d'Armande Béjart. — *20 février* : mariage.

8-14 mai 1662 : premier séjour de la troupe à la cour. — C'est une consécration.

26 décembre 1662 : première de *L'École des femmes*. La querelle de *L'École des femmes* commence. Les ennemis de Molière ne cesseront plus guère de le harceler, l'attaquant jusque dans sa vie privée ; l'accusant d'avoir épousé la fille de sa vieille maîtresse, Madeleine Béjart, et peut-être sa propre fille. En fait, il nous paraît certain qu'il a épousé la jeune sœur de Madeleine Béjart.
Molière répond aux attaques par *La Critique de l'École des femmes* (août 1663) et *L'Impromptu de Versailles* (octobre 1663).

20 janvier 1664 : première du *Mariage forcé* (onzième pièce).

28 février 1664 : baptême du fils aîné de Molière. Parrain : le roi, marraine : Madame Henriette d'Angleterre. L'enfant meurt à dix mois.

17 avril 1664 : L'affaire du *Tartuffe* commence : les membres de la Compagnie du Saint-Sacrement délibèrent des moyens de supprimer cette « méchante comédie ».

30 avril-22 mai : la troupe est à Versailles pour les fêtes des *Plaisirs de l'île enchantée*. Première de *La Princesse d'Élide* (douzième pièce).

12 mai : première du *Tartuffe*. Mais remontrances des dévots : le roi ne permet pas d'autres représentations publiques. Vers cette date, semble-t-il, commence à courir le bruit qu'Armande est infidèle à son mari. Bruit assez généralement accepté, mais mal contrôlable.

15 février 1665 : première de *Dom Juan* (quatorzième pièce). Pas repris après Pâques.

4 août 1665 : baptême d'Esprit-Madeleine, fille de Molière, seul enfant qui lui ait survécu.

14 août 1665 : le roi donne à la troupe une pension de 7 000 livres, et le titre de troupe du roi.

14 septembre 1665 : Première de *L'Amour médecin* (quinzième pièce).

29 décembre 1665-5 février 1666 : relâche ; Molière très malade a failli mourir.

4 juin 1666 : première du *Misanthrope* (seizième pièce).

6 août 1666 : première du *Médecin malgré lui* (dix-septième pièce). La querelle de la moralité au théâtre met en accusation Molière ; il lui est reproché (Conti, Racine, d'Aubignac) de faire retomber le théâtre à son ancienne turpitude.

Ier décembre 1666 : la troupe part pour Versailles. Elle est employée dans le *Ballet des Muses*. Molière joue sa dix-huitième pièce, *Méliceerte*, puis sa dix-neuvième, *Le Sicilien ou l'Amour peintre*.

16 avril 1667 : le bruit a couru que Molière était à l'extrémité. La troupe ne recommence à jouer que le 15 mai.

5 août 1667 : représentation de *L'Imposteur*, qui n'est autre qu'un remaniement du *Tartuffe*. La pièce est immédiatement interdite par le premier président du parlement de Paris et par l'archevêque de Paris. Molière essaie vainement d'agir auprès du roi.

13 janvier 1668 : première d'*Amphitryon* (vingtième pièce).

15 juillet 1668 : première de *George Dandin* (vingt-et-unième pièce).

9 septembre 1668 : première de *L'Avare* (vingt-deuxième pièce).

5 février 1669 : *Le Tartuffe* se joue enfin librement. 44 représentations consécutives. Pour la première, recette record : 2 860 livres : on a dû s'entasser dans tous les recoins possibles de la salle et de la scène.

4 avril 1669 : Achevé d'imprimer du poème *La Gloire du Val-de-Grâce*, décrivant l'œuvre de Mignard et définissant son art.

6 octobre 1669 : Première de *Monsieur de Pourceaugnac* à Chambord (vingt-troisième pièce).

4 janvier 1670 : *Élomire hypocondre*, comédie d'un auteur non identifié. L'un des pamphlets les plus violents contre Molière, mais renseigné.

4 février 1670 : *Les Amants magnifiques* à Saint-Germain (vingt-quatrième pièce).

14 octobre 1670 : *Le Bourgeois gentilhomme* à Chambord (vingt-cinquième pièce).

17 janvier 1671 : Première de *Psyché*, dans la grande salle des Tuileries (vingt-sixième pièce). Molière a demandé, pour aller plus vite, leur collaboration à Quinault et à P. Corneille.

24 mai 1671 : première des *Fourberies de Scapin* (vingt-septième pièce).

2 décembre 1671 : première de *La Comtesse d'Escarbagnas* (vingt-huitième pièce).

17 décembre 1671 : Mort de Madeleine Béjart.

11 mars 1672 : première des *Femmes savantes* (vingt-neuvième pièce).

Ier octobre 1672 : Baptême du second fils de Molière. Il ne vivra que dix jours.

10 février 1673 : première du *Malade imaginaire* (trentième pièce) — La musique des pièces de Molière avait jusqu'alors été faite par Lully (*La Princesse d'Élide, Pourceaugnac, Le Bourgeois gentilhomme*). Mais Lully, contrairement semble-t-il à un accord conclu avec Molière pour partager le privilège de l'opéra, obtient un véritable monopole pour les représentations comportant musique. Molière est amené à rompre avec Lully. *Le Malade imaginaire*, prévu pour être joué devant la cour, est donné au public du théâtre du Palais-Royal.

17 février 1673 : quatrième représentation du *Malade imaginaire*. En prononçant le *juro* de la cérémonie finale, Molière est pris de convulsions. Il cache par « un ris forcé » ce qui lui arrive. Il est transporté chez lui dans sa chaise. Il tousse, crache du sang et meurt peu après. Sa femme a vainement cherché un prêtre pour lui donner l'absolution. Il est mort sans avoir abjuré sa qualité de comédien. La sépulture ecclésiastique lui est refusée. Sa femme va supplier le roi, qui fait pression sur l'archevêque. Le curé de Saint-Eustache autorise enfin un enterrement discret et de nuit au cimetière Saint-Joseph, dépendant de Saint-Eustache. Il se peut que le corps ait été transféré dans la partie réservée aux enfants morts sans baptême.

3 mars 1673 : *Le Malade imaginaire* est repris : La Thorillière dans le rôle du malade.

NOTE BIBLIOGRAPHIQUE

I. LES ÉDITIONS DE MOLIÈRE

Pour qui veut entrer dans le détail des tirages et dans celui des contrefaçons, bien des obscurités subsistent. Nous renvoyons à Guibert, *Bibliographie des œuvres de Molière imprimées au XVIIe siècle*, C. N. R. S., 1961, 2 volumes, plus un supplément, 1965. Pour les éditions postérieures au XVIIe siècle, on se reportera à la *Bibliographie moliéresque* de P. Lacroix, Paris, Fontaine, 2e éd., 1872.

Mais, à s'en tenir aux grandes lignes et en songeant surtout à l'établissement du texte, l'histoire est relativement simple. Distinguer entre les éditions originales, l'édition de 1682, les éditions ultérieures.

A. *Les éditions originales* publiées du vivant de Molière. Sur leur éminente dignité un accord s'est établi, et il n'y a pas lieu de le remettre en question. Ce sont « les seules à l'impression desquelles Molière ait pu avoir quelque part », dit l'édition des « Grands Écrivains » par Despois et Mesnard. Il n'y a aucune raison de préférer le dernier texte imprimé de son vivant.

B. *L'édition de 1682, Les Œuvres de M. de Molière, revues, corrigées et augmentées* [...] *Paris, Thierry, Barbin, Trabouillet*, 1682, 8 vol., apportait à son lecteur, outre les comédies imprimées du vivant de Molière, celles que pour des raisons diverses il n'avait pas publiées. Sous le titre *Œuvres posthumes de M. de Molière*, les tomes VII et VIII donnent en effet *Dom Garcie de Navarre ou le Prince jaloux ; L'Impromptu de Versailles ; Dom Juan ou le Festin de Pierre ; Mélicerte ; Les Amants magnifiques ; La Comtesse d'Escarbagnas* et, pour la première fois, le texte authentique du *Malade imaginaire*.

Nous savons peu de chose sur les conditions dans lesquelles

elle a été établie. Un amateur de théâtre, Tralage, a attribué cette édition à La Grange et à Vivot, l'un comédien, compagnon de Molière, l'autre son ami personnel.

Grimarest (*Vie de Molière*) nous informe que La Grange avait à sa disposition les manuscrits de l'auteur.

L'édition de 1682 est précédée par une vie de Molière. Les auteurs en sont-ils La Grange et Vivot seuls? On a parlé aussi d'un comédien, Marcel. La question reste insoluble. Cette vie mérite considération.

C. Parmi les éditions ultérieures, une seule importe véritablement au XVIIIe siècle, au moins s'agissant de l'établissement du texte ; ce sont les *Œuvres de Molière*, nouvelle édition, Paris, 1734, 6 vol. in-4°. Édition luxueuse. Son intérêt est d'avoir ajouté un certain nombre de jeux de scène, qui faisaient partie de la tradition et que les éditions antérieures ne donnaient pas ou donnaient moins clairement.

D. Aux XIXe et XXe siècles, l'effort des éditeurs va porter essentiellement sur l'annotation.

Signalons d'abord l'édition Auger, *Œuvres de M. de Molière*, Paris, 1819-1825, 9 vol. in-8° (Lacroix, n° 384), à qui nous devons le premier texte pleinement satisfaisant de *Dom Juan*.

La bonne édition des *Œuvres complètes de Molière* par L. Moland, Paris, Garnier frères, 1863-1864, 7 vol. in-8° ; 2e éd., 1880-1885, 12 vol. in-8°, a été très vite éclipsée par l'édition Despois-Mesnard dans la collection des « Grands Écrivains de la France », Hachette, 1873-1900, 13 vol. in-12 et un album. La richesse de sa documentation est exceptionnelle : elle condense tout ce qu'on connaissait à l'époque sur Molière.

Parmi les éditions modernes, celle de G. Michaut, Imprimerie nationale, 1947, 11 vol., est riche, sûre et apporte un relevé très complet des variantes.

La dernière en date enfin, *Œuvres complètes*, par Georges Couton, Bibl. de la Pléiade, 2 vol., Gallimard, 1971.

II. POUR CONNAÎTRE MOLIÈRE : LES TÉMOIGNAGES ANCIENS

Des publications récentes donnent aux moliéristes qui veulent accéder directement aux sources des facilités qu'ils n'avaient pas eues depuis longtemps.

1. Les documents d'état civil et les actes notariés actuellement connus concernant Molière et sa famille sont réunis et

présentés par Mad. Jurgens et Élisabeth Maxfield-Miller, *Cent ans de recherches sur Molière, sur sa famille et sur les comédiens de sa troupe,* S. E. V. P. E. N., 1963. Ouvrage de première importance.

2. Les témoignages du XVIIe siècle et même un peu au-delà sur Molière sont inventoriés, analysés et pour les plus importants assez longuement cités par G. Mongrédien, *Recueil des textes et des documents du XVIIe siècle relatifs à Molière,* C. N. R. S., 1965, 2 vol.

3. Le registre que tenait La Grange, l'un des compagnons de Molière et des éditeurs de 1682, édité une première fois en 1876 par E. Thierry, Claye, in-4°, a été réédité par E. et G. Young, 2 vol., Droz, 1967. Il permet de suivre la vie quotidienne de la troupe.

4. Les deux notices biographiques les plus anciennes : celle de 1682, courte mais sérieuse, réimprimée dans l'édition Pléiade. Celle de J.-L. Gallois, sieur de Grimarest, *Vie de M. de Molière,* 1705, a été rééditée notamment par L. Chancerel, Renaissance du Livre, 1907, puis par G. Mongrédien, Brient, 1955. Elle est un document dont on ne peut guère se passer, mais qu'il faut chaque fois critiquer.

5. Le théâtre et la personne même de Molière ont suscité au XVIIe siècle de nombreux pamphlets, la plupart contre lui, quelques-uns en sa faveur, certains même sans doute inspirés par lui. Ils avaient été réunis dans la Collection moliéresque et la Nouvelle Collection moliéresque. On les trouvera presque tous dans l'édition de la Pléiade, 1971.

6. Enfin, l'iconographie : P. Lacroix, *Iconographie moliéresque,* Paris, Fontaine, 1876, 2e édition. Signalons aussi l'*Album Théâtre classique* par Sylvie Chevalley, Bibl. de la Pléiade, 1970.

III. LES RECHERCHES MODERNES

Dans la revue *Le Moliériste* (10 volumes d'avril 1879 à mars 1889) ont paru quantité de renseignements, certains de portée limitée, d'autres qui indiquent des pistes intéressantes. On a toujours profit à consulter cette collection. Le rédacteur en chef de cette revue, G. Monval, est aussi l'auteur d'une utile *Chronologie moliéresque,* Flammarion, 1897.

Dans la masse énorme des études sur Molière, nous retiendrons les plus générales seulement, qui ont établi le point de nos connaissances à des dates diverses.

G. MICHAUT : I. *La Jeunesse de Molière,* 2e éd., 1923 ; — II.

Les Débuts de Molière à Paris, 1923 ; — III. *Les Luttes de Molière*, 2e éd., s. d., Hachette.

Le ou les volumes qui devaient suivre n'ont pas paru ; mais l'édition de l'Imprimerie nationale, citée plus haut, a bénéficié des recherches inédites de G. Michaut.

H. CARRINGTON LANCASTER : *A History of French Dramatic Literature in the Seventeenth Century*, Part. III, vol. 1 et 2, 1936.

A. ADAM : *Histoire de la littérature française au XVIIe siècle*, t. III, Del Duca, 1952.

R. JASINSKI : *Molière*, collection « Connaissance des lettres », Hatier, 1969.

Avec ces études, avec aussi la *Bibliographie de la littérature française du XVIIe siècle*, de Cioranescu (C. N. R. S.), on pourra compléter, selon les besoins ou les curiosités, la liste des travaux sur la vie, l'œuvre, la pensée, l'art de Molière.

IV. LE MOLIÈRE DES COMÉDIENS

Pour connaître la troupe de Molière, ses conditions de travail, le destin de l'œuvre :

G. MONGRÉDIEN : *Dictionnaire biographique des comédiens français au XVIIe siècle*, 1961, précis et complet.

LYONNET : *Dictionnaire des comédiens français*, 2 vol., Genève, s. d.

G. MONGRÉDIEN : *La Vie quotidienne des comédiens au temps de Molière*, Hachette, 1966.

P. MÉLÈSE : *Le Théâtre à Paris sous Louis XIV*, 1934, et le *Répertoire analytique des documents d'information et de critique concernant le théâtre à Paris sous Louis XIV, 1659-1715*, Droz, 1934.

L'étude de CHANCEREL sur les salles de Molière, dans la revue *Prospero*, fascicule n° 6 (s. d.-1944?), éd. La Hutte, Lyon.

Du même, un *Molière* dans la collection « Metteurs en scène », Presses littéraires de France, 1953.

H. C. LANCASTER, édition du *Mémoire de Mahelot, Laurent et autres décorateurs de l'Hôtel de Bourgogne*, Champion, 1920.

J. LOUGH : *Paris Theater Audiences in the XVIIth and XVIIIth Century*, Oxford University Press, 1957.

R. BRAY : *Molière homme de théâtre*, 2e éd., Mercure de France, 1963.

Il y a beaucoup à prendre aussi dans l'édition des « Grands Écrivains ».

Sur les formes théâtrales et les conditions particulières de l'écriture théâtrale :

J. Schérer : *La Dramaturgie classique*, Nizet, s. d.
R. Garapon : *La Fantaisie verbale et le comique dans le théâtre français du Moyen Age à la fin du XVIIe siècle*, Colin, 1957.
M. Pellisson : *Les Comédies-ballets de Molière*, 1914.
H. Prunières : *Œuvres complètes de Lully*, t. IV, éd. de la Revue musicale, 1938. L'ouvrage donne la musique de Lully et le texte même des comédies-ballets.

Sur l'interprétation de Molière par divers hommes de théâtre :

M. Descotes : *Les Grands Rôles du théâtre de Molière*, P. U. F., 1960.
Les *Cahiers de la compagnie Renaud-Barrault* (1956 et 1961).
Un numéro spécial de *La Table ronde* (1957).
Deux numéros spéciaux d'*Europe* (mai-juin 1961 et janvier-février 1966).
Audiberti : *Molière dramaturge*, L'Arche, 1954.
L. Jouvet : *Molière et la comédie classique, extraits des cours de Jouvet au Conservatoire* (1939-1940), Gallimard, 1965.
Les divers volumes de la collection « Mise en scène », Éditions du Seuil : *Le Malade imaginaire*, par P. Valde, 1946 ; *Les Fourberies de Scapin*, par Copeau, 1950 ; *L'Avare*, par Ch. Dullin, 1951 ; *Le Tartuffe*, par Ledoux.

NOTES

AMPHITRYON

Page 19.

1. Sur les rapports entre Molière et Condé, voir la *Notice* du *Tartuffe*, Folio nº 332.

2. La paix des Pyrénées avait permis le retour en France du rebelle Condé. Mais il était resté longtemps suspect au roi, et confiné dans un rôle d'apparat. Puis en septembre 1667, Condé était mis à la tête de l'armée d'Allemagne. Il dirigea donc la campagne éclair de Franche-Comté (février 1668). C'était la rentrée en grâce dont Molière se félicite.

Page 21.

1. La distribution d'*Amphitryon* n'est pas connue. Des distributions ont été proposées, qui reposent sur la connaissance de la troupe ; elles sont vraisemblables sans plus. — Au moins paraît-il certain que Molière jouait Sosie. L'inventaire après décès mentionne son costume dans *Amphitryon :* « un tonnelet [cette espèce de kilt ou de fustanelle qui fait partie du vêtement " à l'antique " au théâtre] de taffetas vert, avec une petite dentelle d'argent fin, une chemisette du même taffetas, deux cuissards de satin rouge, une paire de souliers avec des laçures garnies d'un galon d'argent, avec un bas de soie céladon [vert qui tire sur le blanc], les festons, la ceinture et un jupon [un long pourpoint] et un bonnet brodé or et argent fin » (*Cent ans de recherches sur Molière*, p. 567). Costume bien somptueux pour un valet ? Certes, mais ce valet est une manière d'aide de camp, dans une Grèce fort galante. Au reste le bonnet assure qu'il est bien un valet : Amphitryon porterait un casque empanaché, ou une perruque avec couronne de lauriers.

2. Le rôle de Cléanthis n'existe ni chez Plaute ni chez Rotrou : Sosie chez eux n'est pas marié. Molière l'a-t-il créé parce que le Sosie de Plaute faisait allusion à sa maîtresse qui l'attendait avec impatience (v. 505) ? Il s'est plus probablement souvenu de l'heureux effet qu'il avait obtenu en mettant en parallèle dans son *Dépit amoureux* le couple des maîtres, Lucile et Éraste, et le couple des valets, Marinette et Gros-René. Le même thème était exprimé tantôt dans la langue de la société élégante, tantôt avec une rusticité savoureuse : il en résultait un burlesque subtil dont Molière avait su tirer grand parti.

3. Argatiphontidas est le descendant de Matamore qui a connu une si belle fortune depuis bientôt un siècle sous des noms divers mais volontiers rocailleux.

4. Le *Mémoire* de Mahelot indique que le décor est « une place de ville. Il faut un balcon ; dessous une porte. Pour le Prologue, une machine pour Mercure, un char pour la Nuit. Au IIIe acte, Mercure s'en retourne et Jupiter sur son char. Il faut une lanterne sourde, une batte en poisson » (Mongrédien, t. I, p. 303).

Page 23.

1. Parce que je ne suis pas capable de...

Page 24.

1. « *Decorum :* mot latin devenu français, qui se dit en cette phrase proverbiale garder le décorum pour dire observer toutes les bienséances » (Furetière).

2. « Un petit carrosse coupé s'appelle une chaise roulante » (Furetière).

3. « Messager signifie aussi celui qui est commis pour porter les hardes et les lettres des particuliers, et qui a pour cet effet un bureau établi par autorité publique » (Furetière).

Page 25.

1. Pour toutes ces métamorphoses qui permettaient à Jupiter d'approcher de ses maîtresses, voir notamment Ovide, *Métamorphoses*, VI, traduction J. de Monlyard, *Mythologie*, 1607 : / *Il s'était volage en aigle transformé / Pour avoir à plaisir la gentille Astérie. / Et quand Lede d'amour il sollicite et prie, / Elle le représente en habit et pourtrait / D'un cygne chante-mort... / Qui plus est, comme il prend d'Amphitryon l'habit, / Pour suborner Alcmène, et comme il se transmit / En eau de pluie d'or pour avoir jouissance / Un coup de Danaé, dont Persée eut naissance. / Et après comme en feu ce dieu se déguisa*

| Lorsqu'il aimait Aegine, et ainsi l'abusa. | En pâtre derechef comme il se transfigure | Pour tromper Mnémosyne et comme il prend figure | D'un grand hideux serpent pour Déoïde avoir | Soumise à son plaisir et pour la décevoir.

Page 26.

1. « *Guinder :* terme de marine. C'est hausser, et élever soit les voiles, soit quelque autre chose[...] se dit figurément en morale » (Furetière). — Le complément « au faîte des cieux » oblige à faire dans ce vers la part large au sens propre ; d'où effet de burlesque.

2. Cf. ci-dessus, p. 25, n. 1.

Page 27.

1. Le temps d'autrefois.

Page 28.

1. Nous nous valons.

2. « *Contrariété* : combat, opposition de choses contraires » (Furetière).

Page 29.

1. Jouer un tour et jouer d'un tour coexistent sans différence stylistique appréciable.

2. Le Sosie de Plaute expliquait ce qu'avait de pénible la condition d'esclave. Molière a transposé cette plainte dans les mœurs françaises.

Page 30.

1. Ces vers assez attristés traduisent bien les sentiments de Molière, déçu que ses efforts pour faire jouer son *Tartuffe* aient été vains. L'interdiction par le président de Lamoignon est du 6 août 1667, l'excommunication de l'archevêque de Paris à l'égard de quiconque de ses diocésains représenterait, lirait ou entendrait réciter *Le Tartuffe* est du 11 août. Le voyage de La Grange et de La Thorillière en Flandre pour voir le roi a été infructueux. On comprend que Molière ait saisi la première occasion d'exprimer son amertume, en même temps que sa docilité.

2. Puisque je ne m'y trouvai pas.

3. *Estoc :* la pointe de l'épée ; *taille :* le tranchant. D'estoc et de taille : hardiment. Mais l'emploi de cette expression toute faite à propos d'un récit guerrier, et par un pleutre, lui restitue assez de sa valeur originale pour produire un effet de burlesque.

4. Sosie, chez Plaute, est en costume de voyage, une lanterne à la main. Lui aussi répète son discours, mais seul. L'idée de créer un interlocuteur fantôme vient de Straparole, *Les Facétieuses Nuits*. Un vacher fabrique un mannequin représentant son maître et s'exerce à lui faire un aveu difficile.

Page 31.

1. « *Occasion* se dit aussi des rencontres de la guerre. La bataille de Senef fut une occasion bien chaude » (Furetière).

2. Le nom de Ptérélas vient de Plaute. Il est roi des Téléboens. Du nom de peuple, Rotrou a tiré naturellement un nom de capitale que Molière a repris : Télèbe. Ni ce roi ni ce peuple n'ont d'autre existence que littéraire.

Page 32.

1. « *Tailler les croupières :* obliger à fuir » (Furetière).

Page 33.

1. *Encolure* : la mine, l'apparence.

Page 34.

1. « On dit que quelqu'un a bon maître, pour dire qu'il est au service ou dans la dépendance d'un homme puissant qui le protège » (Dictionnaire de l'Académie, 1694).

Page 41.

1. Les indications scéniques signalées entre crochets sont celles de l'éd. de 1734 (voir note bibliographique, p. 279).

Page 42.

1. « *Transport* se dit aussi en médecine. Quand la fièvre est violente on appréhende le transport au cerveau qui cause le délire » (Furetière). Toute cette scène imite de près *Les Sosies* de Rotrou : / *Mon maître Amphitryon, ses ennemis domptés, / Ne m'a-t-il pas du port envoyé vers Alcmène, / Y conter du combat la nouvelle certaine ? / N'en arrivai-je pas une lanterne en main ; / Voilà pas le palais de ce prince thébain ;/ Ne te parlai-je pas ?* / (acte I, sc. III).

Page 43.

1. Ce port Persique vient de Plaute.

2. « *Étrivière :* courroie de cuir par laquelle les étriers sont suspendus. Donner des étrivières, châtier les valets de livrée, les fouetter avec ces étrivières » (Furetière).

3. « On *marque*, on flétrit les coupeurs de bourse d'une fleur de lis sur l'épaule » (Furetière).

4. « Les femmes ont eu des nœuds de diamants et de pierreries aux endroits où il ne fallait que de simples agrafes » (Furetière). Mais les hommes aussi, à la cour au moins, portaient bijoux et pierreries.

Page 44.

1. La plaisanterie vient de Plaute et de Rotrou : *Lorsque plus vivement choquaient nos bataillons / Qu'allas-tu faire seul dedans nos pavillons ? /* MERCURE : *D'un flacon de vin pur. /* SOSIE. *Il entre dans la voie /* MERCURE : *Près d'un muids frais percé, j'allai faire ma proie /* SOSIE : *Je suis sans repartie, après cette merveille, / S'il n'était par hasard caché dans la bouteille. /* (Rotrou, *Les Sosies*, acte I, sc. III).

Page 47.

1. Le seigneur Jupiter manie bien l'équivoque.

Page 48.

1. Saint Matthieu, définissant le mariage chrétien, dit que l'homme et la femme ne sont plus deux, mais une seule chair. Donc, ce que Dieu a uni, l'homme ne doit pas le séparer. Alcmène joue discrètement sur cette formule : en un même être, elle a trouvé à la fois un époux et un amant.

Page 49.

1. *Régal* et *régale* coexistent chez Molière et dans la langue du XVIIe siècle en général sans différence appréciable.

Page 51.

1. Un mal qui n'est mal qu'en imagination. Les propos de Mercure-Sosie rejoignent ceux que tenait dans *L'École des femmes* Chrysalde faisant l'éloge paradoxal de cocuage (acte IV, sc. VIII, et spécialement v. 1305).

Page 58.

1. « *Rage* s'emploie quelquefois pour louer ou blâmer une action. Cet avocat a fait rage pour sa partie, il a bien plaidé pour elle [...] Signifie aussi désordre. Les soldats font la rage chez les nôtres » (Furetière). L'ambivalence du mot sert Sosie, effrayé et émerveillé à la fois de la vigueur de son « moi vaillant ».

Page 60.

1. Nos hommages envers les dieux.

Page 62.

1. Alcmène aurait été victime d'un incube qui avait pris la ressemblance de son mari.

2. « *Vapeur :* une humeur subtile qui s'élève des parties basses des animaux et qui occupe et blesse leur cerveau » (Furetière).

3. « *Régaler :* faire des fêtes [...] faire de petits présents [...]. Se dit aussi en mauvaise part [...]. Ce donneur de sérénades fut régalé en son chemin d'un pot de chambre sur la tête » (Furetière).

Page 63.

1. « *Sauver :* excuser. Voilà une faute de vers qu'on ne peut ni sauver ni excuser » (Furetière).

Page 64.

1. « On dit proverbialement qu'un homme a besoin de deux grains d'ellébore, pour dire qu'il est fou » (Furetière). Six grains représentent une triple dose.

2. « Cela me ferait tourner l'esprit, cela me ferait devenir fou » (Furetière).

Page 65.

1. Ici, dans le coffret scellé aux armes d'Amphitryon.

Page 71.

1. « *Tout coup vaille* est une façon de parler des joueurs de paume ou de boule. On dit aussi [...] vaille que vaille, pour dire : à tout hasard » (Furetière).

2. « En manière de salut : Dieu vous garde » (Furetière).

Page 72.

1. « *Faire le fin :* ne vouloir pas expliquer ses sentiments. » (Furetière).

2. « *Disposer :* ordonner en maître » (Furetière).

Page 73.

1. Il fallut t'avertir moi-même de la présence de ta femme.

Page 75.

1. Ces considérations (v. 1160-1179) peuvent venir de quelque traité de médecine ; mais aussi bien de la *Callépédie* de Quillet

(1655) : / *Aux formes des beaux corps le printemps est propice* [...] *Mais craignez de l'été la chaleur vapeureuse.* / *Jadis l'excès de vin ayant surpris Bacchus* / *Dans son aveugle ivresse, il caressa Vénus ;* / *Mais ce Dieu produisit, d'un germe trop humide,* / *La Goutte aux pieds noueux, au teint pâle et livide.* / *Buvez modérément...* / (cf. *Amphitryon*, v. 1160-1163).

Page 76.

1. Obtenir de mon esprit qu'il consente à...

Page 82.

1. « Temps mal pris pour dire ou faire quelque chose » (Furetière). De telles paroles ne sont pas de saison.

Page 83.

1. Molière reprend (v. 1360-1442) les vers 679-729 de *Dom Garcie* en les refondant.

Page 85.

1. « Rapatrier, raccommoder une personne avec une autre » (Furetière).

Page 86.

1. « C'est pour votre nez, ou cela vous passera bien loin du nez, pour dire cela ne sera pas pour vous » (Furetière).

Page 87.

1. *Le :* ce frère d'Alcmène qu'Amphitryon cherche pour témoigner qu'il ne pouvait être la nuit précédente dans le lit conjugal (cf. v. 1056-1058).
2. Ajouter, accroître. Cf. *Le Misanthrope*, v. 20.
3. « *Promener :* quand un philosophe rêve, il promène son esprit, son imagination sur tous les êtres de la nature » (Furetière). Ma jalousie me fait revenir....

Page 88.

1. Qu'un homme puisse être mis à la place (« se puisse supposer ») d'un époux est incroyable.
2. Les magiciennes de Thessalie étaient célèbres.

Page 89.

1. L'astrologue Simon Morin appelle Mercure *vafrificus*, qui rend rusé. Il était normal que la planète du dieu des voleurs rendît malins ceux qui étaient sous son influence.

Page 91.

1. *Coiffer :* s'enivrer.

Page 92.

1. *Caprice :* brouille amoureuse, résultant d'un soupçon jaloux. — Le démêlé est l'éclaircissement du « caprice ».

Page 93.

1. Le *vous* s'adresse à Sosie seul ; il est méprisant et ironique.

Page 95.

1. Puisque j'étais.

Page 96.

1. Vous a fait *vous* rendre.

Page 97.

1. *Rapport :* ressemblance.
2. C'est trop longtemps être joués par un fourbe insaisissable.

Page 98.

1. « *Caractère* se dit aussi de certains billets que donnent des charlatans ou sorciers, qui sont marqués de quelques figures talismaniques, ou de simples cachets. Ils font accroire au sot peuple qu'ils ont la vertu de faire faire des choses merveilleuses et incroyables, comme de faire cent lieues en trois heures, d'être invulnérables à l'armée, etc. Quand on raconte quelqu'un de ces prétendus effets, on dit qu'il faut que cet homme ait un caractère, qu'il ait fait un pacte avec le Diable » (Furetière). — Les gens du XVIIe siècle étaient naturellement tentés d'expliquer pareille aventure par une diablerie.

Page 99.

1. Pour rechercher avec empressement l'occasion de...
2. *Assemblage,* au sens d'assemblée d'individus, n'est pas dans Furetière ; mais au sens de réunion de choses, ou de qualités. Ce doit être la nuance ici ; un assemblage de sagesses et de perspicacités.

Page 100.

1. Chez Rotrou (*Les Deux Sosies,* acte IV, sc. IV), l'un des capitaines déclare : / *Dans ces doutes enfin, l'avis où je m'arrête / Est de suivre celui chez qui la table est prête.* Et un autre : / *Point, point d'Amphitryon où l'on ne dîne point.* /

Page 101.

1. *Tabler :* tenir table.
2. « *Vaillantise :* vieux mot qui signifiait autrefois action de bravoure. Il ne se dit plus que des fanfarons et des capitans » (Furetière).

Page 102.

1. *Fleurer* et *flairer* coexistent au XVIIe siècle avec le même sens.
2. « Dispute... contestation » (Furetière).

Page 103.

1. Tu auras l'avantage de me devancer.

Page 104.

1. Sosie fait-il appel à des témoins absents ? Plutôt au public : c'est un jeu de scène traditionnel : Harpagon (*L'Avare*, acte IV, sc. VII) voit son voleur partout, et même dans la salle.

Page 105.

1. Même sans que la femme ait donné son consentement dans une occasion pareille (« y ») l'honneur est perdu.
2. Quelque explication qu'on leur donne.

Page 106.

1. Alors que.
2. Argatiphontidas n'est pas disposé aux conciliations.
3. On peut à la rigueur donner à *procès* son sens ancien de *procédé*. Mieux vaut lui donner son sens normal de *procédure*, action en justice. Ici c'est l'enquête qu'ont demandée Naucratès et Polidas (v. 1660-1668) pour que l'on établisse qui est le véritable Amphitryon.

Page 109.

1. JUPITER *dans une nue, sur son aigle, armé de son foudre, au bruit du tonnerre et des éclairs. Éd.* 1682.
2. Cf. Rotrou, *Les Deux Sosies*, acte V, sc. VI : *Cet honneur, ce me semble, est un triste avantage. / On appelle cela lui sucrer le breuvage.* / « On enveloppe les pilules ordinaires d'*une feuille d'or*, de pain à chanter ou de sucre, afin qu'on n'en sente pas le mauvais goût [...] On lui a doré, sucré la pilule : quand on lui a appris cette nouvelle, on y a rapporté quelque adoucissement » (Furetière).

Page 110.

1. « Figurément. [...] protection [...]. Cet homme fera fortune à la Cour, il y a un grand *support*, il a la faveur des ministres » (Furetière).

2. Rappelons que ce fils sera Hercule.

LE GRAND DIVERTISSEMENT ROYAL DE VERSAILLES

Page 118.

1. La conquête de la Franche-Comté avait été très rapide : *Ta course en neuf jours achève une carrière / Que l'on verrait coûter un siècle à d'autres rois* (Corneille, Sonnet, éd. « Les Grands Écrivains », t. X, p. 224).

2. Ce bel esprit est Félibien qui écrit la *Relation de la fête de Versailles du 18e juillet 1668*. On trouvera ce texte dans le tome VI des *Œuvres* de Molière (coll. des « Grands Écrivains »).

3. L'auteur de ce *Livret* n'est pas connu : Molière lui-même, ou quelqu'un qui écrit sous sa dictée, selon l'édition des « Grands Écrivains ». En tout cas les vers chantés entre les actes sont de Molière (Robinet, *Lettre à Madame*, 21 juillet 1668).

Page 124.

1. Ces vers-là n'ont pas été conservés.

GEORGE DANDIN

Page 131.

1. « *Paysan :* roturier qui habite dans les villages, qui cultive la terre et qui sert à tous les ménages de campagne [...] » (Furetière). « *Dandin :* grand sot qui n'a point de contenance ferme, qui a des mouvements de pieds et de mains déshonnêtes » (Furetière). Le mot pour un spectateur du XVIIe siècle évoque balourdise, gaucherie du maintien traduite par une gesticulation à contretemps ; donc un rôle qui, tirant de la contenance beaucoup de son comique, touche à la farce. Le nom a ses lettres de noblesse littéraire. Rabelais l'a donné à un « appointeur de procès », juge bénévole (*Tiers Livre*, chap. XLI). Racine fait jouer en novembre (?) 1668 *Les Plaideurs*. Il appelle son juge Dandin. Rôle tenu par Molière. Son costume : « haut-de-chausses et manteau de taffetas musc [couleur de musc ?],

le col de même ; le tout garni de dentelles et boutons d'argent, la ceinture pareille, le petit pourpoint de satin cramoisi ; autre pourpoint de dessus, de brocart de différentes couleurs et dentelles d'argent ; la fraise et souliers ». Costume cossu, semble-t-il : les dentelles et les boutons ne sont pas dits en argent faux, comme il est précisé pour d'autres costumes de Molière. Costume qui engonce George Dandin : il a « petit pourpoint » et « pourpoint de dessus », pour accentuer son air balourd. Costume démodé : il porte la fraise des Sganarelles et des Harpagons.

2. Le nom, en contraste avec la rouerie du personnage, est déjà celui de l'héroïne de *La Jalousie du Barbouillé* dont George Dandin reprend en partie le thème. — On ne sait pas qui tenait le rôle ; mais on constate qu'il est à Armande, veuve de Molière, en 1685 et on en conclut avec beaucoup de vraisemblance qu'elle l'a créé.

3. On ne sait qui tenait les rôles des Sotenville, de Clitandre, de Claudine, de Colin. La connaissance que l'on a des emplois dans la troupe de Molière permet des hypothèses vraisemblables : M. de Sotenville, du Croisy ; Mme de Sotenville, Hubert (qui tenait les rôles de vieilles femmes) ; La Grange, Clitandre.

4. La Thorillière tenait le rôle du « gros Lubin ».

Page 133.

1. « *Demoiselle :* femme ou fille d'un gentilhomme qui est de noble extraction » (Furetière).

2. « *Gentilhomme :* homme noble d'extraction, qui ne doit point sa noblesse à une charge ni aux lettres du prince » (Furetière).

Page 134.

1. Dans la langue du XVIIe siècle *faire l'amour* veut dire courtiser.

Page 135.

1. « *Foin :* terme de repentir et d'indignation... foin de vous, foin de votre conseil » (Furetière).

2. « Agréable par sa gentillesse et ses manières » (Furetière).

Page 136.

1. « On dit qu'un homme a eu un pied de nez quand il a été trompé dans ses espérances » (Furetière). Il sera ridiculisé.

2. *Gentilhommerie* n'est pas dans Furetière. Dans Richelet : qualité de gentilhomme, avec le seul exemple de Molière. Dans Littré, les seuls exemples cités sont méprisants.

Page 137.

1. De la réciprocité.

Page 138.

1. « C'est une incivilité de joindre après le *Monsieur* ou la *Madame* le surnom [nom de famille] ou la qualité de la personne à qui on parle comme *Oui, Monsieur Cicerville, Oui, Monsieur le marquis* parlant à lui-même au lieu de dire simplement *Oui, Monsieur* » (Courtin, *Nouveau traité de civilité* [...], 1686).

2. *Ma femme n'est pas femme ?* éd. 1669. Dès l'édition suivante la correction est faite. Mais on peut se demander si le texte de 1669 n'est pas une plaisanterie volontaire.

Page 139.

1. Les Sotenville ont imposé à leur gendre un nom qui sent la noblesse et peut faire illusion. Cela ménage leur vanité.

2. *Prudoterie* évoque l'idée de pruderie.

3. Dans la coutume de Champagne, et dans celle-là seulement « le ventre affranchit et annoblit » (coutume de Chalons) : une femme noble, mariée à un roturier, transmet sa noblesse à ses enfants. — La question était d'actualité : en 1668, les traitants avaient considéré comme usurpateurs de noblesse et soumis à l'impôt roturier de la taille des « nobles de mère ». Il y eut procès, que les nobles gagnèrent.

Page 140.

1. « *Forligner :* ne pas suivre la vertu et les bons exemples de ses ancêtres » (Furetière).

2. « *Bouton :* la boucle de cuir qui coule le long des rênes et qui les resserre [...]. On dit figurément en ce sens serrer le bouton à quelqu'un quand on le tient en bride » (Furetière).

Page 141.

1. Le ban est la mobilisation des vassaux directs du roi ; l'arrière-ban la mobilisation des vassaux de ces vassaux. Dès l'époque de Molière l'institution apparaît comme très désuète et assez dérisoire, l'époque est aux armées de métier. L'arrière-ban avait été convoqué en 1635. Le roi Louis XIII à la suite de cette expérience écrivait (1635) : « Il ne faut faire nul cas de la noblesse volontaire que pour faire perdre l'honneur à celui qui voudra entreprendre avec eux quelque chose. » Les états de service de M. de Sotenville ne doivent pas être aussi glorieux qu'il le dit.

2. A travers les propos mesurés de l'historiographe royal

Ch. Bernard, on entrevoit que ce siège de Montauban avait été désastreux. Le roi assiégeait (1621) la place tenue par les protestants. La dysenterie se mit dans son armée ; les soldats « se licenciaient d'eux-mêmes » et il fallut lever le siège.

3. L'aïeul a été aux Croisades. — On vit dans cette phrase une allusion à l'expédition de M. de La Feuillade à Candie contre les Turcs.

Page 142.

1. La courtoisie voudrait, surtout en la présence de George Dandin, que M. de Sotenville dise « dont j'ai l'honneur d'être le beau-père ». Mais le gentilhomme parlant d'un roturier ne s'estime pas tenu à cette courtoisie.

2. *Éclaircissement* : demande d'explications qui précède éventuellement un duel.

Page 143.

1. « *L'ambassade :* en termes familiers, petit message qu'on fait faire par un ami, ou par un domestique pour quelque petite négociation, et particulièrement d'amour » (Furetière).

Page 144.

1. *Satisfait.* Cf. satisfaction : « excuse, réparation, dédommagement. Ce gentilhomme a été offensé en son honneur, il demande satisfaction » (Furetière). Devant le roturier George Dandin, les nobles font entendre le langage noble — et creux — du « point d'honneur ».

2. Ce sens de messager amoureux n'est pas attesté par les lexicographes du XVIIe siècle. Le mot est amené par *ambassade* et prend une coloration légèrement burlesque.

3. « On dit qu'une femme fait la sucrée lorsqu'elle est dissimulée, qu'elle fait la prude, qu'elle affecte des manières douces et honnêtes pour couvrir des coquetteries secrètes » (Furetière).

4. « On dit d'une personne rusée ou maligne : c'est une bonne pièce, une méchante pièce » (Furetière).

5. « Dessalé, fin, rusé, qui ne se laisse pas tromper » (Furetière).

6. Sens figuré : payer pour un autre sans avoir de profit pour soi.

Page 145.

1. Je n'hésiterais pas.

2. Cf. pousser sa fortune, pousser sa pointe : faites sa conquête.

3. Ce sera bien fait.
4. *Taxer* : accuser.
5. Outre son sens général, *procédé* désigne en particulier la manière de se comporter en matière d'honneur.
6. *Satisfaction* désigne soit la punition de l'offenseur par autorité de justice, soit ses excuses, soit une réparation par les armes. N'étant point gentilhomme, George Dandin fera des excuses.
7. *Se dédire* : retirer ce qu'on a dit.

Page 147.

1. La formule est de politesse et se dit aussi bien à un égal.
2. « Distraction du hobereau qui ne possède pas les forêts où il pourrait courre le cerf » (Furetière).
3. Le mot a un petit air belliqueux, qui contraste avec l'humiliation réelle qu'aurait dû éprouver M. de Sotenville.

Page 150.

1. *Tribouiller* : troubler. Richelet le note comme populaire.
2. Il ne faut point tant de cérémonies. — Expression proverbiale.

Page 151.

1. « On dit qu'on patine une femme quand on lui manie les bras, le sein, etc. Il n'y a que les paysannes et les servantes qui se laissent patiner » (Furetière).
2. A déduire de... — *mariage : dot.*
3. A déduire sur les baisers qui lui reviendront après le mariage.
4. « *Rudasnier :* terme populaire qui se dit des gens grossiers et rébarbatifs » (Furetière).

Page 152.

1. « Tromper, surprendre l'esprit et les sens par de fausses raisons, de fausses lumières » (Furetière).

Page 155.

1. Pourvu qu'ils aient l'idée préconçue [de l'innocence d'Angélique].

Page 156.

1. « On dit qu'on laisse les gens *sur la bonne bouche* quand on interrompt le discours à l'endroit le meilleur et le plus attendu » (Furetière).
2. Un sot vous croirait (mais pas moi).

Page 157.

1. « *Tarare :* mot burlesque [...] qui marque qu'on se moque de ce qu'on dit et qu'on n'y ajoute point de foi » (Richelet).

2. L'affaire serait de nature à me donner raison.

3. Arranger, d'où tromper.

Page 163.

1. « Il ne saurait pas lire *l'écriture à la main,* mais il lit bien le *moulé* » (Furetière).

Page 165.

1. Les coups de bâton destinés à Clitandre mais que recevait George Dandin (II, 8).

Page 167.

1. Le texte de l'édition originale, *fort,* pouvant à l'extrême rigueur se justifier par une ironie, nous le maintenons. Mais les éditions de 1672, 1682, 1734 corrigent en *faible.* Le texte le plus probable à notre sens est *fol* : l'erreur de *fol* à *fort* s'explique bien.

Page 169.

1. Furetière donne la forme *escampatinos* : terme populaire qui signifie s'enfuir, se dérober secrètement.

2. « On dit proverbialement et ironiquement : *Voilà des vers à votre louange* quand on montre à quelqu'un un écrit qui lui est injurieux, quelque exploit, quelque titre qui lui est désavantageux » (Furetière).

3. *Malversation :* pas attesté dans le sens général de mauvaise conduite, mais seulement dans son sens juridique : « prévarication dans l'exercice d'une charge ». George Dandin emploie un mot qu'il juge vigoureux, même s'il est impropre.

Page 171.

1. « *Larmes de crocodile :* les larmes d'un hypocrite, une feinte douleur qui ne tend qu'à surprendre quelqu'un » (Furetière).

Page 173.

1. En s'en prenant à moi.

Page 175.

1. Seul exemple connu de cette expression. Le sens est sans aucun doute « vous m'écœurez » ; mais il n'est pas aisé

d'expliquer logiquement l'expression : c'est que Mme de Sotenville veut être énergique même au détriment de la logique.

Page 176.

1. C'est la procédure de l'amende honorable : condamnation à aller « nu, en chemise, la torche au poing et la corde au cou, devant une église ou dans un auditoire, demander pardon à Dieu, au roi et à Justice de quelque méchante action » (Furetière).

Page 177.

1. J'abandonne.

L'Avare

Page 189.

1. Le mot Harpagon, d'origine grecque, veut dire rapace, en latin il désigne un grappin. Dans *L'Aululaire* complétée par Urceus Codrus et traduite par l'abbé de Marolles se trouvent les vers suivants : / *Tenaces nimium dominos nostra aetas tulit, / Quos* Harpagones, *Harpyas et Tantalos / Vocare soleo, in opibus magnis pauperes.* « Ce temps-cy porte des maîtres un peu opiniâtres, que nous appelons communément *Harpagons,* Harpies et Tantales, pauvres dans leur grande opulence et altérés au milieu de l'océan... » Molière a dû prendre là le nom.

Le rôle est tenu par Molière. Son costume : « un manteau, chausse et pourpoint de satin noir, garni de dentelle ronde de soie noire, chapeau, perruque, souliers, prisé vingt livres ».

2. Rôle tenu par Louis Béjart qui boitait. « Ce chien de boiteux », dit de lui Harpagon (acte I, sc. III). Le reste de la distribution n'est que conjectural.

3. « La scène est une salle, et, sur le derrière, un jardin. Il faut deux chiquenilles [voir n. 2, p. 227], des lunettes [cf. acte III, sc. V, début], un balai [pour dame Claude, acte III, sc. I], une batte [pour battre Me Jacques, acte III, sc. I et II], une cassette, une table, une chaise, une écritoire, du papier, une robe [pour le commissaire], deux flambeaux sur la table au Ve acte » (*Mémoire* de Mahelot).

Page 191.

1. Cet « engagement » a pris forme d'une promesse de mariage, écrite, et signée par les deux amants (cf. acte V, sc. III).

2. L'issue.

Page 192.

1. Les actes font voir les différences entre les amants, fidèles et infidèles.

2. Je borne mon inquiétude à me soucier du blâme...

3. Dans les choses...

4. Valère s'est fait l'intendant d'Harpagon pour pouvoir approcher Élise. Domestique : qui vit dans la maison.

Page 193.

1. *Charger* : exagérer.

2. Cette servante est dame Claude qui recevra en silence les ordres d'Harpagon (acte III, sc. I). Elle chaperonne Élise. Elle est dans le secret de l'engagement conclu par les deux jeunes gens et elle a encouragé Élise à le contracter (acte V, sc. III). Qu'Élise au lieu d'être chaperonnée par une suivante, comme la Dorine du *Tartuffe*, le soit par une servante affectée aux travaux domestiques, comme Martine des *Femmes savantes*, est une preuve de la lésine d'Harpagon.

Page 194.

1. *Par leur conduite* : conduits, dirigés par eux.

2. Ils n'ont pas d'idée préconçue inspirée par l'amour.

Page 195.

1. Une mère âgée. — Cf. « *bonhomme* : un vieillard qui ne peut faire du mal, un homme simple qui ne songe à aucune malice » (Furetière).

2. Pas très à l'aise.

Page 196.

1. « *Engager*, s'endetter » (Furetière).

Page 197.

1. *L'Aululaire*, de Plaute, commence avec l'expulsion de Staphyla par Euclion. Molière imite ici cette scène.

2. « On dit adverbialement *sauf correction* par civilité, ou par respect, pour corriger et adoucir quelque chose qu'on a dit de trop libre et qui pourrait offenser quelqu'un » (Furetière). La Flèche nomme le diable, risquant ainsi de l'évoquer ; son « sauf correction » atténue une formule audacieuse.

Page 198.

1. Dans *L'Aululaire*, l'Avare fouille l'esclave Strobile, lui fait montrer ses deux mains et demande à voir la troisième. Le trait avait été repris avant Molière par Samuel Chappuzeau dans *L'Avare dupé ou l'Homme de paille*, joué en 1663.

Page 199.

1. « Un vilain, c'est un homme avare » (Furetière).
2. « *Ladre* signifie figurément en morale, avare, vilain et malpropre » (Furetière).
3. « *Barrette :* bonnet dont on use en Italie [...]. On dit proverbialement et bassement *parler à la barrette* de quelqu'un pour dire le quereller, lui faire quelque reproche, quelque réprimande » (Furetière).
4. Béjart, le beau-frère de Molière, était en effet boiteux.

Page 200.

1. Fortune.
2. Harpagon est usurier : cet enfouissement de son or n'est pas une thésaurisation ; il attend un nouvel emploi. La somme est énorme.
3. « Feindre signifie aussi craindre » (Furetière).

Page 201.

1. Une constitution de rente, c'est-à-dire un placement à intérêt.

Page 202.

1. Les aiguillettes sont des lacets qui attachent le haut-de-chausses au pourpoint. La mode est de les dissimuler par des flots de rubans. Les aiguillettes visibles sont signe de refus de la mode par esprit rétrograde ou par lésine.
2. La pistole vaut 11 livres.
3. Le denier douze est un intérêt de un denier pour douze prêtés, soit 8,3 %. « Le roi a fixé les rentes du denier vingt », dit Furetière. Le taux qu'envisage Harpagon est usuraire, mais sans excès puisque, toujours selon Furetière, les traitants empruntent au denier huit (plus de 12 %). Harpagon lui-même pratique un taux infiniment supérieur (voir *Notice*, p. 186).
4. « *Marchander :* être irrésolu, balancer entre deux partis » (Furetière).

Page 204.

1. « *Damoiseau* [...] un homme qui fait le beau fils, qui affecte trop de propreté [d'élégance], un galant de profession » (Furetière). « *Flouet* : corps délicat, de mauvaise constitution et peu robuste. Quelques-uns disent fluet » (Furetière).

Page 206.

1. Il ne se peut pas que vous n'ayez pas raison. Tous les exemples donnés par Livet, *Lexique de Molière*, et Littré comportent la négation simple : « Vous ne pouvez que... » Valère ajoute *pas* pour donner de l'énergie à son propos.

2. Dans *L'Aululaire*, Euclio fait observer plusieurs fois aussi que sa fille sera mariée sans dot. Mais de ce qui n'était qu'insistance normale sur une clause d'un contrat, Molière a tiré un effet comique irrésistible.

Page 211.

1. « Ouverture [...], expédient » (Furetière).

2. « On appelle *fesse-mathieu* un homme qui prête à gros intérêts et qu'on ne veut pas nommer ouvertement usurier » (Furetière).

Page 213.

1. 5,5 %.

2. 20 %.

3. « *Arabe :* avare, cruel, tyran. Cet usurier est un arabe envers ses créanciers, il ne leur relâche rien » (Furetière).

4. Cléante paiera 5,5 % au prêteur nº 1, plus 20 % pour celui auquel le prêteur s'est lui-même adressé ; soit 25,5 %. Le denier quatre serait 25 % seulement.

5. Dans *La Belle Plaideuse* de Boisrobert (1655) déjà, un fesse-mathieu donne à l'emprunteur la somme partie en argent, partie en marchandises invendables. Cette opération, qui consiste à fournir en marchandises une partie de la somme prêtée, me paraît n'être pas autre chose qu'une application du contrat Mohatra, dont traite la *VIIIe Provinciale* de Pascal. Le contrat Mohatra a été imaginé, semble-t-il, pour tourner l'interdiction par l'Église du prêt à intérêt. Le prêt d'argent à titre onéreux se dissimulait sous une vente fictive. Le prêteur fournissait la somme en marchandises qu'il rachetait immédiatement pour un prix moindre : la différence entre prix de vente et prix de rachat constituait son intérêt. Il faut comprendre que Cléante va tâcher de revendre la tenture, les mousquets, le crocodile empaillé, etc., dès qu'il les

aura reçus. Qu'en ferait-il autrement ? Peut-être même ne demandera-t-il pas à en prendre livraison. Il se trouvera par hasard quelque personnage obligeant, compréhensif pour les jeunes gens, qui rachètera le tout. Il serait étonnant qu'il ne fût pas homme de paille d'Harpagon ; et s'il est aussi honnête homme que son métier peut le comporter, il rachètera le lot à la moitié de son estimation au plus, soit 500 écus. Voilà donc 500 écus à ajouter aux intérêts prélevés par Harpagon : Cléante aura emprunté à 40 ou 45 % : taux horriblement usuraire. Quant aux mousquets, tenture, crocodile empaillé, ils regagnent le grenier d'Harpagon, si même ils l'avaient quitté, et seront disponibles pour une nouvelle opération.

6. Le point de Hongrie est un point de dentelle à l'aiguille sur mousseline. Le contexte invite à penser à une marchandise parfaitement démodée.

7. « *Pavillon* [...] garniture de lit taillée en rond qui s'attache au plancher [plafond] et qui a figure d'une tente. Les pavillons ne sont guère en usage que pour les lits de valets » (Furetière). La queue doit être quelque garniture qui pend du pavillon ; le *mollet* est une frange, « large d'un travers de doigt » (Furetière).

Page 214.

1. Cette tapisserie, lorsqu'elle était complète, comportait huit panneaux représentant des scènes de la vie champêtre. Des strophes commentent la scène. La plus ancienne connue est inventoriée en 1532. Pour un admirateur de Mignard, comme l'était Molière, cet art devait apparaître parfaitement suranné et « gothique ».

2. Le mousquet étant très lourd, pour tirer, on appuyait l'extrémité de son canon sur une petite fourche fichée en terre.

3. Le *trou-madame* est une manière de billard.

Page 215.

1. Rabelais, *Tiers Livre*, chap. II.

2. Je n'ai pas envie d'être pendu.

3. *Galanterie* pris ironiquement, cf. « *Galant*, [...] homme habile, adroit, dangereux » (Furetière). Certaines galanteries peuvent amener sur l'échelle de la potence.

4. « *Péricliter* : être en danger [...] il n'y a rien qui périclite, il n'y a point de péril en la demeure » (Furetière).

Page 216.

1. Il prendra l'engagement : vocabulaire des affaires.

2. Le président de Bercy et son fils, « qui cherchait de l'argent à gros intérêts », se sont ainsi rencontrés chez un notaire (Tallemant des Réaux, *Histoire de Boisrobert*). Boisrobert fit entrer l'aventure dans sa comédie *La Belle Plaideuse* (acte I, sc. VII) dont déjà Molière s'est inspiré pour la scène précédente.

Page 218.

1. Formule de refus, polie et à l'occasion ironique.

Page 219.

1. Ce dialogue entre un vieillard et un flatteur a sans doute sa source dans une scène analogue de l'Arioste, *I suppositi* (acte I, sc. II). Un parasite complimente pareillement un vieux docteur sur sa verdeur.

Page 220.

1. Venise et les Turcs s'affrontent dans le bassin oriental de la Méditerranée. L'opinion française s'intéresse à cette lutte, d'autant plus qu'un corps expéditionnaire français a été renforcer les Vénitiens pour défendre Candie. La plaisanterie de Frosine était d'actualité. Mais elle était aussi renouvelée de Rabelais : Perrin Dendin, appointeur de procès, se dit capable de mettre paix ou trêve pour le moins entre le Grand Roi et les Vénitiens, entre l'Empereur et les Suisses, entre le Turc et le Sophi, etc. (*Tiers Livre*, chap. XLI).

2. Furetière et Richelet écrivent *régal*. « *Régal :* fête, réjouissance, appareil de plaisirs pour divertir ou honorer quelqu'un [...] Un présent de rafraîchissements qu'on donne à des étrangers ou passagers pour leur faire honneur » (Furetière).

3. Les foires Saint-Germain, Saint-Laurent, etc., offraient des attractions diverses, théâtres, ménageries, danseurs de corde.

4. « On dit qu'il faut qu'un homme *s'aide* pour dire qu'il fasse un effort de lui-même pour profiter du secours qu'on lui veut donner » (Furetière).

Page 221.

1. « On appelle *orge mondé* une potion qu'on fait avec de l'orge dont on a fait tomber la peau. Les dames prennent de l'orge mondé pour se conserver le teint frais et s'engraisser » (Furetière).

Page 222.

1. Au XVIIe siècle, les lunettes sont l'indice certain de l'extrême décrépitude. « Veillards qui portez lunettes / Retirez-vous loin des follettes », dit la *Réformation des mariages* (Fournier, *Variétés historiques*, [...], t. IV, p. 15).

2. Les beaux jouvenceaux de la Fable : Adonis, l'amant de Vénus ; Céphale, l'amant de l'Aurore ; Pâris qui enleva Hélène. Apollon aussi était représenté très beau.

3. Les vieillards de la Fable : Saturne, le père de Jupiter, est toujours représenté très vieux ; Priam, le vénéré roi de Troie ; le sage Nestor, et Anchise qu'Énée emporta sur ses épaules en fuyant l'incendie de Troie.

Page 223.

1. « *Godelureau* : jeune fanfaron, glorieux, pimpant et coquet, qui se pique de galanterie auprès des femmes, qui est toujours bien propre et bien mis sans avoir d'autre perfection » (Furetière).

2. « On dit pour se moquer d'un lâche, d'un sot qui se mêle du ménage des femmes, que c'est une *poule laitée* » (Furetière).

3. La négligence avec laquelle la chemise est laissée bouffante sur la poitrine, l'exiguïté du pourpoint donnent cette impression de « débraillé » savamment calculée par les jeunes gens à la mode. Cf. la description du costume de Dom Juan par Pierrot (*Dom Juan*, acte II, sc. 1).

4. « L'âge apporte avec soi beaucoup d'incommodités, d'infirmités » (Furetière).

5. « *Fluxion* : chute d'humeurs sur quelque partie du corps. Les fluxions du poumon sont dangereuses » (Furetière). La toux d'Harpagon (cf. « vous avez bonne grâce à tousser ») indique une fluxion de poitrine, la maladie même de Molière.

Page 224.

1. La fraise indique qu'Harpagon s'habille, en 1670, comme les contemporains d'Henri IV.

2. Cf. n. 1, p. 202.

3. « *Nécessité* : besoin, disette, pauvreté, misère » (Furetière).

Page 225.

1. L'autre côté, celui de la fiancée et de sa mère.

Page 227.

1. Les verres, brocs et bouteilles sont sur un buffet ; la charge des valets est d'apporter le verre plein au convive qui demande à boire.

2. « *Souquenille :* vêtement de grosse toile qu'on donne aux valets pour conserver leurs habits propres » (Furetière). C'est donc quelque chose comme le « treillis » des militaires.

Page 228.

1. « *Maîtresse :* on le dit particulièrement d'une fille qu'on recherche en mariage « (Furetière).

Page 229.

1. On garde l'épée de chevet à portée de la main. Au sens figuré ici, cf. Furetière : « Cet homme a toujours son *Iliade* à la main ; c'est son épée de chevet. »

Page 230.

1. Le serviteur à tout faire. Au XVIIe siècle on prononce le latin à la française : un té déon.
2. Les « assiettes » contiendront des ragoûts.
3. « On appelle *entrées de table* quelques mets qui se servent d'abord avec les potages » (Furetière).
4. Variante de l'édition de 1682. / MAITRE JACQUES : Hé bien! il faudra quatre grands potages, bien garnis, et cinq assiettes d'entrées. Potages : bisque, potage de perdrix aux choux verts, potage de santé, potage de canards aux navets. Entrées : fricassée de poulets, tourte de pigeonneaux, ris de veau, boudin blanc, et morilles. / HARPAGON : Que diable! voilà pour traiter toute une ville entière. / MAITRE JACQUES : Rôt dans un grandissime bassin, en pyramide : une grande longe de veau de rivière, trois faisans, trois poulardes grasses, douze pigeons de volière, douze poulets de grain, six lapereaux de garenne, douze perdreaux, deux douzaines de cailles, trois douzaines d'ortolans... /
5. La formule est de Cicéron. On la cite plaisamment dans les collèges.

Page 231.

1. « *Haricot :* un hachis fait en gros morceaux de mouton ou de veau, bouillis avec des marrons, des navets, etc. » (Furetière).
2. « *Pâté en pot* ou *hochepot* est un ragoût bourgeois fait de bœuf dans un pot qui lui tient lieu de croûte » (Furetière).

Page 232.

1. « On dit qu'on gratte quelqu'un où il lui démange quand on flatte sa passion dominante » (Furetière).

Page 233.

1. Empoigner quelqu'un. « On dit des sergents qui mènent quelqu'un prisonnier qu'ils le tiennent au cul et aux chausses » (Furetière).

2. Ce trait vient de Plaute.

3. L'anecdote vient des *Sérées* de Bouchet.

Page 234.

1. Le double est une petite pièce de cuivre qui vaut deux deniers.

Page 237.

1. De vous devancer.

Page 240.

1. Oranges et citrons sont des fruits de luxe. Les oranges de Chine, qui ne viennent pas de Chine, sont des oranges douces. Quant aux confitures, le mot désigne aussi fruits confits et pâtes de fruits. L'ensemble constitue la collation de mise dans une bonne société où l'on veut faire convenablement les choses.

Page 241.

1. « Si l'on m'apporte de l'argent, que l'on me vienne querir vite [...] ; et si l'on vient m'en demander, qu'on dise que je suis sorti [...] » (Sganarelle, 1re scène du *Mariage forcé*).

Page 243.

1. J'aurais éloigné de vous...

2. Une pitié disposée à rendre de bons offices, à agir.

Page 245.

1. *Effets :* les biens. Cette invention de l'intrigante Frosine paraît être l'annonce de quelque épisode futur, ou du dénouement. En fait elle tournera court. S'agissait-il de montrer la femme d'intrigue en pleine inspiration créatrice ? Peut-être. C'est aussi un souvenir de *La Belle Plaideuse* de Boisrobert. On y rit comme Molière le fait (« un bizarre nom de marquise ou de vicomtesse ») de la sonorité des noms bretons : « Lantriquet entre Kertronquedic et Kerlovidaquet — », qui « sentent le grimoire » (II, 3).

Page 248.

1. On notera qu'Harpagon, méfiant, devient sévère et dit *vous* à son fils et non plus *tu*.

Page 251.

1. « On dit proverbialement : Je vous baise les mains, pour dire : je me recommande à vous ou je vous remercie » (Furetière). Maître Jacques, qui s'attendait à une gratification, met dans la formule une ironie amère.

Page 253.

1. Dans ce monologue, Molière rivalise avec Plaute (*L'Aululaire*, acte IV, sc. IX) : « Je suis perdu, je suis assassiné, je suis mort! où dois-je courir? où dois-je ne point courir? Tenez, tenez celui qui m'a volé. Mais qui est-il? Je ne sais, je ne vois rien, je marche comme un aveugle, et certes je ne saurais dire où je vais, ni où je suis, ni qui je suis. Je vous prie tous tant que vous êtes de me secourir, et de me montrer celui qui me l'a dérobée. Je vous en supplie, je vous en conjure. Ils se cachent sous des habits modestes, sous la blancheur de la craie et se tiennent assis comme des personnes sérieuses. Pour toi, que dis-tu? Se peut-on fier à toi? Car il me semble à voir ton visage que tu es homme de bien. Qu'y a-t-il? Pourquoi riez-vous? Je connais tout le monde. Je sais qu'il y a ici beaucoup de voleurs. Quoi, n'y a-t-il personne de tous ceux-là qui l'ait prise? Tu me fais mourir! Dis donc qui l'a prise? Ne le sais-tu point? Ha, je suis ruiné : je suis le plus malheureux de tous les hommes; je suis au désespoir, et je ne sais où je vais, ni comme je suis fait; tant cette journée m'apporte de tristesse, de deuil et de maux » (trad. Marolles).

Page 254.

1. *Gêne :* torture.

Page 255.

1 « *Commissaire :* un officier royal et subalterne [...] Il y a à Paris plusieurs commissaires du Châtelet, qui font les informations [...] visites de police et captures » (Furetière). Ces « officiers » achètent leur charge, et sont rémunérés par qui fait appel à eux (cf. acte V, sc. VI de *L'Avare*).

2. Une pièce bien trébuchante est celle qui fait pencher convenablement la petite balance avec laquelle on la pèse, le trébuchet, pour s'assurer qu'elle n'a pas été rognée.

Page 256.

1. Compromettre en donnant de la publicité à la faute.

Page 259.

1. L'idée du quiproquo entre l'avare et l'amant, l'un parlant de la cassette et l'autre de la fille, vient de Plaute.

Page 262.

1. « Augmentation de mal ou de douleur » (Furetière).

Page 263.

1. Par qui vous estimez avoir été offensé.

Page 264.

1. Harpagon a promis sa fille à Anselme (acte I, sc. IV).

Page 265.

1. L'édition de 1682 donne ici une indication scénique : « voyant deux chandelles allumées, il en souffle une ». Un acteur du XVIIIe siècle ajoute les précisions suivantes : « Les comédiens ont imaginé le jeu de la bougie pour égayer une scène que le public n'écoute jamais sans quelque impatience. Voici comment ce jeu s'exécute : Harpagon éteint une de ces deux bougies placées sur la table du notaire. A peine a-t-il tourné le dos que Maître Jacques la rallume. Harpagon, la voyant brûler de nouveau, s'en empare, l'éteint et la garde dans sa main. Mais pendant qu'il écoute, les deux bras croisés, la conversation d'Anselme et de Valère, Maître Jacques passe derrière lui et rallume la bougie. Un instant après, Harpagon décroise les bras, voit la bougie brûler, la souffle et la met dans la poche droite de son haut-de-chausses ou Maître Jacques ne manque pas de la rallumer une quatrième fois. Enfin la main d'Harpagon rencontre la flamme de la bougie... »

Page 266.

1. S'agit-il de la révolte de Masianello (1647) ? Mais après cette révolte, un Français, le duc de Guise, avait de façon éphémère régné sur Naples d'où l'avait chassé Don Juan d'Autriche. Les Français, sans regarder de plus près aux dates, devaient avoir gardé l'impression que Naples était un pays à révolutions.

2. « *Imposer* : tromper, dire une fausseté » (Furetière).

Page 267.

1. « *Habituer* : établir sa demeure en quelque endroit » (Furetière).

Page 269.

1. Indication scénique de l'éd. de 1734 : HARPAGON, *montrant Maître Jacques.*

AMPHITRYON

GEORGE DANDIN OU LE MARI CONFONDU

L'AVARE

DOSSIER

COLLECTION FOLIO

Dernières parutions

45. Paul Vialar — *La grande meute.*
46. Jean-Paul Sartre — *La nausée.*
47. Victor Hugo — *Choses vues, 1847-1848.*
48. Elsa Triolet — *Le cheval blanc.*
49. Joseph Kessel — *Le lion.*
50. Romain Gary — *Chien Blanc.*
51. Gustave Flaubert — *Madame Bovary.*
52. Jean-Paul Sartre — *Le diable et le bon Dieu.*
53. Georges Duhamel — *Le notaire du Havre.*
54. Margaret Mitchell — *Autant en emporte le vent,* tome I.
55. Jacques Prévert — *Paroles.*
56. Robert Merle — *Un animal doué de raison.*
57. Diderot — *La religieuse.*
58. Jean-Paul Sartre — *La mort dans l'âme.*
59. Truman Capote — *De sang-froid.*
60. Jules Romains — *Knock.*
61. Jack Kerouac — *Sur la route.*
62. Honoré de Balzac — *Illusions perdues.*
63. M. de Saint Pierre — *Les aristocrates.*
64. Albert Camus — *Caligula* suivi de *Le malentendu.*
65. Aragon — *Blanche ou l'oubli.*
66. Margaret Mitchell — *Autant en emporte le vent,* tome II.
67. Marcel Aymé — *La jument verte.*
68. Jean-Paul Sartre — *Le mur.*
69. John Steinbeck — *Tortilla Flat.*
70. Pétrone — *Le Satiricon.*
71. Michel Déon — *Les poneys sauvages.*
72. Saint-Exupéry — *Pilote de guerre.*
73. André Breton — *Nadja.*
74. Franz Kafka — *La métamorphose.*
75. M. de Saint Pierre — *Les nouveaux prêtres.*
76. S. de Beauvoir — *La femme rompue.*
77. Laclos — *Les liaisons dangereuses.*

78.	Albert Camus	*L'exil et le royaume.*
79.	Boris Pasternak	*Le docteur Jivago.*
80.	Saint-Exupéry	*Courrier Sud.*
81.	Sempé	*Sauve qui peut.*
82.	Sempé	*La grande panique.*
83.	John Steinbeck	*Les raisins de la colère.*
84.	Honoré de Balzac	*Les Chouans.*
85.	Marcel Proust	*Du côté de chez Swann.*
86.	Marcel Proust	*A l'ombre des jeunes filles en fleurs.*
87.	Marcel Proust	*Le côté de Guermantes,* tome I.
88.	Marcel Proust	*Le côté de Guermantes,* tome II.
89.	Pierre Jean Jouve	*Hécate.*
90.	Jacques Prévert	*La pluie et le beau temps.*
91.	Victor Hugo	*Choses vues, 1849-1869.*
92.	Nathalie Sarraute	*Le planétarium.*
93.	Armand Salacrou	*Les nuits de la colère* suivi de *Poof.*
94.	S. de Beauvoir	*L'invitée.*
95.	Jean Giono	*Le grand troupeau.*
96.	André Gide	*Si le grain ne meurt...*
97.	Dostoïevski	*L'éternel mari.*
98.	Jean-Louis Curtis	*Un saint au néon.*
99.	José Cabanis	*Le bonheur du temps.*
100.	Eugène Ionesco	*Rhinocéros.*
101.	Franz Kafka	*Le procès.*
102.	Marcel Proust	*Sodome et Gomorrhe.*
103.	Raymond Queneau	*Zazie dans le métro.*
104.	Jacques Prévert	*Spectacle.*
105.	Voltaire	*Romans et contes.*
106.	Georges Bataille	*L'abbé C.*
107.	Joseph Kessel	*L'équipage.*
108.	Saint-Exupéry	*Citadelle.*
109.	Jean-Paul Sartre	*La P... respectueuse* suivi de *Morts sans sépulture.*
110.	Roger Vailland	*La loi.*
111.	Vassilis Vassilikos	*Z.*
112.	Honoré de Balzac	*Le Lys dans la vallée.*
113.	Henri Troyat	*Tant que la terre durera,* tome I.
114.	S. de Beauvoir	*Les mandarins,* tome I.
115.	S. de Beauvoir	*Les mandarins,* tome II.

116. Marcel Aymé — *La Table-aux-Crevés.*
117. André Gide — *Les nourritures terrestres* suivi de *Les nouvelles nourritures.*
118. Jean Anouilh — *Le voyageur sans bagage* suivi de *Le bal des voleurs.*
119. Jacques Prévert — *Histoires.*
120. Aragon — *Les voyageurs de l'impériale.*
121. J.-P. Chabrol — *Un homme de trop.*
122. Baudelaire — *Les Paradis artificiels.*
123. Marcel Aymé — *Le passe-muraille.*
124. Marcel Proust — *La prisonnière.*
125. Joseph Kessel — *Belle de Jour.*
126. Robert Merle — *La mort est mon métier.*
127. Paul Guimard — *Rue du Havre.*
128. Paul Morand — *Ouvert la nuit.*
129. Louis Pauwels et Jacques Bergier — *Le matin des magiciens.*
130. Mme de La Fayette — *La Princesse de Clèves et autres romans.*
131. André Gide — *Les faux-monnayeurs.*
132. Jacques Prévert — *Fatras.*
133. Michel Tournier — *Vendredi ou les limbes du Pacifique.*
134. Henri Troyat — *Tant que la terre durera,* tome II.
135. Colette — *La retraite sentimentale.*
136. Nathalie Sarraute — *Martereau.*
137. S. de Beauvoir — *Une mort très douce.*
138. Honoré de Balzac — *La Cousine Bette.*
139. R. Martin du Gard — *Les Thibault,* tome I.
140. R. Martin du Gard — *Les Thibault,* tome II.
141. Victor Hugo — *Choses vues, 1870-1885.*
142. Montherlant — *Le maître de Santiago.*
143. Marcel Aymé — *Le chemin des écoliers.*
144. André Gide — *Isabelle.*
145. Henri Troyat — *Tant que la terre durera,* tome III.
146. Marcel Proust — *Albertine disparue.*
147. Gustave Flaubert — *L'Éducation sentimentale.*
148. Montherlant — *Les jeunes filles.*
149. Jean Cocteau — *Les parents terribles.*
150. Chester Himes — *L'aveugle au pistolet.*

151.	Hemingway	*Les neiges du Kilimandjaro.*
152.	P. Drieu la Rochelle	*Le feu follet* suivi de *Adieu à Gonzague.*
153.	Jean Anouilh	*La sauvage* suivi de *L'invitation au château.*
154.	Pierre Mac Orlan	*Le quai des brumes.*
155.	Stendhal	*La Chartreuse de Parme.*
156.	Montherlant	*Pitié pour les femmes.*
157.	Louis Pergaud	*La guerre des boutons.*
158.	Pierre Moustiers	*La paroi.*
159.	Marcel Proust	*Le temps retrouvé.*
160.	Henri Troyat	*Une extrême amitié.*
161.	Robert Merle	*Week-end à Zuydcoote.*
162.	William Faulkner	*Le bruit et la fureur.*
163.	Honoré de Balzac	*La Rabouilleuse.*
164.	R. Martin du Gard	*Les Thibault,* tome III.
165.	R. Martin du Gard	*Les Thibault,* tome IV.
166.	René Fallet	*Charleston.*
167.	Marcel Aymé	*La Vouivre.*
168.	Henri Bosco	*Le mas Théotime.*
169.	René Barjavel	*Tarendol.*
170.	Paul Claudel	*L'otage* suivi de *Le pain dur* et de *Le père humilié.*
171.	Diderot	*Le Neveu de Rameau.*
172.	S. de Beauvoir	*La force des choses,* tome I.
173.	S. de Beauvoir	*La force des choses,* tome II.
174.	Joseph Kessel	*La Rose de Java.*
175.	Hemingway	*Paradis perdu* suivi de *La cinquième colonne.*
176.	Zoé Oldenbourg	*La pierre angulaire.*
177.	George Orwell	*1984.*
178.	Boileau/Narcejac	*Les magiciennes.*
179.	Gérard de Nerval	*Les filles du feu* suivi de *Aurélia.*
180.	Henri Troyat	*Le sac et la cendre,* tome I.
181.	Henri Troyat	*Le sac et la cendre,* tome II.
182.	Jules Romains	*Les copains.*
183.	Elsa Triolet	*Roses à crédit.*
184.	Alberto Moravia	*L'amour conjugal.*
185.	H. G. Wells	*La guerre des mondes.*
186.	J.-J. Rousseau	*Les Rêveries du Promeneur solitaire.*

187. M. Duras — *Les petits chevaux de Tarquinia.*
188. B. et F. Groult — *Le féminin pluriel.*
189. R. Martin du Gard — *Les Thibault*, tome V.
190. Dominique Rolin — *Le lit.*
191. Jean Anouilh — *Becket.*
192. Franz Kafka — *La colonie pénitentiaire* et autres récits.
193. Montherlant — *Le démon du bien.*
194. Georges Duhamel — *Le jardin des bêtes sauvages.*
195. Aragon — *Anicet ou le Panorama, roman.*
196. Barbey d'Aurevilly — *Une histoire sans nom* suivi de *Une page d'Histoire. Le Cachet d'onyx. Léa.*
197. Boileau/Narcejac — *A cœur perdu.*
198. Jean Giono — *Deux cavaliers de l'orage.*
199. Montherlant — *Les lépreuses.*
200. Henri Troyat — *Étrangers sur la terre*, tome I.
201. Henri Troyat — *Étrangers sur la terre*, tome II.
202. Vladimir Nabokov — *Lolita.*
203. Romain Gary — *Éducation européenne.*
204. Th. Gautier — *Le Capitaine Fracasse.*
205. Marcel Aymé — *La belle image.*
206. Albert Memmi — *La statue de sel.*
207. Hubert Monteilhet — *Les pavés du diable.*
208. Philippe Hériat — *Famille Boussardel.*
209. Montherlant — *Les célibataires.*
210. André Gide — *La porte étroite.*
211. James Joyce — *Ulysse*, tome I.
212. James Joyce — *Ulysse*, tome II.
213. Sempé — *Rien n'est simple.*
214. Sempé — *Tout se complique.*
215. Jean Potocki — *La duchesse d'Avila.*
216. Sébastien Japrisot — *Piège pour Cendrillon.*
217. Béatrix Beck — *Léon Morin, prêtre.*
218. R. Martin du Gard — *Jean Barois.*
219. Aragon — *Le paysan de Paris.*
220. Jean Giono — *Un roi sans divertissement.*
221. Hemingway — *Le soleil se lève aussi.*
222. Jacques Perret — *Le caporal épinglé.*
223. Léon Bloy — *Sueur de sang.*
224. Marcel Aymé — *Uranus.*

225. Valery Larbaud — *Fermina Márquez.*
226. Raymond Queneau — *Pierrot mon ami.*
227. Roger Vailland — *Beau Masque.*
228. John Steinbeck — *En un combat douteux.*
229. André Gide — *L'immoraliste.*
230. L.-F. Céline — *Le pont de Londres.*
231. William Faulkner — *Sanctuaire.*
232. Joseph Kessel — *Mermoz.*
233. Roger Nimier — *Histoire d'un amour.*
234. Jules Romains — *Le dieu des corps.*
235. Elsa Triolet — *Les manigances.*
236. Eugène Ionesco — *La cantatrice chauve* suivi de *La leçon.*
237. Curzio Malaparte — *Kaputt.*
238. René Barjavel — *Ravage.*
239. Francis Iles — *Complicité.*
240. Jean Giono — *Le hussard sur le toit.*
241. Aragon — *Les beaux quartiers.*
242. Romain Gary — *Les racines du ciel.*
243. S. de Beauvoir — *Les belles images.*
244. Pierre Mac Orlan — *La bandera.*
245. Paul Claudel — *Partage de midi.*
246. Rabelais — *Gargantua.*
247. Pieyre de Mandiargues — *Le lis de mer.*
248. Félicien Marceau — *Creezy.*
249. Jean Giono — *Les âmes fortes.*
250. Marcel Arland — *Terre natale.*
251. Hemingway — *Mort dans l'après-midi.*
252. Jules Supervielle — *L'enfant de la haute mer.*
253. Montherlant — *Port-Royal.*
254. Homère — *Odyssée.*
255. L.-F. Céline — *Guignol's band.*
256. Elsa Triolet — *Le rossignol se tait à l'aube.*
257. J.-P. Chabrol — *Les fous de Dieu.*
258. Philippe Hériat — *Les enfants gâtés.*
259. Félicien Marceau — *L'homme du roi.*
260. Jean Dutourd — *Au Bon Beurre.*
261. Henry Miller — *Tropique du Cancer.*
262. Lanza del Vasto — *Le pèlerinage aux sources.*
263. Rudyard Kipling — *Le livre de la jungle.*
264. Violette Leduc — *Thérèse et Isabelle.*
265. Emmanuel Berl — *Sylvia.*

266. Hemingway — *En avoir ou pas.*
267. Renée Massip — *La Régente.*
268. J. de Bourbon Busset — *Les aveux infidèles.*
269. Montherlant — *Les bestiaires.*
270. Aragon — *Les cloches de Bâle.*
271. Dostoïevski — *L'Idiot,* tome I.
272. Dostoïevski — *L'Idiot,* tome II.
273. Paul Claudel — *Le soulier de satin.*
274. Jean Giono — *Le Moulin de Pologne.*
275. Armand Salacrou — *Boulevard Durand.*
276. Jorge Semprun — *Le grand voyage.*
277. Philippe Hériat — *Les grilles d'or.*
278. Jacques Perret — *Bande à part.*
279. Michel Déon — *Les trompeuses espérances.*
280. Hemingway — *Cinquante mille dollars.*
281. Montherlant — *La relève du matin.*
282. Garcia Lorca — *La maison de Bernarda Alba,* suivi de *Noces de sang.*
283. Paul Morand — *L'homme pressé.*
284. Franz Kafka — *Le château.*
285. Jean-Paul Clébert — *Paris insolite.*
286. René Fallet — *Le triporteur.*
287. Tolstoï — *La Guerre et la Paix,* tome I.
288. Tolstoï — *La Guerre et la Paix,* tome II.
289. Montaigne — *Essais, Livre premier.*
290. Montaigne — *Essais, Livre second.*
291. Montaigne — *Essais, Livre troisième.*
292. Aragon — *Aurélien.*
293. Montherlant — *La ville dont le prince est un enfant.*
294. Louise de Vilmorin — *Madame de* suivi de *Julietta.*

Lucien Bodard — LA GUERRE D'INDOCHINE :

295. I : *L'enlisement.*
296. II : *L'illusion.*
297. III : *L'humiliation.*
298. IV : *L'aventure.*
299. V : *L'épuisement.*

300. Claire Etcherelli — *Élise ou la vraie vie.*
301. Jean Anouilh — *Pauvre Bitos ou le dîner de têtes.*

302.	Honoré de Balzac	*Le Contrat de mariage* précédé de *Une double famille* et suivi de *L'Interdiction.*
303.	Georges Bernanos	*Les enfants humiliés* (*Journal 1939-1940*).
304.	Romain Gary	*Lady L.*
305.	Montherlant	*Malatesta.*
306.	Elsa Triolet	*L'âme.*
307.	William Faulkner	*Tandis que j'agonise.*
308.	Paul Claudel	*Tête d'Or.*
309.	Mikhaïl Boulgakov	*Cœur de chien.*
310.	Edgar Poe	*Histoires extraordinaires.*
311.	Jean Giono	*Les grands chemins.*
312.	Claude Aveline	*L'abonné de la ligne U.*
313.	Thérèse de Saint-Phalle	*Le tournesol.*
314.	Aragon	*La mise à mort.*
315.	Paul Guimard	*Les choses de la vie.*
316.	Jean Anouilh	*Fables.*
317.	Mérimée	*Colomba* et dix autres nouvelles.
318.	José Giovanni	*Le trou.*
319.	Georges Duhamel	*Tel qu'en lui-même...*
320.	Claire Etcherelli	*A propos de Clémence.*
321.	Marcel Aymé	*Le moulin de la Sourdine.*
322.	Armand Salacrou	*Histoire de rire.*
323.	Montherlant	*Les Olympiques.*
324.	Dostoïevski	*Le joueur.*
325.	Rudyard Kipling	*Le second livre de la jungle.*
326.	Boileau/Narcejac	*Les diaboliques.*
327.	Jacques Lanzmann	*Le rat d'Amérique.*
328.	Jean Cocteau	*L'aigle à deux têtes.*
329.	Alain Gheerbrant	*L'expédition Orénoque-Amazone 1948-1950.*
330.	Jean Giono	*Solitude de la pitié.*
331.	Blaise Cendrars	*L'or.*
332.	Molière	*Le Tartuffe – Dom Juan – Le Misanthrope.*
333.	Molière	*Amphitryon – George Dandin – L'Avare.*

Cet ouvrage
a été achevé d'imprimer
sur les presses de l'Imprimerie Bussière
à Saint-Amand (Cher), le 1er février 1973.
Dépôt légal : 1er trimestre 1973.
N° d'édition : 17486.
Imprimé en France.
(1907)